YO SOY
EL DIEGO

DIEGO ARMANDO MARADONA

YO SOY EL DIEGO

Realización:
DANIEL ARCUCCI
Y ERNESTO CHERQUIS BIALO

 Planeta

© Diego Armando Maradona, 2000
   Derechos exclusivos de edición en castellano reservados para todo el mundo:
© Editorial Planeta Argentina, S.A.I.C., 2000
   Bajo licencia de T y C Entertainment
© de esta edición, Editorial Planeta, S. A., 2000
   Còrsega, 273-279, 08008 Barcelona (España)

Diseño de la cubierta: Mario Blanco
Diseño del interior: Alejandro Ulloa
Ilustración del interior: gentileza del archivo personal de la familia Maradona, de la revista *El Gráfico* y del diario *La Nación*
Primera edición: setiembre de 2000
Segunda edición: noviembre de 2000
Tercera edición: noviembre de 2000
Depósito Legal: B. 42.208-2000
ISBN 84-08-03674-2
Impresión: A&M Gràfic, S. L.
Encuadernación: Encuadernaciones Roma, S. L.
Printed in Spain - Impreso en España

INDICE

EL ORIGEN 11
Villa Fiorito, los Cebollitas, Argentinos Juniors,
Selección Argentina

LA EXPLOSION 31
Argentinos Juniors, Argentina '78, Japón '79

LA PASION 45
Boca '81

LA FRUSTRACION 67
España '82, Barcelona

LA RESURRECCION 83
Napoli '84/'91

LA GLORIA 111
México '86

LOS AMIGOS, LOS ENEMIGOS 139
Passarella, Ramón Díaz, Menotti, Bilardo, Havelange

LA LUCHA 151
Copa América '87 y '89

LA VENDETTA 161
Italia '90

EL DOLOR 189
Estados Unidos '94

LOS REGRESOS 213
Sevilla, Newell's

LA DESPEDIDA 245
Boca '95/'96

UNA MIRADA 277
Sobre los afectos, sobre las estrellas

YO SOY EL DIEGO 301
Un mensaje

Títulos, premios, logros 309

Indice de nombres 313

A Dalma Nerea y Gianinna Dinorah Maradona.
A mis viejos, Chitoro y Tota.
A mi mujer, la Claudia.
A mis hermanos, el Lalo y el Turco.
A mis hermanas, Ana, Kity, Lili, Mary y Caly.
A mi amigo, Guillermo Cóppola.
Y a todos los futbolistas del mundo.

A Fidel Castro y, por él, a todo el pueblo cubano.
A Rodrigo.
A Carlos Menem.

A todos mis sobrinos.

A todos los Cebollitas.
A todo Fiorito.
A los napolitanos.
A los hinchas de Boca.
A la gente de La Quiaca.
A Francis Cornejo.

A Caniggia y sus hijos.
A Marito Kempes.
A Claudio Husain, el Turu Flores, el Turco Asad y el Rifle Pandolfi.
A la memoria de Juan Funes.
A Julio Grondona.
A Ciro Ferrara.
A Salvatore Bagni.
A Rivelinho.

A Agustín Pichot.
A los chicos del voley.

A Emiliano Díaz, el hijo de Ramón.
A los abogados que sacaron a mi amigo de la cárcel.
A Carlos.
A Salvatore Carmando.
A Quique y a Gabriel.

A Los Piojos.
A Charly y a Calamaro.
A Lauría.
A Gabriel.
A Omar.
A Leo.
A Fede Ribero y Andrea Burstein.
A todos los pibes de Tortugas.
A Cristian de Las Cañitas.

Al doctor Oliva.
Al doctor Lentini.
Al Ciego Signorini.
Al Renegado Vilamitjana.

Al Negro Avila.
A Costy Vigil.
A la gente del Cristóforo Colombo.
A Shaquille O'Neal, Michael Jordan y las torres gemelas de San Antonio.

Y por último, a mi corazón y a Dios.

EL ORIGEN
Villa Fiorito, Los Cebollitas, Argentinos Juniors,
Selección Argentina

A mí, jugar a la pelota me...
me daba una paz única.

Empiezo este libro en La Habana. Por fin me decidí a contar todo. No sé, pero siempre me parece que quedan cosas por decir. ¡Qué raro! Con todo lo que ya dije, no estoy seguro de haber contado lo importante, lo más importante.

Acá, por las noches, mientras aprendo a saborear un habano, empiezo a recordar. Es lindo hacerlo cuando uno está bien y cuando a pesar de los errores no tiene de qué arrepentirse.

Es bárbaro recorrer el pasado cuando venís desde muy abajo y sabés que todo lo que fuiste, sos o serás, es nada más que lucha.

¿Saben de dónde vengo? ¿Saben cómo empezó esta historia?

Yo quería jugar, pero no sabía de qué quería jugar, no sabía... No tenía ni idea. Yo empecé de defensor. Me gustó siempre y todavía me seduce jugar de líbero, ahora que apenas me dejan tocar una pelota porque tienen miedo de que mi corazón explote. De líbero mirás todo desde atrás, la cancha entera está delante tuyo, tenés la pelota y decís, pim, salimos para allá, pum, buscamos por el otro lado, sos el dueño del equipo. Pero en aquellos tiempos, ¡ma' qué líbero ni líbero! La cosa era correr atrás de la pelota, tenerla, jugar. A mí, jugar a la pelota me... me daba una paz única. Y esa sensación —la misma, la misma— la tuve siempre, hasta el día de hoy: a mí dame una pelota y me divierto y protesto y quiero ganar y quiero jugar bien. Dame una pelota y dejame hacer lo que yo sé, en cualquier parte. Porque la gente, la gente es importante, la gente te motiva, pero la gente no está adentro de la cancha. Y donde uno se divierte es adentro de la cancha, con la pelota. Eso hacíamos en Fiorito y eso mismo hice siempre, aunque estuviera jugando en Wembley o en el Maracaná, con cien mil personas.

Lo que pasa es que nosotros, en Fiorito, allá en la villa, desafiábamos mucho más que eso. Desafiábamos al sol. Mi vieja, la Tota, que me cuidaba y me mimaba todo el tiempo, me decía: *Pelu, si vas a jugar... después de las cinco, cuando caiga el sol.* Y yo le contestaba: "Sí, mami, sí, mami, quedate tranquila". Y salíamos a las dos de casa, con mi amigo el Negro, con mi primo Beto o con quien fuera, y a las dos y cuarto ya estábamos jugando, dale que dale, ¡bajo el rayo del sol!, y no nos importaba nada y nos matábamos... A las siete, por ahí, parábamos un rato, pedíamos agua en alguna casa y seguíamos. Jugábamos en la oscuridad, igual. Y ahora por ahí escucho algunos que dicen *eh, en tal cancha falta luz,* ¡si yo jugaba a oscuras, hiju'e puta! Yo no sé si nosotros éramos chicos de la calle; más vale éramos chicos del potrero. Si los viejos nos buscaban, sabían donde encontrarnos. Ahí estábamos, corriendo detrás de la pelota.

Los sábados y los domingos era así, todo el día. Y los días de semana también, desde las cinco, porque tenía que ir al colegio. Yo iba al Remedios de Escalada de San Martín, justo ahí, frente a la estación Fiorito. Al colegio me lo bancaba porque me lo tenía que bancar, por el hecho de no defraudar a mi viejo y a mi vieja, que me compraban el delantal y me llevaban y porque sospechaba que ahí iba a tener la oportunidad de poder ir a un club o de poder jugar a la pelota. Todo lo que hacía, cada paso que daba, tenía que ver con eso, con la pelota. Si la Tota me mandaba a buscar algo, yo me llevaba cualquier cosa que se pareciera a una pelota para ir jugando con el pie: podía ser una naranja, o bollitos de papel, o trapos. Así subía las escaleras del puente sobre las vías, saltando en una pata, la derecha, y llevando lo que fuera en la zurda, *tac, tac, tac...* Así iba hasta el colegio, también, o cuando la Tota me mandaba a hacer algún mandado. La gente me cruzaba y me miraba, no entendían nada. Los que me conocían ya no se sorprendían. Eran mis amigos, los pibes con los que compartía todo, hasta una porción de pizza. Sí, nos íbamos cuatro o cinco a La Blanqueada, al toque de Puente Alsina, donde todavía hoy se hace la mejor pizza del mundo, y nos comprábamos una única porción entre todos —para más no daba—, y la comíamos así, un mordiscón cada uno.

Tengo un recuerdo feliz de mi infancia, aunque si debo definir con una sola palabra a Villa Fiorito, el barrio donde nací y crecí, digo *lucha*. En Fiorito, si se podía comer se comía y si no, no. Yo me acuerdo de que en invierno hacía mucho frío y en verano mucho calor. La nuestra era una casa de tres ambientes, je... Era de material, un lujo: vos pasabas la puerta de alambre de la entrada y ahí había como un patio de tierra; después, la casa. El comedor, donde se cocinaba, se comía, se hacían los deberes, todo, y las dos piezas. A la derecha estaba la de mis viejos; a la izquierda, no más de dos metros por dos, la de los hermanos... De los ocho hermanos. Cuando llovía había que andar esquivando las goteras, porque te mojabas más adentro de la casa que afuera. O sea, no es que no teníamos una pileta; no teníamos agua: así empecé a hacer pesas yo, con los tachos de veinte litros de aceite YPF. Los usábamos para ir a buscar agua hasta la única canilla que había en la cuadra, para que mi vieja pudiera lavar, cocinar, todo. Y para bañarnos también: con la mano sacabas el agua del tacho y te la pasabas por la cara, por los sobacos, por las bolas, por los tobillos, entre los dedos. Lavarse la cabeza era más complicado, te imaginás, y en invierno más valía zafar.

La verdad, la verdad, no teníamos mucho para divertirnos, pero con mi amigo el Negro hacíamos barriletes y los vendíamos. Aparte tenía la pelota, claro. La primera pelota que tuve fue el regalo más lindo que me hicieron en mi vida: me la dio mi primo Beto, Beto Zárate, hijo de la tía Dorita. Era una número uno de cuero; yo tenía tres años y dormí abrazándola toda la noche.

Yo siempre digo que fui un profesional de chiquito: jugaba para el equipo que primero me venía a llamar; a veces en casa no me dejaban y yo lloraba como loco, pero cinco minutos antes del partidito, la Tota siempre me daba permiso. A don Diego costaba más convencerlo.

Yo lo entendía a mi viejo, ¿cómo no iba a entenderlo si se deslomaba para que pudiéramos comer y estudiar? Eso era lo que él quería, que estudiara. Claro, él había llegado a Fiorito desde Corrientes por el año '55. Después que la Tota, eso sí. Porque la Tota se vino primero, con mi hermana la Ana, la mayor, al hombro. En Fiorito ya vivía una tía mía, Sara, y fue ella la que le dijo que en Buenos Aires iban a estar mejor. En Esquina se había quedado esperando novedades mi viejo, con Rita, mi otra hermana, y mamá Dora, mi abuela, un fenómeno. Allá era lanchero, trabajaba para Don Lupo, Guadalupe Galarza: en barquitos llevaba animales a las islas cuando el río bajaba y volvían a buscarlos cuando llegaba la creciente, para llevarlos otra vez a los campos. Vivía en el río, conocía todos sus secretos. Y todavía los conoce. Allá tenía muchas de las cosas que le gustaban, cosas que compartimos todavía: pesca, asado y fútbol. Es el día de hoy que una de mis salidas preferidas es la pesca. Nunca nadie hará un asado más rico que el de mi viejo. Según me contaron siempre, jugaba realmente bien al fútbol, le pegaba como una mula. La cosa es que cuando la Tota lo llamó, se largó para Buenos Aires a conseguir un trabajo. Lo consiguió... Bueno, eso de trabajo es un decir: en la molienda Tritumol laburaba desde las cuatro de la mañana hasta las tres de la tarde.

La cosa es que se instalaron como pudieron. No fue fácil, ¿eh?, nada fácil. Alquilaron una casilla, primero. Después, se mudaron a otra, un poquito, un poquito, nada más, mejor. Y a lo último llegaron a una casita con mucha chapa y madera y algunos ladrillos, cerca de la esquina de Azamor y Mario Bravo. Ahí está, todavía de pie, esa casita, casi igual. Ahí nacieron Elsa, María, después yo, Raúl (el Lalo), Hugo (el Turco) y Claudia (la Caly).

Había que laburar mucho para alimentar tantas bocas. Había que laburar mucho y mi viejo se mataba. Por eso yo trataba de hacer las menos cagadas posibles, pero... A veces mi viejo cobraba y me compraba zapatillas y yo las rompía enseguida porque jugaba a la pelota todo el día. ¡Era para llorar! Y en realidad llorábamos, porque encima de que se rompían, mi viejo me fajaba... Pero ojo,

14

no lo cuento para recriminarle... Eran otros tiempos y eran otras costumbres... ¡Mi viejo no tenía tiempo de hablarme! Y entonces me tenía que pegar. Mi viejo no tenía tiempo para decirme como yo hoy le puedo decir a Dalma o a Gianinna: "Vení, vení que quiero explicarte esto". Mi viejo tenía que dormir aunque sea un ratito para ir al otro día a las cuatro de la mañana a la fábrica, porque si no se pudría todo en casa y no había para comer. Esto lo cuento para que todos sepan que hay muchas familias obligadas a vivir así y de paso para reconocer que me sirvió de experiencia, de mucha experiencia. Es el día de hoy que reconozco a mi viejo, a don Diego, como la persona más buena que conocí en mi vida, y repito, para ellos, para él y para la Tota también: si me piden el cielo, se los doy.

Esto es lo que quiero transmitir: a mí se me hizo la piel más dura por lo que viví en Fiorito y después también; pero los sentimientos no me cambiaron nunca. Ni me cambiarán. Cuando digo lo que quiero transmitir estoy diciendo que a los ídolos la gente los tiene en sus casas, bien cerca, pueden tocarlos. No es que los ven por la tele o en las revistas; están ahí... Por eso siempre digo que no soy ni quiero ser ejemplo. En todo caso, para mis hijas sí; a ellas me debo, ellas podrán juzgarme.

La verdad es que, gracias a mi viejo, a mí nunca me faltó de comer. Por eso tenía buenas piernas, aunque era flaquito. En otras casas por ahí los pibes no comían todos los días, y entonces se cansaban antes que yo. Eso me hacía un poco diferente a los demás: que tenía buenas piernas y que comía. Nunca pensé, nunca, que había nacido para jugar al fútbol, que me iba a pasar todo lo que me pasó después. Tenía mis sueños, sí, como ese que quedó grabado en la televisión, cuando ya era más conocido y dije que mi sueño... era jugar un Mundial y salir campeón del mundo con Argentina, pero era el mismo sueño de todos los chicos, como cualquiera. Lo que sí sentí fue que con la pelota era diferente a los demás, que en cualquier picado que me ponían lo resolvía, lo ganaba yo siempre. Así como en la vida se elige, en los picados también: siempre eligen los dos más grandes y ahí se arma todo. Y bueno, al Pelusita siempre lo elegían primero en los picados.

15

Siempre jugábamos a la vuelta de casa, en las Siete Canchitas. Eran unos potreros enormes, algunas canchas tenían arcos y otras no. ¡Las Siete Canchitas, como si fuera uno de esos complejos que hay ahora, con césped sintético y esas cosas! Aquéllas no tenían ni césped ni sintético, pero eran maravillosas para nosotros. Eran de tierra, de tierra bien dura. Cuando empezábamos a correr se levantaba tanto polvillo que parecía que estábamos jugando en Wembley y con neblina.

Una de esas canchitas era la del Estrella Roja, el equipo de mi viejo, donde yo jugaba sí o sí. Otra era de Tres Banderas, del papá de un amigo mío, el Goyo Carrizo. ¡Estrella Roja contra Tres Banderas era como Boca contra River! Era muy común eso, en aquellos tiempos, y creo que ahora también: los padres a los que les gusta mucho el fútbol arman equipos y hacen jugar a los pibes. A veces por plata y todo. La cosa es que nosotros éramos el clásico del barrio. Pero con Goyo todo bien. Tan bien que un día, a mediados del '69, en la escuela donde éramos compañeros de grado me dijo:

—*Diego, el sábado fui a Argentinos Juniors a entrenar y me dijeron que llevara pibes a probarse, ¿querés venir?*

—No sé, le tengo que preguntar a mi viejo, no sé...

La verdad era que yo sabía que si le pedía a mi viejo que me llevara era gastar plata en boleto y sacarle a él tiempo de descanso. Y eso me frenaba. Pero, claro, como me pasaba siempre cuando algo tenía que ver con mi viejo, le conté a mi mamá que me gustaría ir, que esto y que lo otro... La Tota cumplió, como siempre: le contó a mi viejo y él decidió que averigüemos todo a ver cómo era, que él me iba a llevar... ¡Para qué! Salí corriendo para la casa del Goyo más rápido que Ben Johnson. Eran como tres kilómetros, tenía que cruzar Las Siete Canchitas, y llegué así, sin aire, y le dije: "Goyo, voy, voy, me dejan, ¿cuándo es?". Faltaban unos días todavía, que para mí fueron como un siglo.

Con mi viejo lo pasamos a buscar a Goyo y a Montañita, otro pibe del barrio que jugaba bien. De Fiorito fueron un montón de pibes más, pero nosotros tres fuimos juntos y nosotros tres quedamos.

Ya el viaje fue una aventura. Hice por primera vez el trayecto que después iba a repetir miles de veces. Salimos de Fiorito en el verde, como le decíamos al 28, y en Pompeya nos tomamos el 44, para llegar hasta Las Malvinas, que era donde se entrenaba Argentinos en Tronador y Bauness. Juro que para mí cruzar el Puente Alsina era como hoy es pasar el puente de Manhattan, lo juro.

La cosa es que llegamos a Las Malvinas. Había llovido tanto que, cuando por fin estuvimos todos juntos, nos informaron que no se podía jugar para cuidar las canchas. ¡Qué desilusión! Creo que si los pibes nos poníamos a llorar inundábamos todo y ahí sí que no se iba a poder jugar más. Entonces Francis, que es un fenómeno, y manejaba todo ahí, dijo: *No se hagan problemas, agarremos el Rastrojero de don Yayo y vamos al Parque Saavedra, que ahí sí vamos a poder jugar.*

Francis era Francisco Gregorio Cornejo, el creador de Los Cebollitas, un grupo de chicos de la clase '60 armado para jugar en cuanto torneo se presentara antes de llegar a los 14 años, que era cuando Argentinos los podía fichar en la AFA y arrancar con la novena división. Y don Yayo era José Emilio Trotta, su ayudante, un hombre más o menos de la misma edad que él, que era el dueño de la camioneta con la que nos llevaban a todas partes.

En el Parque Saavedra armaron dos equipos. En la segunda tanda entramos nosotros y a mí me tocó jugar con Goyo. Aunque siempre habíamos sido rivales, nos entendíamos de memoria y les pintamos la cara. Tiré caños, taquitos, sombreros, hice un par de goles, no me acuerdo cuántos. Lo que sí me acuerdo fue que Francis le dijo a Goyo que siguiera yendo, que me quería ver otra vez. Pero lo que él no creía es que de verdad yo tuviera nueve años. Entonces me encaró, con cara seria...

—*Nene, ¿seguro que sos del sesenta?*

—Sí, don Francis...

—*A ver, mostrame los documentos.*

—No, los dejé en casa...

Era cierto, pero él no me creía. Tiempo después me confesó que pensaba que yo era un enano.

Para esa época ya se había hecho amigo de mi viejo, que confiaba en él y en don Yayo como si fueran de la familia. Por esa confianza es que yo termino en Argentinos y no en otro equipo. Viviendo donde vivíamos podría haber ido a Independiente o a Lanús... River no creo... Si ahora pudiera elegir me quedaría con Boca, con Boca... Ojo que en aquel tiempo yo, mientras me iba formando como jugador, estaba enamorado de Bochini. Me enamoré terriblemente y confieso que era de Independiente en la Copa Libertadores, a principios de los setenta, cuando estaba por dar el salto de los Cebollitas a la novena, porque ¡Bochini me sedujo tanto! Bochini... y Bertoni. Las paredes que tiraban Bochini y Bertoni eran una cosa que me quedó tan grabada que yo las elegiría como las jugadas maestras de la historia del fútbol. También me gustaba el Beto Alonso, porque era zurdo y a mí me parece que, no sé, los zurdos somos más vistosos. Ahí está el caso de Rivelinho, el mejor ejemplo. Creo que eso es lo único que no tuvo el Bocha: zurda. Pero amagaba con el pie por arriba de la pelota... y los defensores se caían. Yo pensaba: "No puede ser, no se entiende. Yo engancho para pasar a uno, lo encaro y tengo que correr la pelota para pasarlo". El Bocha no la corría; hacía así, se inclinaba, y la pelota seguía ahí, y los defensores igual se caían de culo. La verdad, a los 16 años decían que me quería comprar Independiente: en esa época soñaba con jugar con el Bocha; después, se me pasó.

Pero yo los miraba a todos, y aprendía. Mientras tanto, con los Cebollitas le íbamos ganando a todos los que nos ponían enfrente. Ganamos 136 partidos seguidos, los tengo anotados en un cuaderno que me regalaron Francis y don Yayo. Claudia lo tiene guardado como un tesoro... ¡Si me contaran los goles que hice ahí, tengo más que Pelé! Pero, claro, eso no se puede probar, aunque yo sé que los hice. Me acuerdo que perdimos el partido que nos cortó la racha en Navarro, porque nosotros íbamos a jugar a todas partes. ¡Era un equipazo! Ahí fue donde yo empecé a ser jugador de fútbol, jugador de verdad, porque yo en Fiorito lo que hacía era correr atrás de la pelota.

Jugaba siempre de cualquier manera: una vez, hasta con siete puntos de sutura en una mano y todo vendado. Resulta que estábamos por sentarnos a comer con Goyo, en mi casa, y la Tota me pidió que le fuera a buscar un sifón, que no había soda. Nos fuimos corriendo con el Goyo y, cuando volvíamos doblo en la esquina y me pego un porrazo. ¡Un porrazo terrible! Se me reventó el sifón y me hice un tajo enorme en la mano. ¡Para qué! A mí me dolía todo lo que se me venía: el corte, el susto de la Tota, la paliza de mi viejo y sobre todo el partido del día siguiente. Porque era viernes y el sábado teníamos que jugar en Banfield. Me llevaron al hospital, donde pudieron, y me cosieron y me pusieron una venda enorme, parecía La Momia.

Al día siguiente me fui con los pibes en el Rastrojero de don Yayo. Tenía miedo de que Francis no me pusiera y que encima me retara, porque, la verdad, le teníamos un respeto que se parecía bastante al miedo. Ya en el vestuario, la cosa fue que Francis me llamó y me preguntó...

—¿*Qué le pasó en la mano, Maradona?*

—Me caí y me corté, don Francis. Pero puedo jugar...

—¿*Qué? ¡Ni loco! Usted así no puede jugar.*

Pegué media vuelta y me volví al banco, donde me estaba cambiando, mordiéndome los labios para no llorar. El Goyo me vio y lo encaró a Francis...

—*Déle, Francis, déjelo jugar, aunque sea un ratito. Si Don Diego le dio permiso.*

Francis frunció la cara y gruñó algo así como ...*está bien, pero un ratito*. A mí me volvió el alma al cuerpo... No jugué un ratito; jugué todo el partido: ganamos 7 a 1 y yo hice cinco goles.

En el equipo nuestro estaba el hijo de Perfecto Rodríguez, el Mono Claudio, que era un ocho excepcional. El nueve era Goyo, el diez era yo y el once, Pólvora Delgado. Pero el papá de Rodríguez estaba muy vinculado con Chacarita, y cuando llegamos a la edad de novena división se llevó al hijo para allá y nos desarmó el equipo. Francis tuvo que poner a Osvaldo Dalla Buona, que fue uno de mis mejores amigos pero era un picapiedra terrible, y entonces se complicaba la historia. Se complicaba. Así nació el clásico de inferiores, el Argentinos nuestro contra el Chacarita del Pichi Escudero y el Mono Rodríguez. Ganamos nosotros porque marcábamos la diferencia... por la izquierda. Una formación típica era: Ojeda; Trotta, Chaile, Chammah, Montaña; Lucero, Dalla Buona, Maradona; Duré, Carrizo y Delgado.

De aquellos Cebollitas me quedaron muchas historias que me marcaron para siempre. Ahora que hay tanto lío con lo de las edades, como con los brasileños, que ponen jugadores mayores en los juveniles, debo contar que a mí me pasaba lo mismo, pero al revés: tenía 12 años, tres menos que los demás, pero Francis igual me ponía, en el banco. Si la cosa iba mal, me mandaba a la cancha. La primera vez fue contra Racing, en la cancha de Sacachispas: faltaba media hora, empatábamos cero a cero y no pasaba nada; me mandó a la cancha, hice dos goles y ganamos; el técnico rival, un tal Palomino que lo conocía muy bien, se acercó a Francis y le preguntó: *¿Cómo es posible que tengas a ese pibe en el banco? Cuidalo, que va a ser un genio.* Francis le mostró los documentos y Palomino no lo podía creer. Otra vez, contra Boca, hizo lo mismo, pero como en el ambiente de las inferiores ya me conocían, me cambió el nombre: me mandó Montanya. Perdíamos tres a cero, entré, hice un gol, empezamos a apretar y empatamos; el problema fue que mis compañeros me mandaron en cana: *¡Grande, Diego!,* gritaban, hasta que el técnico de Boca se avivó. Fue y lo encaró a Francis: *Vos me pusiste a Maradona... Por esta vez pasa, no te voy a protestar el partido. Vos sí que sos un tipo de suerte. Ese chico es maravilloso.* También alguna vez quedé afuera, y no precisamente por una cuestión de edad: en 1971, cuando fuimos a un campeonato a Uruguay, la primera vez que salía del país. No pude jugar porque me faltaba el documento, ¡me quería matar! Posé con el equipo, pero con pantalones largos y una cara de bronca que lo decía todo. Ese año también salió mi nombre por primera vez en un diario: el martes 28 de septiembre *Clarín* publicó en un recuadro que había aparecido un pibe *"con porte y clase de crack"*. Según ellos, me llamaba... Caradona. Increíble, la primera vez que aparece mi nombre y mal escrito. También me llevó Pipo Mancera a la televisión, para que hiciera jueguito con la pelota en *Sábados Circulares,* un programa que veía todo el mundo en la Argentina.

En realidad, la gente que iba a ver a Argentinos me conocía, pero no por el nombre. Resulta que un día yo estaba de alcanzapelotas en un partido de primera, y al vivo de Francis se le ocurrió tirarme una en el entretiempo, para que empezara a hacer jueguito. Yo la recibí y empecé a darle, como siempre: empeine, muslo, taco, cabeza, hombro, espalda, dale que dale. Francis, vivo, insisto, me empezó a arrear para el centro de la cancha. A mí me daba vergüenza, porque los otros chicos no me podían seguir y me daba cuenta de que la gente ya me estaba mirando. Empezaron a aplaudir y se hizo un clásico. Pero lo más lindo fue una vez en un Argentinos-Boca, en 1970 en la cancha de Vélez. Hay que imaginarse que nosotros jugábamos toda la semana con un pelota rota, un desastre, así que cuando llegaba el domingo y veíamos las Pintier oficiales de los partidos de primera, nos brillaban los ojitos... En el entretiempo nos poníamos a jugar. En una de ésas yo le pego de afuera del área, la pelota rebota y le da en la cabeza a Don Yayo, que estaba al lado del arco. A la gente le llamó la atención y se empezó a reír. Don Yayo me devolvió la pelota y yo empecé con el jueguito, *tac-tac-tac-tac*, y la gente empezó a aplaudir, a aplaudir, volvieron los de primera, el referí, y la gente empezó a gritar: *¡Que-se-que-de, que-se-que-de, que-se-que-de, que-se-que-de!* Era toda la gente: la de Argentinos, pero más todavía la de Boca, la de Boca... Ese es uno de los recuerdos más lindos que tengo de ellos. Creo que ahí empecé a sentir lo que siento ahora por Boca, ya sabía que algún día nos encontraríamos.

Con los Cebollitas perdimos la final del Campeonato Nacional, en Río Tercero, Córdoba. Nos ganó un equipo de Pinto, Santiago del Estero, dirigido por un señor llamado Elías Ganem. El hijo de él, César, me vio tan amargado que se me acercó y me dijo: *No llorés, hermano, si vos vas a ser el mejor jugador del mundo.* Todos creen que me regaló su medalla de campeón, pero nada que ver: se la quedó él y bien ganada que la tenía.

De ese torneo también hay una foto mía que mucha gente conoce: estoy arrodillado, consolando a un muchacho más grande que lloraba. El muchacho era Alberto Pacheco, jugaba para Corrientes, que había perdido la final contra Entre Ríos. Nos habíamos hecho muy amigos porque papá, como buen correntino, los iba a ver en todos los partidos. Ya desde esa época me gustaba jugar contra River... y ganarle. Recuerdo tres partidos: un 3 a 2, en un cuadrangular en el que también estuvieron Huracán y All Boys, un ¡7 a 1! y, el mejor, un 5 a 4 por la final del Campeonato Evita 1973: si me pongo a buscar un antecedente del gol que le hice a los ingleses, lo encuentro ahí; gambetié a siete y los vacuné.

¡Ah!, también tengo un antecedente en los Cebollitas del otro gol, el de la mano de Dios: en el Parque Saavedra hice un gol con la mano, los contrarios me vieron, y se fueron encima del referí. Al final dio el gol y se armó un lío bárbaro... Yo sé que no está bien, pero una cosa es decirlo en frío y otra muy distinta tomar la decisión en la calentura del partido: vos querés llegar a la pelota y la mano se te va sola. Siempre me acuerdo de un árbitro que me anuló un gol que hice con la mano contra Vélez, muchos años después de los Cebollitas y muchos años antes de México '86. El me aconsejó que no lo hiciera más; yo le agradecí, pero también le dije que no le podía prometer nada. No sé si él habrá festejado el triunfo contra Inglaterra.

Una semana después de aquel partido contra River, el presidente de ellos, William Kent, le pidió a mi viejo que me pusiera precio, que él me quería comprar. Pero mi viejo le echó flit: *Dieguito está muy feliz de jugar en Argentinos,* le contestó. Igual, no fue la última vez que River me buscó.

Por aquellos tiempos también conocí a Jorge Cyterszpiller. El siempre había seguido las inferiores de Argentinos porque tenía un hermano, Juan Eduardo, que parece que la rompía. Pero este chico falleció de una enfermedad terrible, y eso lo golpeó muy duro a Jorge. No volvió más por el club. No volvió hasta que alguien, un amigo, no sé, le contó que en los Cebollitas había surgido un pibe que la rompía... Ese pibe era yo, y Jorge salió de su encierro. Se convirtió en algo así como coordinador de las inferiores, de los más chicos. Cuando teníamos partidos importantes con la novena nos llevaba a su casa para que descansáramos mejor, para que comiéramos más. El vivía en la calle San Blas, en La Paternal, y muchos viernes me quedaba a dormir ahí. Jugábamos al Scrabel, al Estanciero, así empezó la amistad... Yo dormía en la cama de Juan

Eduardo, para los Cyterszpiller era como uno más de la familia. Lo del manager y todo eso vendría después, no faltaba mucho.

Cuando River salió campeón después de 18 años —en el '75— yo fui alcanzapelotas. Aquella noche, en la cancha de Vélez, ellos le ganaron a Argentinos 1 a 0, con el famoso gol de Bruno. No jugaron los profesionales por una huelga. Fue el 14 de agosto. ¡Pude haber debutado en primera justo un año antes! Francis le dijo al técnico, que era Francisco Campana, que ya que ponían a los pibes para jugar contra otros pibes, me metiera a mí. Pero no, no me puso. Me acuerdo, sí, que atajó el Feo Díaz, pero a mí no me puso y me quedé como alcanzapelotas, atrás del arco. Estaba Juan Alberto Badía, el periodista, haciendo notas ahí, desde ese lugar.

Veo que todo lo hice muy rápido: todos los Cebollitas salimos campeones con la novena; al año siguiente pasé a la octava, con el mismo equipo, y cuando llevábamos como diez puntos de ventaja, me mandaron a la séptima; en séptima jugué dos partidos y me subieron a la quinta; cuatro partidos ahí y enseguida a la tercera; debuté contra Los Andes, en la cancha de ellos, con un gol; dos partidos más y pum, a la primera. Todo, todo, todo eso nada más que en dos años y medio.

La verdad, si toda la gente que dice haberme visto debutar en primera fue a la cancha, el partido debió jugarse en el Maracaná y no en La Paternal. Lo cierto es que yo ya me entrenaba con la primera en la cancha de Comunicaciones. En la práctica del martes, se me acercó el técnico, que era Juan Carlos Montes, y me dijo: *Mire que mañana va a ir al banco de primera, ¿eh?* A mí no me salían las palabras, entonces le dije: "¡¿Qué!? ¡¿Cómo!?". Y el me repitió: *Sí, va a ir al banco de primera... Y prepárese bien porque usted va a entrar.* Entonces yo agarré, desde ahí mismo, de Comunicaciones, me fui corriendo con el corazón en la boca para contarle a mi viejo, a mi vieja. Y, claro, le conté a la Tota y a los dos segundos ya lo sabía todo Fiorito, ¡todo Fiorito sabía que yo jugaba al otro día!

Justo para ese día, Argentinos me había empezado a alquilar un departamento en Villa del Parque, en la calle Argerich 2746. Pero todavía teníamos cosas en Fiorito. Además allá estaba mi abuela, mamá Dora, que no quería saber nada de mudarse. Así que por ahí pasaban todos, mi primo Beto, mi primo Raúl, todos pasaban por la casa de la villa para ver si había partido, si jugaba o no. Claro, si ellos me iban a ver hasta en las inferiores. Cuando tenían plata iban; cuando no, no. Igual que yo, bah: a veces no tenía ni para ir a entrenar; llegaba del colegio —ya estaba en la secundaria— y si no me alcanzaba la plata, mis hermanas casadas —la Ana y la Kity— le robaban plata a sus maridos para que yo pudiera ir. ¡De ida solo!, porque la vuelta me la pagaba Francis. Así hasta que Argentinos me empezó a pagar un viático, gracias al dirigente Rey, que en paz descanse.

La cosa es que cuando le conté a mi primo Beto, el que más quise y más quiero, se largó a llorar... Pero se largó a llorar de una manera que no lo podíamos parar. En ese momento yo me di cuenta de que estaba por pasarme algo grande al otro día. Y también de que justo al otro día, un miércoles, mi viejo laburaba, así que no iba a poder estar en eso que tanto habíamos soñado juntos. Entonces me preparé para ir a la cancha solo.

En realidad, podría haber debutado un mes antes, pero me mandé una... Resulta que en un partido de tercera contra Vélez, en septiembre, el árbitro había sido realmente un desastre. Cuando terminó, me acerqué y le dije, así tranquilamente: "Juez, usted es un fenómeno, tendría que dirigir partidos internacionales". Me dieron cinco fechas por la cabeza y atrasaron el debut.

Cuando llegó el gran día, miércoles 20 de octubre de 1976, hacía un calor bárbaro. O eso sentía yo, por lo menos. Me puse la camisa blanca y el pantalón de corderoy turquesa, con la botamanga ancha, ¡el único que tenía! ¿Qué iba a hacer? ¡No había otro! Y yo no reniego de eso, ¿eh? Se hablaba de los premios y todo eso, entonces pensaba: "Bueno, en este partido al suplente le toca algo, y si entra, un poco más". Hacía cuentas: "Por ahí, me compro otro pantalón, o algo". Después perdimos, *je*, pero igual fue todo muy lindo.

A la mañana, cuando salí, mi vieja me acompañó hasta la puerta. *Voy a rezar por vos, hijo,* me dijo. Encima, mi viejo pidió permiso para salir antes del laburo para irme a ver. No me acuerdo la hora exacta del partido, si fue a las tres o a las cuatro, pero lo que sí recuerdo bien es que antes de salir a la cancha me avisaron que mi viejo había llegado a tiempo. Lo primero que me impactó fue ver a la hinchada de Talleres, ¡había cordobeses por todos lados! Nosotros —los jugadores de Argentinos, digo— nos juntamos antes del partido a comer ahí en Jonte y Boyacá. El clásico bife con puré, con la charla técnica de Montes como postre, todo ahí. Después cruzamos caminando hasta la cancha, entre la gente, ¡no nos conocía nadie! Y encima eran todos cordobeses. *¡Soy Taaaeere, Taaaeere, io soy!,* gritaban, con su tonada inconfundible. Ellos tenían un equipazo: Ludueña, Ocaño, Luis Galván, Oviedo, Valencia, Bravo. Nosotros, bueno, no teníamos tantas figuras. ¿La verdad? Nos tendrían que haber hecho dieciocho goles... Recuerdo el cuadro de memoria: Munutti; Roma, Pellerano, Gette, Minutti; Fren, Giacobetti, Di Donato; Jorge López, Carlos Alvarez y Ovelar.

Yo entré por Giacobetti en el segundo tiempo, con el 16 en la espalda, con la camiseta roja cruzada por una banda blanca. ¡Cómo me gustaba esa camiseta! Era como la de River... pero al revés, *je.*

Los cordobeses nos estaban dando un toque bárbaro y a los 27 minutos el Hacha Ludueña hizo el gol. Antes del final del primer tiempo, Montes, que estaba en la otra punta del banco, giró la cara hacia mí y me clavó la mirada, como preguntándome: *¿Se anima?* Yo le mantuve la mirada y ésa, creo, fue mi respuesta. Enseguida empecé con el calentamiento y en el arranque del segundo entré. En el borde de la cancha, Montes me dijo: *Vaya, Diego, juegue como usted sabe... Y si puede, tire un caño.* Le hice caso: recibí la pelota de espaldas a mi marcador, que era Juan Domingo Patricio Cabrera, le amagué y le tiré la pelota entre las piernas; pasó limpita y enseguida escuché el *Oooole...* de la gente, como una bienvenida. No estuvieron todos los que dicen haber estado, pero las tribunas estaban hasta la manija, no se veía ni un pedacito de tablón. Me acuerdo que lo que más me llamó la atención fue la falta de espacios; la cancha me parecía chiquita al lado de las de inferiores. Y los golpes grandes. Entre los chicos me había acostumbrado a que me cagaran a patadas, pero acá aprendí rapidito que tenía que saltar justo; lo gambeteás al tipo, saltás la patada y seguís con la pelota... Si no aprendés eso, a la tercera patada ya no podés seguir. Igual, yo venía muy fuerte físicamente, porque el doctor Paladino, Roberto "Cacho" Paladino, nos daba vitaminas, inyecciones, cuidaba nuestra alimentación. Creo que gracias a él me desarrollé fuerte y sano. Fuerte y sano. Me hace acordar a lo que pidió la Tota cuando me bautizaron, el 5 de enero de 1961: *Que sea buena persona y que crezca sanito.*

Perdí el primer partido, sí, pero arrancaba con Argentinos una larga historia, hermosa, inolvidable. Siempre digo que, futbolística-mente, ese día toqué el cielo con las manos. Por todo, yo sabía que se iniciaba algo muy importante en mi vida. En aquel Nacio-nal jugué diez partidos más, fueron once en total, y también hice dos goles, los primeros de mi carrera: los dos a San Lorenzo de Mar del Plata, en el estadio San Martín, porque el mundialista to-davía ni existía, el 14 de noviembre de 1976.

Me empezaron a hacer reportajes, notas. Me acuerdo de una por el título, porque resumía todo lo que me estaba pasando: *"A la edad de los cuentos, escucha ovaciones",* decía. Claro, si en tres años, nada más, había pasado de Fiorito a las revistas, a la tele, a los reportajes. Fue todo tan rápido como lo cuento acá, tal cual. Por eso debe ser que me ponían nervioso las notas. Me gustaban, pero me ponían nervioso. Yo no me la creía, no me sentía nadie y terminaba diciendo siempre lo mismo: dónde nací, cómo viví y qué jugadores me gustaban. Tuve que madurar demasiado rápido. Conocí la envidia de los otros, no la entendía, me encerraba en la pieza y me ponía a llorar. Maduré de golpe. Me quise comprar to-do: camisas, camperas, pantalones, remeras... Me empecé a cuidar de lo que hablaba pero eso no es tan fácil. Nadie se pudo haber imaginado en aquel momento lo que hoy me pasa. Lo mío fue to-do muy rápido, tan rápido que ni siquiera tuve tiempo de sentir envidia por lo que hacían los otros, ¡si yo lo tenía todo! Qué sé yo, me daba cuenta de que había dejado atrás una época de grandes esfuerzos, no sólo míos, sino también de mi familia. De mi viejo, de su sacrificio para acompañarme todos los días, cabeceando el sueño en el colectivo. Y ahora yo tenía la posibilidad de tener el auto estacionado en la puerta. Era un Fiat 125 rojo, guarda, ¿eh?

No sé, me pasaban un montón de cosas, un mundo todo distinto y todo de golpe. Tan de golpe que aquel sueño mío, jugar en la Selección, se cumplió enseguida, cuando recién tenía once partidos en primera, ¡once!

. Como todo en mi vida, las cosas se iban dando demasiado rápido. Esto pasó a principios del '77, apenas tres meses después de mi debut en Argentinos. Yo estaba con los juveniles y nos entrenábamos contra los mayores. Por eso Menotti, que era el técnico de la Selección mayor, siempre me veía. A mí me había citado don Ernesto Duchini, que era un maestro, un verdadero maestro, y jugábamos contra los grandes, contra Passarella, Houseman, Kempes, ¡todos monstruos!

En una de esas prácticas parece que la rompí, porque el Flaco me habló especialmente a mí. Cada palabra del Flaco era un silencio, dentro mío, sepulcral... Porque el Flaco era, ¡era Dios! Y ahí estaba, me hablaba a mí solo. Me estaba anunciando que iba a jugar en el amistoso contra Hungría, ¡que iba a debutar en el Seleccionado! Esto lo conté una vez y no creo que ahora encuentre palabras distintas para hacerlo...

Cuando terminó la práctica, Menotti me llamó aparte y me dijo: *Maradona, cuando salga de acá vaya al hotel a concentrarse. Lo único que le pido es que no se lo diga a nadie. Si quiere, coménteselo a sus padres, pero evite que se entere el periodismo. No me gustaría que se pusiera nervioso.*

Lo tomé con calma. Al día siguiente, a la mañana, Menotti me volvió a hablar: *Quiero decirle que si el partido se resuelve favorablemente, si el equipo llega a golear, es posible que usted juegue.*

Yo seguía tranquilo. No sé por qué, pero el anuncio me puso alegre y no me preocupó para nada. Además, todo dependía de cómo le fuera al equipo. El domingo 27, el gran día, el del partido, no desayuné. Quería descansar todo el tiempo posible, así que me levanté a las once. Me bañé y vi televisión en la pieza del hotel hasta las doce. Después bajé y estuve charlando con los muchachos hasta que fuimos a almorzar. Volví a mi habitación y estuve viendo otro rato la televisión. Salimos para la cancha de Boca a las tres y media de la tarde.

Cuando el micro estacionó en La Bombonera empecé a darme cuenta dónde estaba, qué me sucedía. Vi tanta gente que se acercaba, nos palmeaba y gritaba consejos que empecé a sentir que me temblaban las piernas... ¡Parece mentira el miedo que te puede hacer sentir la gente!

Primero se cambiaron los titulares. Después nosotros, los suplentes... Cuando aparecí en la cancha y escuché la ovación del público, los gritos, creí que todos me gritaban a mí, que todos miraban a Maradona. La verdad es que nadie me debe haber dado bolilla, pero yo sentí eso.

Empezó el partido y enseguida, penal. Entonces pensé: "Bueno, esto es goleada, preparate Diego". Pero cuando el arquero lo atajó me di cuenta de que iba a ser muy difícil que jugara. Al toque llegó el golazo de Bertoni, y el segundo, y el tercero... y cada gol que hacíamos era como si me entrara una hormiga más en el cuerpo. Si la cosa seguía así, iba a entrar, seguro.

Yo estaba sentado al lado de Mouzo; después seguían Pizzarotti, el doctor Fort y Menotti. Iban veinte minutos del segundo tiempo cuando el Flaco me llamó: *¡Maradona!, ¡Maradona!*, dos veces me llamó. Me levanté y fui hasta donde él estaba. Me di cuenta de que iba a jugar. *Va a entrar por Luque,* me dijo Menotti. *Haga lo que sabe, esté tranquilo y muévase por toda la cancha. ¿Estamos?* Eso me dio coraje. Empecé a correr haciendo precalentamiento y ahí fue cuando oí que la tribuna coreaba mi nombre. *¡Maradooó, Maradooó!* No sé qué me pasó. Me temblaron las piernas y las manos. Era un ruido bárbaro: la tribuna gritaba, lo que me había dicho Menotti me sonaba en la cabeza, el Japonés Pérez me alentaba: *¡Vamos, Diego, con fuerza!,* y todo se mezclaba. Lo digo honestamente: tenía un julepe bárbaro.

La toqué enseguida. Sacó Gatti para Gallego y el Tolo me la dio a mí, de una. Lo hizo a propósito, me di cuenta de que era una gran muestra de compañerismo. Me la dio rápido para que tomara confianza, para que tuviera la pelota. Fue ahí cuando lo dejé solo a Houseman con un pase entre dos húngaros. Entonces me serené del todo. Me alentaba Villa, me cuidaba Gallego, Carrascosa me gritaba *¡buena, buena!* aunque no la hiciera bien.

Terminó el partido y el primer abrazo lo recibí de Gallego: *¡Así te quiero ver siempre, Diego! ¡Así!* Me parecía mentira. Había pasado todo. Me fui a casa con papá y con Jorge Cyterszpiller. Cené y prendí la televisión para ver el partido. Me di cuenta de que me había equivocado varias veces. Le di una pelota a Bertoni a la derecha, y el que estaba solo en la otra punta era Felman; quise gambetear a un húngaro y la enganché muy corta: me acordé de que en ese momento pensé hacerla larga y después me arrepentí; vi la patada que me dio un húngaro sin la pelota, pero por televisión duele menos. Después me fui a dormir. No soñé nada. Dormí como nunca.

Ya estaba instalado definitivamente en la casita de la calle Argerich, con toda mi familia. Era una típica casa de barrio, propiedad horizontal. Nosotros vivíamos al fondo y adelante estaba la familia Villafañe: don Coco, taxista y fanático de Argentinos, doña Pochi, ama de casa, y... la Claudia. Creo que nos empezamos a mirar desde el primer día, cuando me instalé ahí, en octubre del '76. Ella me miraba por la ventana cada vez que yo salía y yo me hacía el boludo, pero siempre la relojeaba. Eso sí: recién me le animé casi ocho meses después. Exactamente el 28 de junio de 1977. Fui a bailar a un clásico del barrio: el Social y Deportivo Parque. Ahí, sobre las baldosas de la cancha de papi, las mismas en las que jugaban todos los monstruitos que después terminarían en Argentinos, se armaban unos bailongos bárbaros. Después de las dos de la mañana empezaban los lentos y ése era el gran momento. Yo estacioné mi Fiat 125 rojo en la puerta y me mandé... Ella estaba adentro, con sus compañeras del colegio, iba al quinto año comercial. Los dos sabíamos que nos espiábamos, así que apenas la cabecié, aceptó. Justo, justo en el momento en que empezamos a bailar, ni nos habíamos saludado todavía, meten el tema "Yo te propongo", de Roberto Carlos... ¡Espectacular! Me ahorró todas las palabras, que justamente no me sobraban. A partir de ahí, a partir de ese momento exacto, somos *El Diego* y *La Claudia*. Y no sabemos vivir el uno sin el otro... Bueno, ella se tuvo que acostumbrar a algunas cosas. Y no hablo de las concentraciones precisamente: una vez yo volví muy tarde, casi de día. Ni dormí: me bañé y me fui a entrenar. Mi viejo me escuchó, pero no me dijo nada... Al mediodía, cuando volví, lo veo a mi viejo hablándole a la Claudia, casi a los gritos: *¡Vos no podés hacerlo acostar tan tarde al nene, lo tenés que cuidar un poco más, él tiene que ir al entrenamiento!* Yo quería que me tragara la tierra: esa noche no había salido con la Claudia.

LA EXPLOSION
Argentinos Juniors, Argentina '78, Japón '79

Me había propuesto una revancha
por lo del Mundial '78...
Y en Japón la cumplí.

Yo creo que podría haber jugado en el Mundial '78... Estaba afilado, estaba como nunca, como nunca estuve. Pero bueno, son cosas que pasan, qué sé yo. Lloré mucho, lloré tanto que... no sé. Ni siquiera cuando pasó lo del '94, lo del dóping, lloré tanto. Yo las siento hoy como dos injusticias. Son distintas, pero injusticias las dos. Yo a Menotti no lo perdoné ni lo voy a perdonar nunca por aquello —sigo sintiendo que se le escapó la tortuga—, pero nunca lo odié. Odiar es distinto a no perdonar. Eso creo yo, por lo menos. Por eso digo que, a pesar de todo, a mí no se me borra la imagen que yo tengo del Flaco, de su sabiduría para saberme llevar.

Fue un 19 de mayo y llovía en José C. Paz, en la quinta de Natalio Salvatori donde estábamos concentrados. El Flaco nos llamó a todos, a los veinticinco, al centro de la cancha donde hacíamos fútbol. Yo me la veía venir, me la veía venir. El plantel tenía cinco que jugábamos de diez: Villa, Alonso, Valencia, Bochini y yo. Creo que el que más le gustaba al Flaco era Valencia, porque lo había descubierto él; después, Villa; a Alonso lo sumó porque hubo una campaña tremenda del periodismo y de no sé quién más; al Bocha le dio el toque antes que a nadie. Y a mí, bueno, me llegó la hora.

El día anterior había ido a visitarme Francis a la concentración,

31

y me encontró llorando en la pieza... Por eso digo: me la veía venir. Cuando todos conocieron la noticia esa de que Bravo, Bottaniz y yo quedábamos afuera, se me acercaron algunos a consolarme: Luque, un gran tipo, el Tolo Gallego... Y ninguno más. En ese momento eran demasiado grandes como para gastar una palabra en un pibe. No digo que hayan estado mal, ¿no?, pero todo el mundo quería jugar su primer Mundial y todo el mundo cuidaba su quintita. O sea, quien le tenía que hacer de alcahuete al Flaco Menotti, le hacía de alcahuete al Flaco Menotti; quien le tenía que hacer de alcahuete a Pizzarotti, le hacía de alcahuete a Pizzarotti. Era todo muy entendible, en el fútbol la cosa es así con las estrellas, y lo mío pasó como si fuera un pibe más... Un pibe más... Ahora, a la distancia, es otra cosa, lógico. Por ejemplo, a mí lo de Lito Bottaniz no me gustó; pero él se quedó porque lo sintió así, es su personalidad. Yo no me quedé ni un segundo más ahí: yo ya no me sentía parte de ese grupo y si estabas, era para tirar para adelante. Si no, mejor irse.

Pero lo peor de todo fue cuando volví a mi casa. Parecía un velorio. Lloraba mi vieja, lloraba mi viejo, lloraban mis hermanos y mis hermanas. Me decían que yo era el mejor de todos, que no me preocupara porque iba a jugar cinco mundiales... Pero lloraban. Eso fue lo peor. Ese día, el más triste de mi carrera, juré que iría por la revancha. Fue la desilusión más grande mi vida, lo que me marcó para siempre, lo que me definió. Yo sentía en mis piernas y en mi corazón y en mi mente que yo les iba a demostrar que iba a jugar muchos mundiales. Eso mismo me decía Menotti, pero yo en ese momento no entendía razones. Igual yo viví el Mundial como un argentino más. Hasta fui a la cancha y todo. Fui contra Italia y también en la final contra Holanda; después salí en la furgoneta de mi suegro a festejar por todo Buenos Aires. Yo pensaba que podía haber estado ahí adentro, estaba seguro de que hubiera aportado mucho.

Ahí, cuando quedé afuera de la lista de veintidós, *"porque era muy joven"*, empecé a darme cuenta de que la bronca era como un combustible para mí. Me ponía en marcha el motor a la máxima potencia. Cuando buscaba revancha, mejor jugaba. Dos días después de la nefasta noticia que me comunicó el Flaco, me puse la camiseta de Argentinos y salí a la cancha: le ganamos a Chacarita cinco a cero, hice dos goles y serví otros dos... Me acuerdo de que después de hacer uno se me acercó Pena, Huguito Pena, un tipo extraordinario, que en paz descanse, que jugaba para ellos, me pasó el brazo por arriba del hombro y me dijo, al oído: *Dieguito, si no fuera porque tengo otra camiseta, lo festejaría con vos... Quedate tranquilo, nene, que vas a jugar muchos Mundiales y les vas a tapar la boca a todos.*

Ahí, en Argentinos, aprendí lo que es pelear desde abajo, pelear siendo chico contra los grandes. A dejar de lado la palabra descenso para soñar con el campeonato. Empezamos a levantar, a levantar... Contra todo y contra todos. En el campeonato Metropolitano del '78 ya fuimos quintos, y yo goleador con 22 goles. En el Nacional de ese año casi no jugué, pero lo aproveché bien: jugué cuatro y metí cuatro.

En aquella época, ya habíamos formalizado nuestra relación profesional con Cyterszpiller. Es increíble: desde los tiempos de los Cebollitas hasta 1977, nos habíamos manejado sólo por la amistad, sin firmar un papel. Pero la historia había cambiado demasiado y ya no era posible seguir así. Ya era hora de que lo nuestro fuera definitivamente profesional. Yo quería a alguien de confianza, y en él confiaba. Había ofertas de todos lados, para hacer publicidad, para jugar... Hasta una oferta de Inglaterra había: un millón cuarenta mil dólares por mí y por Carlitos Fren, ¡un millón cuarenta mil dólares! Entonces un día, saliendo de mi casa de Argerich, yo con dieciséis años y él con dieciocho, le digo: "Cabezón, quiero que manejes mis cosas". Y así empezó todo. El, que había dejado sus estudios de Ciencias Económicas, creo que en segundo año, me acompañó al Sudamericano Juvenil de Venezuela, en Caracas, en el '77, un fracaso total: todo había estado mal barajado; a aquel equipo no lo apoyaba nadie, todos pensaban en el Mundial '78 y nada más que en el Mundial '78. No era un mal equipo, pero estábamos más solos que Adán en el Día de la Madre.

Recién cuando terminó Argentina '78 se acordaron de nosotros. Después de la vuelta olímpica, enseguida nomás, Menotti se empezó a meter en los Juveniles. Era un grupo espectacular, elegido por el maestro Duchini: Sergio García era el arquero, de Tigre; Carabelli, que había jugado contra los Cebollitas con Huracán, de Argentinos; Juanchi Simón y el Gringo Sperandío, de Newell's; Rubén Juan Rossi, de Colón; Huguito Alves y Bachino, de Boca; Juancito Barbas y el Gaby Calderón, de Racing; Osvaldito Rinaldi, de San Lorenzo; el Pichi Escudero, de Chacarita; Ramón Díaz, de River; Piaggio y Alfredito Torres, de Atlanta; el Flaco Lanao, de Vélez; el Tucu Meza... Ibamos por todo el país, jugábamos contra los más grandes, los goleábamos, las canchas se llenaban, ¡la rompíamos!

En noviembre del '78, me acuerdo, le ganamos al Cosmos, en Tucumán, con la cancha a reventar, dos a uno. Hice un gol yo y el otro Barrera. Al final del partido, cambié la camiseta con Franz Beckenbauer, que me vino a saludar.

El Flaco nos había prometido que él iba a estar siempre con el equipo. Y cumplió... Nos acompañó al Sudamericano que se jugó en Montevideo, que fue durísimo. Ahí nos clasificamos para Japón. ¡A mí me enorgullecía eso de formar parte del equipo de Menotti! Era un orgullo muy grande porque yo estaba convencido de que él era el artífice de meternos en la cabeza a todos que ser campeones morales ya no servía para nada. Yo siempre digo y repito: cuando me fui a fichar a la AFA, a los 12 años, no vi ninguna Copa del Mundo, estaban todas las vitrinas vacías... Ahora, gracias a Dios, tenemos algunas, y en eso el Flaco tuvo algo que ver.

Bueno, la cosa es que en Montevideo arrancamos con todo. Goleamos a Perú, tocamos, empatamos con Uruguay, tocamos, empatamos con Brasil, tocamos. Eso hicimos contra Brasil: ellos nos tocaban, nos tocaban... En un momento, en el entretiempo, nos juntamos en la mitad de la cancha, y Menotti nos dijo: *¡Hagamos lo mismo que ellos!* ¡Y salió un partido bárbaro! Porque los negritos jugaban, *taca, taca,* llegaban al área y tiraban cada bombón que se iba cerquita del palo; la teníamos nosotros, *taca, taca,* y también les quemábamos el arco... Salimos cero a cero, pero los dejamos afuera; nos clasificamos junto con Uruguay y Paraguay.

Al final de ese Sudamericano, además del resultado, cumplí un sueño, tal vez más importante: llevé a toda mi familia a conocer el mar. Nos pasamos unos días en Atlántida, en Uruguay, y ahí mismo, en la playa, cuando estábamos todos juntos haciendo algo que durante años habíamos soñado, le pedí por favor al viejo algo muy especial: que dejara de laburar... Ya tenía 50 años, ya bastante había hecho por nosotros. Ahora me tocaba a mí.

Enseguida, el Flaco nos empezó a meter a los juveniles en la Selección mayor. Nos estaba preparando para que llegáramos con todo al Mundial. A mí y a Barbas nos hizo jugar contra Bulgaria, en la cancha de River, en el primer partido después de la Copa del Mundo. Ganamos 2 a 1, y después nos llevó a Berna, a jugar un partido contra Holanda, por una fiesta de la FIFA o algo así. Me llevó, pero con la condición de que si aparecía Kempes yo no jugaba... Nunca se lo pregunté al Flaco, nunca: ¿me hubiera puesto igual si aparecía Mario? Bueno, la cosa es que Mario no vino y salí a la cancha yo, contra Neeskens, contra Krol, ¡contra una banda! Empatamos 0 a 0 y después ganamos en los penales: patié uno yo, también pateó otro Barbitas... Eramos pibes, sí, pero nos sentíamos importantes.

Tan importantes, que a mí me declararon intransferible. El tema era cómo hacían para pagarme y retenerme, con las ofertas que llegaban de afuera. Entonces, apareció un arreglo con Austral: me vistieron de arriba a abajo con los colores de la compañía, le pusieron la publicidad a la camiseta de Argentinos y así pude seguir... Si no, hubiera jugado en la Argentina todavía menos de lo que jugué, que para mí fue muy poco. A esa altura, ya era la cara de Puma, de Coca-Cola, de Agfa, de un montón de marcas que yo, dos años antes, ni conocía. Enseguida jugué otro partido con la Selección mayor, contra Italia, en Roma. Y después me mandé de lleno a mi gran objetivo...

La cosa es que cuando llegamos finalmente a Japón sabíamos que no podíamos perder. Particularmente yo: me había propuesto una revancha por lo del Mundial '78... Y en Japón la cumplí. Aquél fue, lejos, el mejor equipo que integré en mi carrera, ¡nunca me divertí tanto adentro de una cancha! En aquel momento la definí como la alegría más grande de mi vida y, la verdad, sacando a mis hijas, hablando sólo de mi carrera, me cuesta encontrar otra parecida... ¡Qué lindo que jugábamos! Y nos seguían todos, ¿eh? Basta con preguntarle a cualquier argentino qué recuerda de aquel equipo y seguro que te contesta: *Era de locos. Nos levantábamos a las cuatro de la mañana para verlo por televisión.* Así era: durante dos semanas hicimos levantar al país a las cuatro de la mañana.

No sé si los milicos que estaban en el gobierno en aquel momento nos usaban, no sé. Seguramente sí, porque eso hacían con todos. Pero una cosa no quita la otra: ni se puede ensuciar aquello por culpa de los milicos ni deben quedar dudas de lo que yo pienso de ellos. Tipos como Videla, que hicieron desaparecer a treinta mil tipos, no merecen nada. Mucho menos ensuciar el recuerdo del triunfo de un montón de pibes... Por eso digo: se quejan de mí, dicen que soy contradictorio, ¿y nuestro país? En nuestro país todavía hay gente que defiende a Videla y son muchos menos los que defienden al Che. ¡Muchos menos! Ni lo conocen, siquiera. Tipos como Videla hacen que el nombre de la Argentina esté sucio afuera; en cambio, el del Che nos tendría que hacer sentir orgullosos.

La cosa es que, en aquellos tiempos, el que mandaba era Videla. Y más allá de que por ahí anda dando vueltas alguna foto mía dándole la mano, debo decir que... no me quedaba otra.

En la relación con los milicos, siempre me voy a acordar de la actitud del Pato Fillol con el almirante Lacoste, que pesaba y mucho en el fútbol argentino. En el fútbol y en River. La historia fue que el Pato se había puesto duro para firmar, ¡era bravo con la plata, Fillol! Y Lacoste lo apretó, o lo quiso apretar. El Pato, ni bola: jugamos un partido y antes de cantar los himnos estábamos todos formados, así, y este tipo, Lacoste, empezó a pasar delante de todos, para saludar uno por uno... Cuando llegó hasta donde estaba Fillol, El Pato se quedó así, duro, firme, no le dio la mano. ¡Un fenómeno!

Siguiendo con la historia, los japoneses nos adoptaron enseguida, les caímos simpáticos. De arranque, el 26 de agosto, le hicimos cinco a Indonesia, 5 a 0, en Omiya, donde éramos cabeza de serie. A partir de ahí, no paramos más: 1 a 0 a Yugoslavia, el 28, y 4 a 1 a Polonia, el 30. Ganamos el grupo caminando o, mejor dicho, tocando, ¡cómo tocábamos! Yo era el capitán y me encantaba serlo: cada vez que hablaba por teléfono con la Claudia, me decía que, cuando tenía la cinta de capitán, llevaba el brazo izquierdo más arriba, más alto. Ella ya me llamaba El Gran Capitán. La verdad es que por eso sentía más responsabilidad, aunque igual había cosas que no podía contener. Bueno, tienen que ver con mi personalidad, con mi forma de entender el fútbol: como lo sentía como una gran revancha, me había propuesto jugar absolutamente todos los partidos del Mundial, los noventa minutos íntegros, no me quería perder nada. Contra Argelia, en los cuartos de final, el Flaco me sacó. ¡Para qué! Me agarré una bronca terrible... Primero me senté en el banco con cara de orto. Y después me fui directamente al vestuario, a cambiarme. Y ahí me agarró un ataque, me puse a llorar como un loco. Cuando terminó el partido y llegaron los muchachos, con otro 5 a 0 en el bolsillo, se dieron cuenta de que algo había pasado, de que estaba mal.

Me preguntaron y yo les confesé lo que me pasaba. Todos trataron de consolarme, especialmente el Flaco, que me dijo: *Pero, Diego, usted quiere jugar siempre. Ya lo pensaba sacar contra Polonia. Diego, ¿no se da cuenta de que lo quiero reservar?* Qué reservar ni qué carajo, yo quería jugar, quería jugar todos los partidos... Esa noche casi no voy a cenar, pero pensé en la capitanía, en la responsabilidad. Igual la bronca recién se me fue dos días después, cuando llegó la hora de salir a la cancha contra Uruguay, por la semifinal, el 4 de septiembre. ¿Me duró un poquito, no? Bueno, así era yo, ya en aquella época.

Aquel partido contra los uruguayos fue un partido... contra los uruguayos. No le faltó nada de lo que siempre tiene el clásico rioplatense. Me cagaron a patadas y si lo ganamos fue porque guapeamos, pero con la pelota: no renunciamos al estilo nuestro y terminamos 2 a 0, con un gol de Ramón Díaz y uno mío, de cabeza. Cuando el Pelado hizo el primero yo salí a gritarlo como un loco, y de golpe me encontré de frente al banco de ellos. ¡Un papelón! Parecía que los estaba cargando... Después, cuando terminó el partido, les pedí disculpas. Es que estaba muy, pero muy loco. Aquél era mi equipo y ya estábamos en la final. A mí me obsesionaba la idea de volver a la Argentina con la Copa. Eso de bajar por la escalerilla del avión con el trofeo en la mano, era como una película que pasaba por mi cabeza todo el tiempo... Pero había un problema: podía ser que no se concretara. ¿Porque podíamos perder la final contra los rusos? No, por eso no, yo estaba seguro de que les ganábamos. El tema era que el Flaco Menotti ya me había anunciado que iba a formar parte de la Selección mayor en una gira por Europa y por ahí no me daba tiempo a volver... Yo me quería morir: no me animaba a negarme a jugar en la mayor, pero tampoco me quería perder el sueño. ¿Saben quién me salvó? ¡El servicio militar! Sí, señor, yo estaba haciendo la colimba en aquellos días, y a mí y a Barbitas, que estaba en la misma, se nos vencía la licencia militar... ¡Así que teníamos que volver sí o sí! La noticia me la dieron un día antes de la final, así que no me faltaba nada. Bueno, sí, sólo faltaba ganarle a los soviéticos.

Con Barbas, un tipo al que quiero mucho, compartí la pieza. El 7 de septiembre se jugaba el partido, a las siete de la tarde de Tokio, una cosa así. Con Juan tratábamos de dormir la siesta, pero no pegábamos un ojo: los teníamos clavados en las agujas del reloj. ¡Hiju'e puta, siempre eran las tres de la tarde! ¡Qué ansiedad! Esas esperas a mí siempre me mataron. Yo prefería jugar a la tarde, porque como me gusta dormir hasta el mediodía, no tenía ni tiempo de ponerme ansioso... Pero con esta hora no había forma. El consuelo era que los argentinos no tenían que madrugar tanto: en la final nos iban a ver a las siete de la mañana.

Al final, partimos en el micro para el estadio Nacional, en el centro de Tokio, y ahí empezamos a cumplir con todas y cada una de las cábalas. Por ejemplo, antes del partido contra Uruguay, César estaba por empezar la charla técnica y yo me había demorado. Entonces Rogelio Poncini, que era el ayudante, me llamó: *Diego, el único que falta es usted*. Antes del partido contra la URSS, entonces, me hice el boludo y esperé, me demoré a propósito para repetir la historia, hasta que Poncini picó y me tuvo que llamar. Otra cosa era una manía de Menotti, que golpeaba la pared con los dedos, y parecía que hacía música tropical. Como en el último partido no arrancaba, me acerqué y le pregunté: "César, ¿hoy no toca?". Y el Flaco empezó, dale que dale... Tenía otro rito, más íntimo: me iba hasta la última ducha y ahí rezaba, pedía que me ayudara mi mamá y que Dios jugara conmigo, que la Claudia pidiera por mí y que ganáramos.

Ganamos, claro, le ganamos la final de la primera Copa del Mundo Juvenil FIFA Coca-Cola a la Unión Soviética 3 a 1, aquel inolvidable 7 de septiembre de 1979, y yo lo escribí, en un diario de viaje que hice...

En el primer tiempo en ningún momento pensé que nos podían hacer un gol. Al contrario, nosotros no llegamos mucho pero lo hicimos mejor. En el segundo, cuando ellos metieron el gol, fueron cinco o seis minutos de incertidumbre. Me puse a pensar en el partido contra Brasil en el Sudamericano de Uruguay, cuando no la podíamos embocar de ninguna forma, pateábamos del área chica y le pegaba al arquero en las rodillas. Insólito. Pero lo más importante fue que no nos desesperamos. Cuando entró el tucumano Meza, él nos llevó de la mano. Jugó el mejor partido de su vida. El clima no fue tan duro como contra Uruguay. Hubo muchos menos roces, sobre todo porque ellos creen ciegamente en su preparación física y tratan de quitar la pelota con firmeza, pero siempre leales.

Seguimos sin desesperarnos, sin tirar pelotazos; tratamos de imponer la habilidad y eso nos ayudó; nunca jugamos a los ponchazos. Siempre lo hicimos con claridad. Y empatamos, con el gol de Alves de penal. Entonces comprendí que íbamos a ganar. Estaba convencido. Ya perdiendo uno a cero andábamos mejor y nos teníamos una fe bárbara. Con el empate, si seguíamos así, la Copa era nuestra.

En unos minutos pasó de todo. El gol del Pelado y el tiro libre que metí yo. La medí, vi el hueco y el gol. Ahí estaba al fin, no lo podía creer, ¡éramos campeones del mundo!

El primero que se me cruzó en el camino fue Calderón. Después me abracé con mi viejo, con Jorge, con los demás muchachos y enseguida miré para arriba para regalarle este campeonato a mi mamá. Volví a acordarme de cuando quedé afuera del Mundial '78, y tuve esa revancha...

Me preparé para ir a buscar la Copa en medio de un mundo de gente. Lo vi a Havelange que me extendía la mano, le pregunté si la podía agarrar, hasta que no aguanté más... Y se la saqué. Di un paso atrás y me mandé un saludo reverencial tipo japonés y buscamos a César, que en ese momento no estaba con nosotros. Corrimos hasta él con la Copa, se la entregamos, lo llevamos en andas y empezamos a dar la vuelta olímpica. Alrededor, empezamos a escuchar cómo los japoneses se sumaban a nosotros y gritaban: *¡Ar-gen-tina, / Ar-gen-tina!*

De golpe, se apagaron las luces y un foco nos siguió durante toda la vuelta. Entonces nos largamos a llorar, como chicos. Era una locura, la gente nos pedía que le mostráramos la Copa como si ellos fueran argentinos.

Cuando volví al vestuario, todo era baile, todo era festejo. No nos queríamos ir del estadio, pero la fiesta seguía en el hotel, había que ir. Ahí hubo un momento muy especial. El Flaco Menotti, haciéndome el nudo de la corbata y diciéndome, bajito, como para que los demás no escucharan: *Diego, fue elegido el mejor jugador del campeonato. Le van a dar el Balón de Oro.* Para mí, ya todo eso era demasiado.

Terminamos a la madrugada, todos en la habitación de Poncini, tomando mate. Como si estuviéramos en la Argentina, como si nada hubiera pasado. Entonces, saboreando la bombilla, me acordé de una frase de Francis Cornejo. Una frase que había usado él para definirme a mí, cuando mi nombre ya empezaba a ser conocido por todo el mundo. Francis siempre decía que yo podía estar en una fiesta de gala, con un traje blanco, pero que si veía venir una pelota embarrada, la paraba con el pecho. Eso tal cual: así me sentí jugando con aquel hermoso equipo en Japón. Y más todavía: si me venía para la cabeza, le pegaba el frentazo, y si me caía para la zurda... bueno, me ponía a hacer jueguito entre las mesas.

Porque así siento el fútbol quise volver a la Argentina, a toda costa, para bajar del avión con la Copa en mis manos. Lo conseguí y fue uno de los momentos más hermosos de mi vida. Además, me saqué de encima la colimba: todos los que estaban haciéndola, Escudero, Simón, Barbas, un montón, me mandaron al frente para que pidiera la baja. Me presenté, me cuadré y les dije: "Nosotros les dimos el título, ¿ustedes no nos darían la baja?". Increíblemente, lo conseguí, fue otro triunfo más, no daba para salir gritando, pero casi.

Después, enseguida, me puse a las órdenes del Flaco otra vez. ¿Cómo no lo iba a hacer? Se me estaban cumpliendo todos los sueños, todos juntos. En Glasgow, en el estadio Hampden Park, el 2 de junio de 1979, grité por primera vez un gol mío con la camiseta del Seleccionado mayor. Le ganamos a Escocia 3 a 1 y yo sentía que podía ganarle al mundo. En aquella gira pasó lo del Negro Oscar Ortiz, pobre, que se tuvo que volver a la Argentina porque le había dado un ataque que lo había dejado medio paralizado. Para mí fue un correo generoso: él le llevó a Claudia todas las cartas que yo le había escrito, día por día, porque eso hacíamos. Me pasaban tantas cosas juntas, que no lo podía creer: el 25 de junio, un año después de la final del '78, de esa final en la que yo debí estar, se jugó un partido como celebración: la Selección contra el Resto del Mundo. Me hice notar, sí: le metí al brasileño Emerson Leão uno de los goles más lindos que yo recuerde, pegándole en comba, con la zurda, desde afuera del área, y clavándola en un ángulo... La puta madre que lo parió, si me hubieran dejado estar en esa cancha un año antes, sólo un año antes. ¿Tanto más chico era, carajo?

En ese momento, me juré no perderme un partido más en el Seleccionado, estuviera donde estuviera, pasara lo que pasara. Me daba lo mismo cualquier rival. Inglaterra en Wembley no era cualquier rival, claro, y allá fui: perdimos 3 a 1 y me quedé con las ganas de hacerles lo que hubiera sido un golazo. En realidad, aquello que me pasó en Londres ese 13 de mayo de 1980 me sirvió para acertar, seis años después, y meterles el mejor gol de mi vida: en Wembley los gambetié a todos, igual, pero en vez de gambetear al arquero definí antes... Y se fue *así* del palo. Mi hermanito, el Turco, que tenía 7 años, me dijo que me había equivocado. Y en el Mundial de México me acordé de su consejo.

Mientras, yo la seguía peleando con Argentinos. En el Metro '79, donde hice 22 goles junto con Sergio Elio Fortunato, terminamos segundos con Vélez y tuvimos que ir a un desempate. Fue la primera vez que tuve que ver una definición de Argentinos desde afuera y, lamentablemente, no sería la última. La cosa fue así: en aquella época nos contrataban de todos lados, y durante la semana íbamos a jugar miles de partidos amistosos. Todos nos querían ver. Viajamos a Mendoza, a jugar contra Gimnasia, en el estadio mundialista. Todo bien hasta que, como sucede en estos casos, el referí quiso hacerse la figura... Típico... Ni me acuerdo cómo se llamaba, un nombre difícil tenía*. La cosa es que, como nos estaban pegando mucho, yo me acerqué y le dije: "Maestro, párelos un poco, es un amistoso...". Y el tipo me contestó: *A vos no te voy a echar, pero te voy a verduguear todo el partido.* La cosa es que terminó echándome y en el informe mandó que yo le había dicho: *"A ver si cobrás bien, mendocino"* y también *"Seguí laburando por 30 palos, que yo gano 3.000 por mes".* Más allá del disparate que es recordar lo que valía la plata en aquel momento, hay algo todavía peor: el partido fue a mediados de junio, el 14, y la AFA me suspendió ¡dos semanas después! Fue el 5 de julio, me acuerdo, y me perdí varios partidos y también por supuesto el desempate con Vélez: perdimos 4 a 0.

En el Nacional '79 fui el goleador, con 12, y en el Metropolitano '80 también, con 25, pero volví a perderme la definición: esta vez me enfermé y cuando festejamos el segundo puesto, en la cancha de Tigre, estaba de jean y pulóver. Así vestido me di el gusto de salir a la cancha: debe haber sido el único segundo puesto que festejé en toda mi carrera... Para Argentinos, en aquel tiempo, era como haber salido campeón.

En el Nacional '80, el último con los Bichos, me pasaron un par de cosas inolvidables: primero, haber convertido mi gol número 100, contra San Lorenzo de Mar del Plata, el 14 de septiembre; segundo, la famosa historia con el Loco Gatti.

Fue a finales de octubre, se estaba definiendo el campeonato Nacional. En un diario de Santa Fe le hicieron una nota a Hugo, y el diario *La Razón,* que en ese momento vendía un montón, la le-

---

* *(N. del E.: se llamaba Jesús Bogdanowsky).*

vantó: la publicaron justo el sábado, la noche anterior al partido que teníamos que jugar contra Boca. El decía que yo jugaba bastante bien, pero que los periodistas me estaban inflando... Y que era un gordito, o que iba a ser un gordito... Yo estaba que me salía de la vaina porque quería jugar de una vez por todas una definición y justo éste me venía a decir eso. Nosotros habíamos jugado el miércoles contra Unión, en Santa Fe; al día siguiente, ¡al día siguiente!, un amistoso en San Justo, ahí cerca; y ahora estaba la posibilidad de clasificarnos para las finales del Nacional si le ganábamos a Boca. Al Loco le contesté con todo: dije que más que un problema de locura, era un problema de celos, que para mí había, *¡había!,* sido un gran arquero pero que ahora no era nadie, que le metían goles estúpidos... Que se metía conmigo y con Fillol —porque también había dicho que el Pato atajaba porque tenía suerte— por envidia. ¿La verdad? Me había sorprendido, porque con él teníamos onda. En otro Boca-Argentinos nos habían pedido una foto juntos y todo bien, ningún problema. La cosa es que me había hecho calentar. Y como Cyterszpiller ya se había dado cuenta de que cuanto más enojado estaba mejor jugaba, me empezó a pinchar.

—*Bueno, hoy le hacés dos goles y se acabó la historia, ¿no?*

—No, Jorge, no... Dos, no; cuatro le voy a meter.

Antes del partido, Hugo se me acercó y me dijo que él no había dicho eso, que yo era un fenómeno. No me importó... Más me importó cumplir con la promesa que yo le había hecho a Jorge. Lo vacuné cuatro veces.

En el primero, la recibí por la derecha, la tiré al medio del área con un zurdazo de rabona y le pegó en el brazo a Hugo Alves. El penal lo tiré suave, a la derecha de Gatti; él fue a la izquierda.

En el segundo, me fui con la pelota por la derecha, a cuatro o cinco metros de la banderita del corner y en diagonal hacia el centro de la cancha. Ruggeri me hizo foul, ellos se desconcentraron un poco, aproveché y patié enseguida. La pelota se metió arriba y en el segundo palo.

En el tercero, la trajo Pasculli como puntero izquierdo. Yo piqué por el medio, me la tiró perfecta al borde del área, lo sobró a Abel Alves y entonces la bajé con el pecho. Después me fui más a la derecha y cuando salió Gatti se la toqué de cachetada, suave, al segundo palo.

En el cuarto, tiramos una pared con Pasculli, me fui por el medio y Abel Alves me hizo foul desde atrás; me parece que ya estaba adentro del área. El referí lo cobró afuera, del centro un poco hacia la derecha. Vidal se puso adelante de Gatti, aprovechando que ellos ponían a Hugo Alves al lado de un palo y entonces no había off-side. Le pegué fuerte, al palo del arquero, y la pelota se metió arriba.

Aquel partido fue increíblemente importante para mí: le respondí a Gatti de la mejor manera, conseguí algo valioso para Argentinos, como era la clasificación para los cuartos de final del torneo y... la tribuna de Boca me gritó por primera vez: *¡Maradooó, Maradooó!* Fue una emoción enorme: eran los mismos que me habían cantado, hacía pocos años, *¡Que-se-que-de, que-se-que-de!* Ya se empezaba a dar entre nosotros algo muy especial... Amor, que le llaman. Encima, después del partido, arranqué con toda mi familia para Estados Unidos: los llevé a conocer... ¡Disneyworld! Mirá vos, de Fiorito a Disneylandia en cuatro años.

Por aquellos tiempos, muchos decían que era mi mejor nivel en Argentinos Juniors, desde mi debut en primera. Es posible. Lo más lindo de aquella época es que todas las hinchadas me querían, seguramente porque Argentinos era un club chico. El "problema" es que también me quería la Selección y otra vez me dejaban sin la posibilidad de jugar con Argentinos por cosas importantes. Se venía el Mundialito de Uruguay y nos llamaban a una preparación larga. En Montevideo le ganamos a Alemania, empatamos con Brasil y nos volvimos... Ya estábamos en el '81, y yo no volvería a jugar otro campeonato con la camiseta que me había lanzado al mundo del fútbol, a mi mundo. Argentinos Juniors se terminaba para mí.

LA PASION
Boca '81

El pase lo inventé yo...
¡Y Boca no tenía ni un sope para pagarme!

Siempre supe que con ellos iba a vivir algo especial, siempre. Y eso que a mí me tiraba Independiente, porque me fascinaba el Bocha, me encantaba. Pero en mi casa Boca era el equipo de todos. Y habían sido ellos los primeros hinchas que me gritaron en una cancha: *¡Que-se-que-de, que-se-que-de!* Los mismos que me ovacionaron cuando le metí los cuatro goles a Gatti. Siempre supe que me iba a encontrar con Boca, pero... ¡cuánto tardaron en llamarme! El capítulo de mi relación con Boca es muy lindo. Sobre todo porque la historia la inventé yo; el quía armó todo.

River me hizo una oferta —a Cyterszpiller, en realidad— más que interesante. Aragón Cabrera, que era el presidente, le dijo a Jorge que yo iba a ganar como el jugador mejor pago del club, que en ese momento era el Pato Fillol. Cuando me lo comentó, le contesté: "Ojalá que el Pato gane cincuenta mil". No sé, una cifra exagerada, cualquier guita, porque si no era por mucha plata, yo no iba. Era muy interesante la oferta de River, pero ¿qué pasaba? En mi casa el corazón estaba con Boca. Una tarde, caminando con mi viejo por La Paternal, él se animó a contarme un sueño... Era algo raro en él, me sorprendió. No es de hablarme mucho, así que lo escuché. Me dijo: *Dieguito, ¿sabés qué estuve pensando anoche? Que algún día sería muy lindo verte jugar con la camiseta de Boca... La Bombonera, vos, nosotros gritando los goles, los parientes de Esquina también*. Y... Boca tiraba, pero... ¡Boca estaba quebrado, no tenía un chelín!

Aragón se dio cuenta de que yo no estaba convencido, porque me mandó un mensaje a través de Jorge: *Decile que arregle por la misma plata que Fillol o va a tener problemas*. A mí me sonó a amenaza, y la historia me gustó menos todavía. Jorge había averiguado cuánto ganaba Fillol y era un buen paquete, pero yo ya no quería saber nada. Además, si al plantel que ya tenía River me sumaba yo, se terminaba el fútbol, porque era un equipo monstruoso, nadie nos hubiera podido mojar la oreja. En ese momento, River tenía a Passarella, a Gallego, a Merlo, a Alonso, a Jota Jota López. Y Boca se venía desangrando, venía de la peor campaña de su historia, con Rattin... ¡Rattin hizo tres puntos en Boca! Por eso, hace un tiempo, cuando el Rata empezó a hablar mal de Caniggia, mal de mí, que el equipo no funcionaba por nosotros, yo le grité: "¡La puta madre, Rattin! Si a vos te dieron Boca y sacaste tres puntos".

Bueno, la cosa es que estábamos en pleno tira y afloje, cuando me llamó Franconieri, un periodista de *Crónica: Hola, Diego, ¿así que ya está hecho lo de River?* Yo lo cacé al vuelo, me quería sacar de mentira verdad, así que lo dejé hablar un poco y enseguida me jugué: "No, no voy a firmar porque me llamó Boca". Se me ocurrió en el momento, no sé, fue una inspiración, una idea de esas que aparecen de vez en cuando. A él le venía fenómeno la noticia que no existía y picó. A la tarde, apareció *Crónica* con un título *así* de grande: *"Maradona a Boca"*. Ya estaba la operación en marcha, sólo faltaba una cosa: que picaran los dirigentes de Boca... Y los dirigentes de Boca picaron.

Me preguntaron si era cierto que tenía ganas de ir al club o era sólo para presionar a River. Es fácil imaginar cuál fue la respuesta que les di. En la negociación estaban los dirigentes Carlos Bello y Domingo Corigliano. Era una situación rara: River, con toda la plata y sin mis ganas; Boca, sin un mango y con toda mi pasión. En el medio del lío, vamos con Argentinos Juniors a Mar del Plata, para jugar por la Copa de Oro ¡contra River! ¡Para qué…! Ya todo el mundo sabía que yo moría por Boca y no pararon de insultarme en todo el partido: *¡Maradona,/ hijo de puta/ la puta/ que te parió!* ¡Todo el partido! En realidad, yo era el tipo más feliz del mundo, había logrado lo que quería: que ellos mismos se convencieran de que yo no los quería para nada. Hasta ese momento, más allá del título de *Crónica,* yo no había hecho ninguna declaración, pero esa noche, apenas salí del vestuario, después de que encima perdimos uno a cero, casi grité: "Después de estos insultos, no me quedan dudas: quiero ir a Boca y no a River". Se me vinieron todos encima: Martín Noel, que era el presidente de ellos, y el viejo Próspero Cónsoli, que era el presidente de Argentinos y me adoraba, pero... ¡me quería matar! Le había pedido trece millones de dólares a River y sabía que se los podía sacar, pero ¿a Boca? Nada. ¿Qué hacemos? ¿Cómo hacemos? Empezaron las negociaciones.

En el medio, me pasó algo que me convenció todavía más. El martes 3 de febrero no tuve mejor idea que invitar a la Claudia y a un montón de parientes y amigos a ver la final del Campeonato Mundial Infantil, Inter contra la Academia Tahuichi de Bolivia... ¡en el Monumental! Claudia dudó un poquito; no entendía por qué yo me exponía tanto, pero allá fuimos. El ambiente estaba pesado contra nosotros. Cuando llegamos al palco, un tipo me dice: *Usted y su novia pasan, para el resto no hay lugar. Si quieren, vayan a la platea.* A mí me cayó como una patada en el hígado, pero acepté, para no hacer más lío. Nos instalamos y al ratito nomás, un par de dirigentes empezaron a gritarme cosas: *¿Qué hacés acá, ¡bostero!?* ¡Para qué...! Me di vuelta, los quería matar, nos agarramos a trompadas, hasta que nos sacaron de ahí a mí y a Claudia. Lo último que les grité, antes de juntarme con el resto en la platea, fue algo que ya sabía: "¡A este club no vuelvo nunca más! Lo juro: ¡Nunca más!". Nunca más.

El tema era ver cómo se concretaba lo otro. El jueves 12 los dos clubes ya se habían puesto de acuerdo, pero al día siguiente Aragón cumplió con aquella amenaza que me había hecho: a Boca le cayó la DGI y la plata que estaba lista para pagar mi pase desapareció. Empezó un tironeo terrible que recién terminó el viernes 20. El pase, al fin, se hizo a préstamo y Boca se quedaba con la opción de comprarme. Por ese préstamo pagaron —o tenían que pagar— cuatro millones de dólares, y le tenían que dar a Argentinos un montón de jugadores: Santos, Rotondi, Salinas, Zanabria, Bordón y Randazzo... ¡A todos los representaba Guillermo Cóppola! Y Randazzo, no sé, se creía Uwe Seeler, porque no quería saber nada de irse de Boca. En realidad, todo era una maniobra de Guillermo: por él casi se cae mi pase a Boca, porque cuando los dirigentes le decían: *Guillermo, es una falta de respeto, la gente nos va a matar si no se concreta lo de Diego,* él les contestaba: *¿Falta de respeto? Es una falta de respeto para Randazzo.*

Pobre Randazzo, el padre se me acercó llorando, cuando ya todo se había hecho, para que hiciera volver al hijo al club en un año, porque se había quedado con una opción. Ellos, con Cóppola a la cabeza, me invitaron a almorzar en El Viejo Puente, en Almirante Brown y Pedro de Mendoza. Comimos ranas importadas de Japón y así festejamos el pase.

A mí me tocaba un montón de plata, pero fue como si hubiera firmado en blanco. Por el porcentaje de la transferencia, nada más, eran 600.000 dólares, pero terminaron pagándome en especies. Me dieron unos departamentos que había hecho el empresario Tito Hurovich que parecían de cartón, ni papeles tenían, no los podíamos escriturar, nada. Uno estaba en Correa y Libertador, en Núñez, donde viví muchos años, justo enfrente de la ESMA, la Escuela de Mecánica de la Armada que se había hecho famosa por culpa de la dictadura, por los desaparecidos. El otro estaba en República de la India... ¡No se los podíamos vender a nadie, eran un desastre!

Y yo había rechazado una oferta de River, que estaba lleno de plata, para aceptar la de Boca, que no tenía un sope. ¡Era una cosa de locos! Perdí guita. O sea, dejé de ganar, porque sabía que, haciendo un buen campeonato en Boca, tenía al Barcelona ahí... El Barcelona ya había puesto la plata, prácticamente. Yo no pasé directamente desde Argentinos por esas cosas de la vida, porque los catalanes eran tan poderosos que compraban todo, como ahora.

Lo que sí pasé fue de una vida a otra. Yo era famoso ya, pero nunca imaginé que ponerme la camiseta de Boca iba a significar para mí un cambio tan grande. Desde esa época es que yo no puedo ir a comer a un restaurante sin que se rompa algo, o se amontonen doscientas mil personas, o me pidan cuatro mil autógrafos. Para esa época, yo ya me había mudado de la casita de Argerich a otra más grande, en la calle Lascano. El Fiat 125 también me había quedado chico, ya andaba en Mercedes Benz. Otra historia, otra vida. Un salto muy grande, enorme.

Firmé mi contrato en La Bombonera, delante de las cámaras de Canal 13, que había pagado por la exclusividad. Y esa misma noche salí a la cancha, con la camiseta de Boca, para jugar el amistoso contra Argentinos que formaba parte del negocio. Fue el viernes 20 de febrero de 1981. Era un tiempo con cada camiseta. La que usé en el primero, la blanca de Argentinos, se la regalé a Francis Cornejo. Después, en la escalera del vestuario visitante, me cambié y me puse por primera vez los colores de Boca. Me mandé para la cancha, me persigné, pisé el césped con el pie derecho, entré y supe que empezaba una gran historia... Lo que son las cosas, le hice un gol de penal a mi equipo de toda la vida, el equipo con el que me había quedado con las ganas de ser campeón, ¿sabés lo que es eso?

En el último entrenamiento con Argentinos, en el club Teléfonos, me había dado un tirón en un pique. Me quedé toda la tarde con la bolsa de hielo, pero no pasaba. Me cuidé mucho, hice reposo, pensé que iba a estar bien, pero el viernes apenas corrí, zas, me tiró de nuevo... Así que llegué a Boca lesionado y no pude darle enseguida a la gente lo que esperaba de mí. Me brindé entero, como siempre, pero sabía mejor que nadie que todos esperaban más, más... Lo sabía porque yo también esperaba más. Pero no podía picar ni moverme mucho. Lo que me salvó fue que hice goles, que vacuné de entrada. El que le había hecho a Argentinos, en la presentación, casi ni contaba; hasta me dolía pensar en eso, me dolía de verdad... Pero enseguida tuve el debut oficial, a los dos días, el domingo 22, contra Talleres de Córdoba en la Bombonera. ¡Mamita, cómo estaba la Bombonera!

Cuando entré a la cancha me persigné, como siempre. Estaba muy nervioso. Parecía que el piso se movía. Y yo pensaba en el maldito tirón... Pero no podía fallar, y menos ese día. En La Candela, el día anterior, me habían hecho de todo para que pudiera jugar. El doctor Luis Pintos me había infiltrado, pero igual me dolía, me dolía. Hasta me dieron pastillas para dormir... Estaba en un sesenta por ciento, más o menos. Me mordía los dientes por la impotencia de no poder correr, sentía que la pierna me tiraba para atrás... Pero yo le daba para adelante.

El Negro Baley, que era el arquero de Talleres, me hizo un penal. Lo patié yo y se lo metí. Después, otro. Recuerdo con muchísimo cariño esos dos goles, fueron los primeros en Boca y sirvieron para ganar 4 a 1. Para los penales, en aquella época, ningún secreto: sólo la velocidad de vista necesaria para intuir hacia donde se tirará el arquero. Todavía me acuerdo de la primera pelota que quise tocar en mi debut en Boca. Se la tiraron para atrás a Mouzo y yo la bajé a buscar como hacía siempre en Argentinos: Mouzo la revoleó de un patadón y me reventó la espalda... Es que nosotros casi no nos conocíamos, si cinco días antes yo todavía me estaba entrenando con Argentinos: con Miguelito Brindisi apenas si habíamos jugado un Capital-Provincia en el Monumental. En la cancha nos gritábamos, yo le decía a Miguel que bajara y Marcelito Trobbiani a mí que encimara más a los centrales de Talleres. Cada uno aportaba lo suyo y la gente cantaba: *Lo quería el Barcelona, /lo quería River Plei, /Maradona es de Boca, /¡porque gallina no es!*

Me habían pasado tantas cosas en tan pocos días que empecé a pensar que nunca iba a llegar ese momento: jugar, ganar, golear... Mis viejos habían venido desde Esquina a verme y también mi hermano Lalo. El que se lo perdió fue el Turco, porque tenía que actuar en una comparsa.

Ya estaba en lo mío, aunque me dolía que se hubieran tenido que ir todos esos muchachos por mi llegada. No sé, hasta me dio algo de vergüenza presentarme en La Candela, donde se concentraba el equipo, allá por San Justo. Me daba no se qué entrar. Si hasta dejé lejos el auto. En el patio estaban Mouzo, el Colorado Suárez, Perotti. Enseguida pasó el momento. Me hubiera gustado tener conmigo en aquellos tiempos a Galíndez, el masajista de Argentinos que me seguía a todas partes. La verdad es que fue un cambio muy brusco. Yo venía de convivir con un plantel al que conocía mucho. Tenía amigos de verdad, de mucho tiempo atrás:

era el padrino del nene del Negro Carrizo. En Argentinos, cada uno sabía las virtudes y los defectos de los demás, y el Zurdo Miguel Angel López, que era el técnico, nos entendía como nadie. De repente llegué a Boca y a los diez minutos de entrar en La Candela me llamó Marzolini y me dijo que Boca era distinto a Argentinos Juniors, que si yo allá tenía ciertas prerrogativas acá no las iba a tener. Que si yo estaba acostumbrado a ir a la cancha con mi familia eso no podía ser en Boca...

Silvio no me conocía y se equivocó conmigo al hablarme así en el primer encuentro, de entrada. Se le escapó la tortuga, la verdad. En cambio Yiyo Carniglia, que era como un manager en el club, me dijo que no me sintiera el salvador de nadie. Yiyo era más grande, por eso me entendía más. Silvio me tenía menos paciencia: creo que tenía miedo de que yo me le fuera de las manos, qué sé yo... Por ahí era yo el que daba una imagen equivocada, no sé, pero sinceramente necesitaba —y necesito— sentir el afecto de los demás. Eso me lo daba Yiyo y no me lo daba Silvio.

De aquel grupo tengo un recuerdo bárbaro. Con Pichi Escudero y Huguito Alves nos conocíamos de la Selección juvenil del '79: habíamos compartido mucho tiempo durante el Sudamericano en Montevideo y el Mundial en Japón. Osvaldo, así como se lo veía de calladito, era uno de los que después de los partidos, en Uruguay, se cruzaba a la playa y bailaba como si estuviera haciendo una macumba. Hugo, en cambio, era de los más serios... Al llegar a Boca enseguida congenié con Ramoa, Ruggeri y Abel Alves, el hermano de Hugo. No era que no le diera bolilla a los más grandes, pero no tenía demasiadas cosas en común por una cuestión de edad. Nadie me lo decía, pero yo sentía que tanto mis compañeros como la hinchada esperaban mucho más de mí.

Encima estaba el problema de la plata: en el primer partido, contra Talleres, la recaudación fue de un millón de dólares; en el segundo no sé si llegó a mil... Claro, nos agarró la devaluación, se fue al diablo la famosa tablita cambiaria de Martínez de Hoz.

Jugué esos dos primeros partidos cada vez más lesionado, me arrastraba en la cancha. Pero igual hice goles: otra vez en La Bombonera, otra vez a los cordobeses, pero de Instituto, les metí dos:

uno de penal y el otro... sencillito. Encaré hacia la media luna, corriendo de izquierda a derecha, le tiré un sombrerito al Negro Nieto y, antes de que cayera la pelota, la toqué con la zurda: la pelota pasó entre las piernas de Munutti y todo, ¡un golazo!

Así estábamos hasta que fuimos a Mar del Plata, en la semana, para jugar un amistoso contra San Lorenzo en el estadio mundialista. Esos partidos eran necesarios para pagar el pase, pero me estaban matando. No podía correr. Parecía que tenía encima de los hombros a María Martha Serra Lima. Cuando volví al vestuario dije basta... Cada vez que picaba era como si me clavaran un cuchillo en la parte de atrás del muslo derecho. El doctor Pintos me decía que era un pequeño desgarro, pero todos teníamos miedo de que se hiciera grande. Enseguida nos tocaba Huracán y yo ya quería parar, pero por hacerle un favor a Miguel, que se había ido mal del club y lo tenían en la mira, jugué igual. Fue el 8 de marzo, ganamos dos a cero, Miguelito se dio el gusto de hacerles un gol en el último minuto, pero yo no daba más... Y paré.

Estuve cuatro partidos afuera, pero igual Boca los ganó todos: los muchachos querían demostrar que también podían ganar sin Maradona y a mí me parecía fenómeno.

El otro problema era que, por aquellos primeros tiempos, las relaciones con Marzolini y con el profesor Gustavo Habbegger, que era el preparador físico, no eran las mejores. Ellos eran muy rígidos con las concentraciones, con los entrenamientos, con un montón de exigencias pelotudas y yo no me lo bancaba. Después, con los triunfos, nos fuimos entendiendo. Entonces declaré sobre Silvio: "Es un hombre honesto, que trabaja todo el día tratando de mejorar el equipo y aunque no tiene mucha experiencia se nota que sabe". Pero al principio tenía una mufa terrible con él y con el profe. Las cosas no eran sencillas.

Volví contra Newell's, el 29 de marzo, hice un gol de penal, empatamos 2 a 2. Al domingo siguiente venía un lindo clásico, que yo sentía mucho, contra Independiente. Aquella vez me tuve que pelear con Marzolini para que pusiera a Ruggeri de una vez por todas. Como no me daba bolilla me agarré a los viejos, a Brindisi, a Mouzo, a Pernía, y les pregunté: "Díganme la verdad, ¿ustedes no se sienten más seguros cuando juega este pibe?". El Cabezón ya tenía una personalidad terrible, iba para adelante siempre... Ellos me contestaron: *Sí, sí, Diego, tenés razón, este pibe tiene huevos de verdad*. Entonces fuimos y lo apretamos a Marzolini. Ruggeri jugó contra Independiente en Avellaneda, ganamos 2 a 0, con una volea mía de afuera del área y con un gol... de él. ¡A papá! Yo sabía que el Cabezón la iba a romper: no salió más del equipo, a menos que estuviera lesionado o expulsado.

Así era yo, no me callaba nada. Si estaba seguro de lo que sentía, lo decía. ¿Y qué? ¿Por qué no iba a hacerlo? ¿Porque había salido de Fiorito? ¡Las pelotas! Otra vez, declaré que en Argentinos Juniors, estuviera donde estuviera, la pelota me llegaba siempre y en Boca no. Dije que no quería pensar que hubiera egoísmo, pero... Saltaron todos. Me contestó Pernía, me contestó Brindisi, pero yo tenía razón. Lo agarré a Miguel y le dije: "Tenemos que juntarnos más y tocar, Miguel, tocar mucho. No te obsesiones con el gol. Metiste muchos, es cierto, pero no es tu obligación. No te generes esa carga".

Por fin, llegó el momento de pagar lo que yo sentía como una deuda con la gente. El viernes 10 de abril, una noche que llovía como si fuera la última vez, jugué mi primer clásico contra River, en La Bombonera. Si lo hubiera soñado, no habría sido mejor... Mi viejo estaba en la platea, en el sector E, y yo pensaba en él a medida que los minutos pasaban y las cosas se daban como una fiesta. Antes de ése, el viejo había visto un solo clásico en toda su vida: una derrota de Boca en el Monumental que él siguió, apretado y triste, desde la popular de Boca.

A mí siempre me gustó echarme las responsabilidades al hombro, y aquella vez sentí que lo estaba haciendo con los mejores resultados. Por varias razones tenía un enorme deseo de ganar aquel partido. Primero, por mi familia, hinchas de Boca de alma. Después, por la gente y por mis compañeros: se había estado hablando de la paternidad de River y yo había aportado bastante poco hasta allí... Así que me sentía feliz, feliz como se puede sentir quien hace un gol como el que le metí al Pato Fillol. De ése, de ése no me olvido más. Fue el primero para mí en un superclásico.

Córdoba hizo una jugada fenomenal. Cuando vi que se iba en diagonal me mandé al segundo palo. Me llegó el centro, la bajé con la zurda, y casi le pego sobre la salida de Fillol. Pero corté para adentro y lo dejé al Pato arrastrándose... Me iba a meter con pelota y todo adentro del arco cuando vi que venía cerrando Tarantini. Me decidí a apurar el remate, porque el Conejo era una fiera en los cierres. Entró justo, bien cerca del palo... Ahí sentí realmente el clima de la tribuna, lo que no había notado tanto al entrar a la cancha. Era una locura, era... ¡la felicidad! Brindisi había hecho otros dos goles, antes, y terminamos 3 a 0. Después fuimos a comer a Los Años Locos, unos clásicos churrascos con papas pay, vino San Felipe blanco, como a mí me gustaba y... autógrafos. Autógrafos por acá, autógrafos por allá... y yo en una nube. Me sentía el hombre más feliz del mundo.

Parecía que con eso bastaba, que ya tocábamos el cielo con las manos. Cuando todo había pasado, ya conté otras veces que hubo jugadores —entre los cuales me incluía— que no teníamos bien en claro lo que queríamos. No nos dábamos cuenta de la dimensión que tenía buscar el título. Esto dejó de pasar a mediados del campeonato, pero se hizo difícil lograrlo.

Subíamos, bajábamos, ganábamos, empatábamos, perdíamos. Teníamos menos regularidad que qué sé yo. Apenas pasó el clásico, empatamos con Vélez en Liniers, un miércoles a las noche. Yo pensé que nos iba a venir bien, que nos iba despertar, pero nada que ver: seguíamos a los saltos. Con Ferro, el Ferro del viejo Carlos Timoteo Griguol, que sabíamos que era nuestro rival directo en la lucha por el título, el equipo más armadito de todos, empatamos 0 a 0 en Caballito: aquel 3 de mayo me cagaron a patadas como pocas veces en mi vida. Hay una foto increíble, es como si toda mi vida estuviera fotografiada: estoy volando como a dos metros de altura, tipo Michael Jordan, por un terrible patadón que me pegó Carlitos Arregui. Igual ellos no necesitaban pegar, tenían un equipo que era un relojito, nada que ver con nosotros en ese aspecto: ellos sí que eran regulares: tenían a Cúper, a Garré, a Saccardi, al paraguayo Cañete, al uruguayo Jiménez que la rompía.

Ahí nosotros tuvimos la peor racha en todo el torneo, como para diferenciarnos de ellos: después de un buen triunfo contra Central en La Bombonera, empatamos con Racing, perdimos con Talleres y empatamos con Instituto... Estábamos en la mitad del campeonato, llevábamos cinco puntos de ventaja, pero no convencíamos a nadie. Era una lucha.

La base del equipo estaba, con algunos toquecitos. La Pantera Rodríguez al arco, porque Gatti se había lesionado y le costó volver, le costó recuperar el puesto. En el fondo, el Tano Pernía o el Colorado Suárez por la derecha, Mouzo y Ruggeri como centrales —el Cabezón ya era indiscutible— y el fenómeno de Cachito Córdoba por la izquierda. En el medio el Chino Benítez, con tanta experiencia que ya se estaba poniendo canoso, el uruguayo Krasouski, que te hacía doler hasta cuando pronunciabas el nombre, y yo, aunque a veces también me gustaba jugar más arriba. La alternativa de cualquiera de nosotros era Marcelito Trobbiani, que tenía una característica diferente a todos: era capaz de pisarla y de marcar con la misma calidad, un fenómeno; por una hepatitis estuvo parado mucho tiempo. Adelante, el Pichi Escudero, que se gambeteaba todo, Miguelito Brindisi, que a sus años arrancó muy derecho para el gol, y el Loco Perotti, que cuando tenía la neurona al derecho te mataba. Después estaba Pancho Sá, que era el capitán hasta que me dieron la cinta a mí; los hermanitos Alves, Hugo y Abel; Passucci, que había arrancado como central y salió cuando entró Ruggeri; el Puma Morete, que metió sólo tres goles, pero importantes; Rigante, que era el arquero suplente mientras no estaba el Loco y no jugó nunca. Y también había un montón de pibes: Acevedo, Cecchi, Ramoa, Sánchez, Quiroz. Era un buen plantel, ¡teníamos que despegar!

Después de aquella mala racha, la peor de toda la campaña, metimos un par de partidos bárbaros: primero, le ganamos a Huracán 3 a 2, el 31 de mayo, y enseguida, de noche en la cancha de Vélez, lo vacunamos lindo a Platense: 4 a 0. Yo hice dos goles... pero el más lindo lo metió el Loco Perotti: gambeteó a medio Platense, lo desparramó a Biasutto, que era el arquero, y la clavó. Otra vez arrancábamos, parecía... Hasta que chocamos contra Unión, en Santa Fe. Digo chocamos y es en serio, ¿eh?, ¡las patadas que me pegó el rubio Regenhardt! Perdimos, sí, perdimos 2 a 0, el 14 de junio. Seguíamos en el sube y baja, porque enseguida le ganamos 4 a 0 a San Lorenzo, en La Bombonera. Yo le hice un golazo a Cousillas, de tiro libre, por afuera de la barrera. Hace un tiempo lo vi por televisión al nene Riquelme hacer una cosa parecida contra River... Siempre lo dije, yo: en los tiros libres, cerca del área, la única posibilidad es la comba por afuera; si pasa la barrera por arriba, seguro que se va por encima del travesaño. De aquel partido me quedó algo más: una pisada hermosa, en la mitad de la cancha, para meterle un caño al Negro Quinteros. Y otra cosa repetida: siempre, también, le hice goles a San Lorenzo. El papá de Boca de toda la vida a mí no me pudo ganar nunca. No sé, será por eso que los Cuervos me quieren tanto: para mí, es la hinchada más pimpante de la Argentina: sacan los cantitos más ingeniosos, te divierten... Los quiero, los quiero mucho: me hubiera gustado jugar con esa camiseta.

Y bueno, siguió la historia: otro triunfo, contra Newell's, y luego... cuatro empates seguidos. Incluido River en el Monumental, con otro gol mío, otra vez pelándole el culo al Pato Fillol y al Conejo Tarantini, pero... ¡cuatro empates! Para Boca, para aquel Boca, era demasiado. Entonces los muchachos, la barra, coparon La Candela, allá en San Justo.

Yo estaba esperando para usar el teléfono, para llamarla a la Claudia. Y el Mono Perotti no cortaba. Era una salita donde estaba el teléfono, casi en la entrada...

—Dale, Mono, la puta que te parió, hace dos horas que estás hablando —le decía yo. Y el Mono, con las patitas así, para arriba, me contestaba:

—*¡Pará, Maradona, pará!*

Y entonces veo a uno que le baja los pies de un golpe al Mono...

—¡Pará, que lo vas a lesionar! —le grito yo, y cuando lo miro era un negro así de grandote, que me dice:

—*¡Callate vos también!*

Yo no me achiqué:

—¿Qué te pasa? Estoy en mi casa, yo...

Y entonces el tipo aflojó:

—*No, no, Dieguito, quedate tranquilo... No es con vos la cosa.*

Cuando miro alrededor, había como dos mil personas adentro de la salita de ping pong. Era la barra: se metían en las habitaciones, José Barritta —el Abuelo—, todos... Vi revólveres, revólveres de verdad. Miré por la ventana y vi que en el estacionamiento había como diez autos, eran todos de ellos. Le querían pegar al Tano Pernía, al Ruso Ribolzi, a Pancho Sá... Yo no lo podía creer. Y ellos decían:

—*Muchachos, no lo tomen a mal, pero la hinchada está cabrera y nosotros venimos a avisarles. Si no ganan el campeonato, la bronca no se para con nada. Les vinimos a avisar, nada más...*

Entonces, yo les digo:

—No, muchachos, esperen...

Y el Abuelo me contesta:

—*No, vos no te metás, que no es con vos la cosa...*

Pero no podía seguir, yo ya no me bancaba la situación.

—Sí, puede que no sea conmigo, pero esto no ayuda a nadie... Venir y apretar así, ¿para qué? Mañana no juega nadie... Al menos, yo no juego.

Y el Abuelo me insistía...

—*Mirá, Diego, los diarios dicen que algunos de éstos no te quieren pasar el fulbo, que no quieren correr para vos, así que apuntanos a los que te tiran al bombo, y nosotros nos encargamos... Si no corren, los amasijamos a todos.*

¡Una locura! Porque yo venía como gran figura, todo lo que quieran, la gente me adoraba... pero ¡estaban todos locos! Y Silvio que no venía, estaba escondido... Cuando apareció, lo encaré y le dije:

—Así este equipo no puede jugar.

Y ahí, el Abuelo habló otra vez:

—*Bueno, bueno. Jueguen... Pero mejor que corran, mejor que corran porque si no los reventamos a todos.*

—¿Cómo que nos van a matar si no corremos, viejo? Escuchame...

—*Con vos no, nene... Vos vas a ser capitán, vos sos el representante nuestro, vos quisiste venir a Boca.*

Yo tenía 20 años, nada más, y encaré a todos los tauras de Boca. Le hice frente al Abuelo. Ese día, me gané el respeto de todos, de los más viejos, de todos... Porque no me conocían a mí. A mí me conocían como el Maradona que jugaba a la pelota, pero ahí se dieron cuenta de que también los podía defender afuera de la cancha.

Al otro día, el 19 de julio, fui el capitán del equipo y le ganamos a Estudiantes 1 a 0, con otro gol de Perotti. Fue una cosa de locos... Ese grupo comando que atacó La Candela terminó de armarnos como equipo, porque a partir de ahí fuimos otra cosa. Veníamos de empatar cuatro partidos al hilo, se nos acercaba Ferro y se nos venía la noche, pero zafamos.

Nunca voy a olvidar lo que pasó aquel día, lo juro por Dios y lo puede contar cualquier jugador de aquel Boca '81. La Pantera Rodríguez estaba pálido, el chiquito Quiroz se puso a llorar y me dijo: *Yo creí que nos mataban a todos, Diego, gracias.* Qué gracias ni gracias, yo tenía un sorete tan, pero tan grande, que no lo podía creer... Pero algo tenía que decir. A mí me querían parar con eso de *Vos vas a ser capitán, vos sos el representante nuestro, vos quisiste venir a Boca.* El Abuelo se dio cuenta de que la habían hecho grossa: si llegaba la policía en ese momento, se armaba el tiroteo. El único que jodía era el Loco Gatti: *Mirá vos qué quilombo porque yo vuelvo a la primera.*

Contra Estudiantes, Gatti volvió a la primera: aquel día llegó hasta la mitad de la cancha y le hizo el pase a Perotti para que después terminara en gol. Después vino Colón, un partido increíble. Fue el 26 de julio. Ellos nos mataron a patadas y encima terminaron retirando el equipo porque decían que el árbitro los había perjudicado; se fueron al descenso y nosotros encaramos la recta final hacia el título. Nos faltaba Ferro, que era el mejor equipo... Sí, estaba mejor paradito que nosotros. Pero claro, no es lo mismo la fuerza de ganar de Ferro que la fuerza de ganar de Boca, que era el país.

Ferro nos pegó un baile en La Bombonera que no se puede creer, pero el que se llevó los dos puntos fue Boquita. ¡Fue Boquita!

Aquel día pasaron muchas cosas que no voy a olvidar: yo le di el pase gol a Perotti y vi festejar a la tribuna de Boca, la de Casa Amarilla, como nunca en mi vida: fue como un mar de cabezas, como una ola que se venía para la cancha... Impresionante. Ese 2 de agosto de 1981, Ferro nos metió en un arco. Fueron increíbles las pelotas que sacó el Loco Gatti: el fue la figura del partido. Nosotros le ganamos al equipo de Griguol, del viejo Timoteo, y le sacamos la ventaja que necesitábamos. Ya estábamos al borde de la vuelta olímpica, nada ni nadie nos podía parar.

Eso pensaba yo cuando viajamos a Rosario, convencidos de que una fecha antes del final del campeonato nos íbamos a quedar con el título. Jugábamos contra Central, en el Gigante de Arroyito, y con el empate estábamos hechos. Aquel domingo 9 de agosto, fatal, yo tuve la consagración en mis pies, pero se me escapó. Erré el penal que nos hubiera consagrado y es el día de hoy que no me lo perdono... Las caras de tristeza de los hinchas de Boca en la ruta de vuelta, de Rosario a Buenos Aires, es algo que no me voy a olvidar mientras viva.

Perdimos 1 a 0, pero seguimos arriba, con la posibilidad de dar la vuelta olímpica contra Racing, en La Bombonera.

Una semana después empatamos 1 a 1 y yo me tomé la revancha de aquel maldito penal.... *El Gráfico* tituló *"Gracias a la vida, que me ha dado tanto"*. Transcribo tal cual: "Escuché el final y me volví loco. De pronto veo que un pibe se me cuelga de la espalda, era mi hermano el Turquito... Se me aflojaron las piernas, lo abracé tanto que no sé cómo no lo rompí todo. Después lo llevé a dar la vuelta olímpica conmigo, enseguida mi cuñado el Indio se me acercó y me dijo: *'Pelusa, se salvó Argentinos'*. Ya era demasiado, me sentí como ahogado, pero no quería parar de correr. Era campeón... Campeón con Boca. Por fin, me decía, tanto que había sufrido el domingo en Rosario. En la ruta de vuelta, desde la camioneta veía esos micros llenos de caras tristes y no me perdonaba haber errado el penal. Ahora le quería decir a toda esa gente que esto era para ellos... ¿Saben de quién me acordé en ese momento? Hace más de un mes internaron por unos días a mi abuela en el sanatorio Güemes. Con Claudia fuimos a verla y cuando el viejito que cuidaba el estacionamiento se dio cuenta de que manejaba Maradona empezó como a temblar... Lloraba... Me decía gracias por lo feliz que lo estábamos haciendo los jugadores de Boca, que él no se perdía ningún partido por radio... Lo noté tan emocionado, que pensé tantas cosas, se me apareció el rostro de ese hombre, Antonio Labat, a quien no volví a ver más... En él resumo a la hinchada de Boca, yo estaba en deuda aunque me dijeran que lo del penal le podía pasar a cualquiera... Gracias a Dios, pude saldarla... De alguna manera, yo me sentía culpable de lo de Rosario y no quería ni pensar en Boca perdiendo el campeonato. Sí, me pesaban mucho los dólares que se pagaron por mí, aunque en la cancha me olvidara de todo. Gracias a Dios, en el momento del penal estuve sereno. Ni me acordé del anterior. A la mañana recé mucho, le pedí a Dios por Boca y Argentinos, tenía una fe ciega porque El estaba conmigo".

Para mí, el mejor jugador de aquel equipo campeón, el que tuvo un rendimiento más parejo, fue Roberto Mouzo. Era también un símbolo de Boca. Yo me sentía tranquilo teniéndolo a él atrás. Además, si yo estaba feliz por el título, me imaginaba lo que sentiría él, que ya llevaba quince años en el club.

Festejamos en La Candela, que había sido nuestra casa durante todo el año. Una lástima que Boca la haya perdido ahora, pero es cierto que quedaba en un lugar bastante incómodo. Y también inseguro: ¡a la noche se escuchaba cada cuetazo que no se podía creer! Pero a mí me encantaba, era la casa de Boca. Por supuesto, yo era el más dormilón. Igual, aunque me levantara a las once, me gustaba tomar el café con leche en la cocina, todavía con el pijama: era como estar en mi propia casa. Festejamos ahí con un asado brutal, que en realidad era un clásico de todos los sábados. Igual que la guitarreada de Pancho Sá o las jodas del Mono Perotti. ¡El hijo de puta me había puesto Nicky Jones, porque decía que me parecía a uno de los integrantes del Club del Clan! Yo no me quedaba atrás, ¿eh?: una vez lo desperté a Rigante, que había sido compañero mío en Argentinos Juniors, con un baldazo de agua fría.

Ahí, en La Candela, había dos lugares sagrados: el living del chalet principal, donde había un billar y una mesa de ping pong, y la utilería. Silvio escribía las indicaciones de la charla técnica, por cábala, sobre la mesa de ping pong. Y Cacho González, el utilero, ya se había acostumbrado a tener preparadas muchas camisetas número 10: ¡me las pedían de todos lados y yo regalaba, regalaba, regalaba!

A todo esto River, que se había quedado calentito por aquello de mi pase, para calmar a la gente había empezado a buscar a alguien para comprar. Eligieron bien: repatriaron a mi amigo Mario Kempes. La verdad que para mí, eso también era un orgullo. Siempre había admirado a Kempes y que hicieran el esfuerzo de traerlo a la Argentina por mí, para competir conmigo, me hacía sentir importante. La cosa es que en el primer duelo, el Campeonato Metropolitano, me tocó a mí, pero en el segundo, en el Campeonato Nacional, los laureles se los llevó él.

Gracias a Dios, tuve la oportunidad y el gusto de invitarlo a mi quinta de Moreno. Me acuerdo cómo lo miraban a Marito mis viejos, mis hermanos, mis amigos... ¡Claro, si tres años antes, nada más, él había sido el mejor de todos, en el Mundial de la Argentina! Qué grande, Kempes, qué grande: siempre lo ponía como ejemplo a él cuando Passarella, ya como técnico del Seleccionado, decía que no se podía jugar con el pelo largo... ¿Se imaginan? ¡En el '78 nos hubiéramos perdido a Kempes!

La cosa es que aquel Nacional terminó para mí de la peor manera. Creo que fue por cansancio: ¡jugábamos mil partidos por semana! Desde que terminó el Metropolitano no se habló de otra cosa que de mi venta al Barcelona y de los esfuerzos de Boca para retenerme. El club tenía un solo camino para juntar plata: armar amistosos conmigo en la cancha. Así, menos de quince días después de la vuelta olímpica, sin vacaciones ni nada, estábamos viajando a México para jugar con el Neza. De ahí a España, contra el Zaragoza. Y enseguida, vuelo a París... Por lo menos conocí París, fue mi primera vez en esa ciudad de la que tanto me habían hablado. ¡Me encantó! Sobre todo una noche que pasamos en el Lido: me dieron una mesa justo al lado del escenario y me dejaron entrar igual, aunque no tenía corbata... ¡Yo no sabía que en un cabaret no se podía entrar sin corbata! Ahí, en el Parc des Princes, le ganamos 3 a 1 al Paris Saint Germain. Pero nadie hablaba de fútbol; todos hablaban de mi pase.

Me retuvieron al fin, pero el ambiente no era el mejor. Arrancamos mal en el Nacional, y encima al pobre Marzolini no le aguantó el corazón: tenía que andar entre algodones porque en cualquier momento le estallaba. Con ese clima, llegamos a perder tres partidos seguidos. Después de una derrota contra Instituto en La Bombonera —1 a 0 con gol del Tucu Meza— apareció por el vestuario Pablo Abbatángelo, que era un dirigente con mucho peso, y se le ocurrió insinuar que los jugadores no estábamos poniendo todo... ¡Para qué! No me lo banqué y en un programa muy famoso, *60 Minutos,* que conducía Mónica Cahen D'Anvers, dije que sólo un estúpido podía hablar así... No, si el aire se cortaba con un cuchillo. Mientras tanto, viajábamos, viajábamos, viajábamos... En esa época me conocí el mundo. Y me di cuenta, también, de que el mundo me conocía a mí.

A mediados de octubre de 1981 aterrizamos en el aeropuerto de Abidján, Costa de Marfil, después de una escala en Dakar. Nunca había visto una cosa igual hasta ese momento y creo que no la volví a vivir en toda mi carrera: los negritos pasaban por encima de los policías con machetes y se me colgaban, me decían: *¡Diegó, Die-gó!* Me emocionaron, me emocionaron en serio... Y después, cuando nos fuimos a almorzar, en el hotel, se me acercaron unos veinte, y uno de ellos me saludó y me dijo: *Pelusa...,* ¡Pelusa, me dijo! ¡Un negrito en Costa de Marfil! Jugamos dos partidos ahí, contra dos equipos de primera. Boca cobró una buena plata, mis compañeros también y yo, ni hablar: 18.000 dólares por cada salida a la cancha. Nunca nadie, ninguno de mis compañeros, se quejó por esas cosas: simplemente porque si yo no estaba en el equipo, jamás hubieran cobrado por jugar un amistoso en Africa.

Había 25.000 personas en la cancha y todos comparaban la presencia de Boca con una anterior del Santos de Pelé. Nada que ver, nosotros éramos otra cosa. El recibimiento de los negritos me había hecho pensar, me había hecho pensar mucho: afuera me trataban como a un rey; adentro, en la Argentina, mejor ni hablar... Fue en aquel viaje que se me cruzó por la cabeza dejar el fútbol. En serio lo pensé. Lo hablé con mi viejo, con Jorge, con mis amigos. Claro, si en la Argentina se estaba hablando de que me iban a mandar preso porque no le pagaba a la DGI, que en lo único que pensaba era en la plata. Mi sueño, en aquel momento, era muy loco: jugar un partido con pibes, contra pibes, con pibes en las tribunas, con pibes de porteros, con pibes de policías... Sólo con pibes. Inocentes. No soportaba la presión. No quería saber más nada. Los miraba a Escudero, a Passucci, a cualquiera de mis compañeros, caminando tranquilos por ahí, sin que nadie los molestara, y los envidiaba... ¡Cómo los envidiaba! Intimamente, sabía que lo mío ya no tenía retorno, que mi vida iba a ser eso. Me sentí un poquito preso de la fama, la verdad. Pero pensé en el negrito diciéndome Pelusa y le agradecí a Dios. Ellos me habían recibido como nunca en mi vida. Ellos me habían demostrado que me querían. Más allá de todo.

Viajamos 27 horas desde Africa y llegamos justo para jugar otra fecha del campeonato: así estábamos. Igual, goleamos a San Lorenzo de Mar del Plata, y nos preparamos para seguir. En total, jugué doce partidos, hice once goles, llegamos a los cuartos de final, contra Vélez, y ahí se acabó todo... El 2 de diciembre del '81, en La Bombonera, de noche, el árbitro Carlos Espósito me echó cuando faltaban diez minutos, después de un partido de esos calentitos, calentitos. Había pasado de todo... A mí me mandaron encima a Moralejo, para que me marcara de cualquier manera: hasta a él le daba vergüenza por lo que estaba haciendo; no dio ni un pase, me cagó a patadas, me agarró todo el partido. Hasta que reaccioné. Me salió la tanada y a la mierda. Cuando me rajaron, todavía estábamos 0 a 0; en esos minutos finales, pasó a ganar Vélez, empató el Cabezón Ruggeri y enseguida el Mono Perotti hizo el gol del triunfo. Jamás pensé que ése iba a ser mi último partido oficial, por campeonato, en Boca... Jamás. Y encima terminé expulsado. En el partido de vuelta, los muchachos estaban muy golpeados y Vélez los mató. Allí se terminó la historia... oficial. Ya no estaba Marzolini como entrenador y llegó el Polaco Vladislao Cap.

Lo que siguió después fue maravilloso... y cansador: entre aquel Nacional olvidable y el arranque de la concentración para el Mundial de España, hubo otra gira increíble, por Estados Unidos, Hong Kong, Malasia, Japón, México y Guatemala. Ocho partidos, entre el miércoles 6 y el miércoles 27 de enero, a cambio de 760.000 dólares. Ocho partidos en 21 días. Yo hice viajar a mis viejos, a mis tres hermanos más chicos (Hugo, Raúl y Caly), y por supuesto a Claudia y a Jorge. Y ya tenía un camarógrafo, Juan Carlos Laburu, que me seguía a todas partes... Me acuerdo que después del primer partido, contra El Salvador, en Los Angeles, se me acercó un señor brasileño al vestuario y me dijo: *Quiero saludarte porque hace unos años Carlos Alberto, campeón del mundo del '70, jugó contra vos para el Cosmos y me dijo: "Acabo de ver a un chico argentino que va a ser sensación en el mundo". Mirá vos, tenía razón.* Yo no lo podía creer, era Rildo, el mismo que había sido número tres del Santos y la Selección brasileña.

Con respecto al viaje... para que nadie diga que yo exagero, voy a transcribir una declaración del doctor Eduardo Madero, que era el médico de Boca en aquel momento, describiendo lo que fue aquello, con las valijas todavía sin abrir: *"Yo llevo muchos años en esto. Seguramente hay muchos equipos que han jugado cuatro partidos en una semana. Incluso yo mismo lo viví en el Estudiantes de Zubeldía. Pero esto de Boca debe ser récord mundial, sin dudas. Arrancamos el domingo pasado en Tokio. Jugamos y volamos a Los Angeles. Cambiamos de avión y llegamos a México. El partido con el América fue el martes a la noche. Terminamos de cenar y nadie durmió porque a las seis de la mañana del miércoles nos fuimos a Guatemala. Se jugó ese mismo día con Comunicaciones. ¡Ese mismo día! El jueves empezamos el regreso, vía Miami. Tomamos un vuelo con conexión en Río de Janeiro y caímos en Buenos Aires el viernes al mediodía. Y hoy sábado, con otro avión, aparecemos en Mar del Plata para debutar... A mí me parece un milagro. Agarrá un mapa y fijate: esto es record mundial".*

Aquel sábado 30 de enero de 1982, ante un estadio mundialista repleto, me empecé a despedir de Boca, ahora en partidos amistosos. Le ganamos a Racing 4 a 1 por la Copa de Oro, el torneo de verano. Yo hice un gol de penal, pero debí haber hecho otro todavía mejor: fue a los cinco minutos, nomás; arranqué en la mitad de la cancha, pasé entre Berta y el Japonés Pérez, que se me tiró a los pies, pero no llegó; lo pasé a Leroyer abriéndome hacia la derecha; con el mismo pique, lo pasé a Van Tuyne; le amagué al arquero Vivalda y lo dejé gateando; me quedó para la derecha y le pegué... una masita. Veloso la sacó sobre la línea. Hubiera sido un golazo.

Después, por la misma Copa, jugué contra Independiente y, al fin, el último partido, contra River: perdimos 1 a 0, el sábado 6 de febrero de 1982, y el gol de ellos lo metió el Pelado Díaz. Después, el Polaco Cap, que era el nuevo entrenador, me dio permiso para volverme a Buenos Aires, a estar con mi familia, a descansar un poco; en Mar del Plata ni a la playa podía ir. La gente me quería mucho, demasiado... Me encerré en mi quinta de Moreno y esperé.

A esa altura, la discusión era si seguía en Boca o no. La situación económica en la Argentina era desastrosa y las ofertas del exterior eran una presión grandísima. Mucha guita, mucha, aunque no tanta como en los noventa. Imagínense: por mí, ofrecían ocho palos verdes, que en aquella época era una fortuna incalculable, imposible de rechazar... Y eso, en el 2000, ¡lo pagan por cualquier defensor! ¡La que me perdí, yo! En eso se me escapó la tortuga, lo acepto, lo acepto. En una conferencia de prensa, durante la gira, le preguntaron a Domingo Corigliano qué iba a pasar y él contestó: *Vamos a hacer todo lo posible para que se quede.* Entonces, yo me paré en la silla y empecé a gritar: "¡Co-ri-gliano, Co-ri-gliano!". Pero sabía que era difícil, muy difícil. Y me daba bronca. Yo quería jugar la Copa Libertadores, mi gran deuda con el fútbol argentino. Quería ganar un título que no fuera de entrecasa, de cabotaje...

Por eso declaré algo que todavía hoy sostengo, cambiando los nombres de los protagonistas: "Me fastidian cosas que pasan alrededor del fútbol. Me fastidia que las cosas no sean más simples. Que haya dirigentes que trabajan más para las fotos que para su club. Que en mi país no haya instituciones que puedan bancar a Maradona, a Passarella, a Fillol. Que no se pueda retener a esos jugadores. A veces me hablan del fútbol de antes y yo digo que sí, que puede ser que haya habido grandes jugadores, pero éstos le dieron a la Argentina dos títulos mundiales y a mí me gustaría que nunca se fueran del país". Eso lo dije, ¡en 1982!

Le pedía a Dios que aquella gira y aquella Copa de Oro no fueran mi despedida de Boca. Pero como también era realista, confesaba que, de irme, el lugar que más me gustaba era España. Porque ahí se iba a jugar el Mundial que me ofrecía la primera oportunidad de revancha, porque ya iba a entrenarme y a concentrarme con las figuras que admiraba durante los cuatro meses siguientes, y... porque allá había mucha gente que me quería mucho.

Empecé a pensar, la verdad, que me querían más que en mi país. Porque los partidos que jugamos con la Selección, antes del Mundial, en la cancha de River, contra Yugoslavia, contra Checoslovaquia, contra Alemania, me dejaron una sensación rara, amarga: fue mi primer desencuentro con la gente, me silbaron, me gritaron que me entrenara y me dejara de joder... ¡Yo no lo podía creer! Ni vacaciones me había tomado: pasé de Boca a la Selección derechito, sin escalas. Y no había jugado bien, era cierto, ¿pero Maradona no tenía derecho a jugar más o menos, alguna vez? La verdad, pensaba en el Mundial y me importaba un carajo si a mí me marcaban, si a mí me anulaban, como por ahí había pasado en esos partidos: cambiaba eso por Argentina Campeón del Mundo.

Cuando esa serie terminó, me fui a Esquina, a Corrientes, a reencontrarme con mis orígenes: me metí por el río Corriente, por el Paraná Miní, por esos lugares donde sólo mi viejo y sus amigos eran capaces de meterse y no perderse. Con la Claudia, con mis hermanos, con mis amigos de siempre, los de allá, me fui a pescar dorados, pacúes y... a pensar. A pensar en todo lo que me había pasado en un par de años, nada más. Y me quedó en el alma una frase que todavía hoy podría repetir: "La gente tiene que entender que Maradona no es una máquina de dar felicidad".

LA FRUSTRACION
España '82, Barcelona

Me agarró en una época
oscura, difícil...

Después de cuatro meses de concentración desde aquel torneo de verano de Mar del Plata que fue mi despedida de Boca, llegamos a España para jugar el Mundial '82, con la idea de que ya habíamos ganado la Copa. Sólo que nos olvidamos de un detalle: para ganar, primero hay que jugar. Tal vez porque pensamos que la cosa había andado bien en el '78, y mejor todavía en el '79, creímos que ya estábamos hechos, que era fácil... Pero hubo algo más, fundamental: la preparación física fue nefasta. Esto lo digo con una claridad muy grande y por primera vez, aquél fue el error más grande. ¡No se pueden hacer evaluaciones con piques de 150 metros con un pibe como yo, que venía de jugar un campeonato entero! ¡No se puede! Eso me desgastó, y estoy seguro de que al resto también. Para no ser el último, para que no se dijera que yo no trabajaba, respondía con todo... Es así: con los trabajos que nos hacía hacer el profesor Ricardo Pizzarotti yo llegué al Mundial '82 cansado, sobreentrenado. Muerto. Sin la chispa, sin ese pique que era como una marca registrada mía.

Una pena, porque yo tenía muchas ganas de estar en esa concentración. Sabía que eran cuatro meses, ¡cuatro meses!, desde el último partido en Boca hasta el debut, pero no me importaba un carajo. Era mi primer Mundial, estaba excitadísimo. Soñaba con compartir la habitación con mi amigo el Beto Barbas, el entrenamiento con todos esos monstruos, que Menotti me hablara, que me retara... Le había prometido a mi vieja y a Claudia que le iba a pegar únicamente de derecha durante esos cuatro meses de concentración... Y después se fue todo al carajo.

Es cierto, también, que en aquellos tiempos era jodido mantener la concentración. Y menos, estar adentro de la concentración, a ver si nos entendemos... ¡Era bravo! Yo no digo que sólo yo hice las cosas bien y los demás no, ¡no! Yo creo que todos, todos, perdimos concentración y eso se contagió. El fútbol es contagio: si vos tocás, tocás, tocás, la toca hasta el más burro. Y lo que digo es que el aburrimiento, el aburguesamiento también se contagia; y en una concentración ¡ni te cuento! Nosotros estábamos en Villajoyosa, en Alicante, un lugar espectacular... Nos creíamos los mejores, ¡y no habíamos jugado todavía!

El primer partido, aquel contra Bélgica, el 13 de junio de 1982 (¡13, la puta que lo parió!) fue una gran frustración. Yo sé que todos los ojos apuntaban sobre mí, porque ya estaba hecho lo del Barcelona, y porque tenía que ser la figura sí o sí: justo antes del Campeonato el pase se había hecho por una fortuna nunca vista hasta ese momento. Los catalanes habían pagado más de ocho palos verdes por mí. Antes del Mundial, me hicieron posar con la camiseta blaugrana, así le decían, azul y roja, en las manos. Si no ganaba, me mataban... Perdimos, sí, pero no nos dieron un penal que me hicieron a mí, grande como una casa. Después la rompimos contra Hungría, el 17 de junio, le metimos cuatro goles, 4 a 1: ahí hice dos, los primeros míos en la historia de los Mundiales; el primero de palomita y el segundo pegándole desde afuera, con zurda, por supuesto. Seis días más tarde me molieron a patadas contra El Salvador, igual les ganamos 2 a 0, pero yo ya me imaginé lo que se venía... No me quejo, no quiero aparecer como una víctima, pero me pegaron mucho: creo que todo el mundo se acuerda de cómo me marcó Claudio Gentile cuando jugamos contra Italia por la segunda rueda, el 29 de junio en Barcelona. Perdimos 2 a 1 y a él ni siquiera lo amonestaron. Pero, claro, todo el mundo se acuerda del resultado nomás. En Italia, muchos años después, Gentile me reconoció que jugó a no dejarme jugar: cada vez que intentaba recibir la pelota, me daba, *tac,* en los gemelos. Y yo ya no me podía dar vuelta... ¡Ni lo amonestaron! Eso es lo que no puedo creer: no es culpa de los Gentile, la cosa; es culpa de los árbitros.

Después nos agarró Brasil, el 2 de julio, y nos ganó 3 a 1. Pero cada vez que veo ese partido en video, más me convenzo de que no fuimos menos que ellos. Y también me hicieron un penal... Terminó mal, lo sé, pero lo que pocos saben es que la patada que le metí en los huevos a Batista era para Falção. No me aguanté una cargada que organizó Falção en la mitad de la cancha, hicieron *tac, tac, tac,* me hicieron pasar de largo. Cuando me di vuelta, vi a uno y le metí la patada, de caliente... Pobre, era Batista.

Me fui muy mal de ese Mundial, lógico. Todavía hoy me veo caminando, saliendo de la cancha, la palmada de Tarantini a la pasada... Todo el mundo pensaba que iba a ser mi Mundial, y yo también.

En mi primera entrevista después de volver, dije que yo en el Mundial '82, no fracasé; hice lo que pude. Un jugador nunca fracasa solo, puede andar mejor o peor, pero no pierde solo. Uno solo no saca campeón a un equipo... Lo que sí sé es que yo fui quien más perdió; nadie arriesgaba tanto, nadie tenía más ganas de que las cosas salieran bien. Se le había dado mucha manija al asunto, éramos pocas figuras para la publicidad, y era mi primer Mundial... Yo les dije antes de viajar a los que lloraban por mi pase al Barcelona: "Vamos, viejo, no mientan; en nuestro país hay cosas mucho más importantes que Maradona... Quiero borrar este Mundial de mi cabeza y empezar a pensar en el del '86". Eso les dije.

Y después de todo eso, y encima de todo eso, viene Barcelona. ¡Barcelona! Yo, hoy, creo que Barcelona era un club para mí, de verdad. El mejor club del mundo, mejor incluso que la Juventus. Pero yo no conocía la idiosincrasia de los catalanes. Y no me imaginaba tampoco que me iba a encontrar con un tarado como el presidente, José Luis Núñez. Se tiraba de cabeza para aparecer en las fotos, cuando perdíamos entraba llorando al vestuario para ofrecernos más plata (como si jugar mejor o peor dependiera de la guita), me hacía campañas de prensa en contra porque tenía mucha influencia en un diario. En realidad, toda aquélla es una etapa complicada: me agarró en una época oscura, difícil... Yo pasé de jugar en un fútbol tranquilo a... jugar a otra cosa. Que sé yo, al principio no la agarraba de ningún lado; en los entrenamientos te pegaban patadas en la boca. ¡No era fútbol eso! Y teníamos a los mejores jugadores de España. Esto no es tirarme contra los muchachos del Barcelona, porque hacían lo que podían, pero fue muy fuerte el cambio de la técnica a la furia, muy fuerte: ¡ellos corrían y yo tocaba! Y yo no me iba a acostumbrar a eso: a correr, correr, correr... En el test de Copper yo hacía 2.700, mientras los otros llegaban a 5.000, 6.000. ¡Rompían el test! Y me empecé a dar cuenta: claro, eso los llevaba a que antes de tocar, ya estaban corriendo. Víctor era un corredor, Periko Alonso era un corredor... Me podía entender con el alemán Bernd Schuster, pero cuando llegué él estaba volviendo recién de una lesión; con el Lobo Carrasco, que me ayudó mucho. El tema era seguir corriéndolos a todos o abandonar. Y me hice fuerte, fuerte... Se me hizo muy difícil a mí, no era culpa de mis compañeros. Entonces, no entré en la furia, pero me puse físicamente fuerte y empecé a frenarlos yo, con la pelota. Y ellos me empezaron a entender a mí: yo les marcaba el ritmo, les transmitía la técnica, sin sacarles su furia.

El problema fue que, cuando ya nos comunicábamos fenómeno, cuando no habíamos vuelto a perder desde la primera fecha, cuando yo ya llevaba quince partidos jugados y seis goles, me agarró la famosa hepatitis. Me la descubrieron el jueves 15 de diciembre de 1982. El tobillo me estaba jodiendo desde hacía unos días y yo quería que viniera el doctor Oliva a verme, pero él no podía. Desde la práctica misma me mandaron a una clínica para que me hicieran una sesión de láser, algo común y corriente... Pero cuando entré a la clínica, el médico, en vez de mirarme el tobillo me miraba los ojos...

—Dale, hermano, qué ojos ni ojos, yo vine por el tobillo.

—*No, hombre, déjame sacarte una muestra de sangre, que no me gusta nada el color que te veo en los ojos.*

Me fui para mi casa recagado, no sabía qué pensar. Al otro día, apareció uno de los médicos del Barcelona, el doctor Bestit.

—¿Qué tengo, doctor, qué tengo? —le pregunté.

Me di cuenta de que él no se animaba a contestarme, empezó a dar vueltas.

—*Bueno, que a cualquiera le puede pasar* —me decía, y yo me asustaba cada vez más.

—¡Pero dale, viejo, decime! —le grité.

—*Que tienes hepatitis, Diego* —me dijo. Y me mató, me mató.

Porque una lesión, bueno, vaya y pase, estamos acostumbrados los futbolistas. Pero ¡hepatitis! Me encerré en mi casa de Pedralbes. Pero me encerré en serio, ¿eh? No quería ver fútbol ni por televisión, estaba prohibido en mi casa. Para las fiestas por suerte vino la Tota. Y a la hora del brindis, Núñez me dio la única alegría en todos mis días en Barcelona: lo despidió a Lattek y lo trajo a Menotti.

Cuando yo había llegado en agosto de 1982 estaba el alemán Udo Lattek. Después, cuando a él lo despidieron y Núñez me sugirió el nombre de Menotti, yo le dije que sí, que era el más indicado. Pero que le quedara claro que él me había preguntado, no que yo se lo había sugerido. Y bueno, con él ganamos una Copa del Rey y una Copa de la Liga. Ese fue el mejor Barcelona que yo integré, táctica y técnicamente. Muy distinto al primero, muy distinto.

Las diferencias empezaban en la forma de trabajo. Lattek te hacía laburar con pelotas medicinales, las *medicine ball* de ocho kilos, de arco a arco. Un día le tiré una al cuerpo, y le dije:

—Oiga, míster, escúcheme una cosa, ¿por qué no lo hace usted una vez, a ver cómo se siente mañana?

Y yo no lo hacía de nene mimado, sino de lo que mamé toda la vida... En Argentinos, en Boca, yo dormía hasta dos horas antes del partido, para la charla técnica, comíamos y nos íbamos para la cancha. En Barcelona, con Lattek, antes de uno de los primeros partidos del campeonato, el domingo mismo, me tocan la puerta:

—¿Sí? —contesto yo, medio dormido, solo, porque Schuster y yo teníamos habitaciones para nosotros solos—. ¿Sí? —¿qué hora será?, pienso; miro la hora, las ocho y media—. ¿¡Qué pasa!? —ya grito un poquito.

—*El míster dice que hay que levantarse para caminar* —me dicen.

—Decile que yo no camino —le contesto.

Al ratito, enseguida, viene Lattek.

—*Acá se hace lo que yo digo.*

—Y yo quiero descansar... Después, el que corre soy yo... Yo estoy acostumbrado a esto. Si le gusta, bien, y si no...

—*Va a haber una sanción.*

—No, no va a haber una sanción —el que saltó fue Migueli, a mí no me dejó ni tiempo de contestar.

—*A mí también me fastidia eso de caminar a las ocho y media de la mañana* —se sumó Schuster.

El alemán no sabía qué hacer; claro, para él era fácil: se levantaba tempranito, se tomaba dos cervezas, ¡y a caminar! Le corté esa y le corté otras, como lo de las pelotas medicinales. Antes de los partidos importantes, como contra el Real Madrid, te ponía pelotas no de 8, sino de 20 kilos... Pero, hermano, bancate con la de ocho, no porque sea más difícil el partido tenés que entrenarte con más peso. O sea: un alemán. ¡Un alemán que decía que revolucionaba el fútbol! Yo lo respeté hasta que pude, después ya no.

Con el Flaco fue otra cosa. Todos los muchachos se enamoraron de él por la forma en que los trataba. No estaban acostumbrados. Hoy, cualquiera de ese grupo que se encuentra, lo primero que hace es preguntar por el Flaco... Fue otro Barcelona, ¡un Barcelona bárbaro!

Recuerdo un partidazo, de esa época: dos a dos al Real Madrid, en el Bernabeu. Yo hice un golazo: sacamos un contraataque desde la mitad de la cancha, corrí con la pelota, me salió el arquero, lo pasé y encaré solo hacia el arco. Yo veía que por atrás me corría Juan José, que era un defensor petisito, de barba, rubio y con el pelo muy largo. Amagué a meterme con pelota y todo, lo esperé y cuando llegó enganché para adentro, casi sobre la línea. El pasó de largo y yo la toqué despacito al gol...

Con el Flaco Menotti al frente, terminamos cuartos en la Liga, yo pude jugar los últimos siete partidos. Volví el 12 de marzo del '83 contra el Betis, justo el día que debutó él como entrenador. Empatamos 1 a 1 y yo me fui de la cancha con una calentura bárbara: me había ahogado, no acerté una y la gente se fastidió con nosotros. En la anteúltima fecha, le metí tres a Las Palmas pero ni siquiera eso me tranquilizó. Y encima, mi enfrentamiento con Núñez llegó a su punto máximo: se venía la final de la Copa del Rey, yo tenía tantas ganas de ganarla como él, pero como siempre, Núñez iba más allá. Hizo ir a la práctica a Jordi Pujol, que era el presidente de Cataluña para que me dijera, bien clarito: *Muchacho, confiamos mucho en usted y lo necesitamos. Toda Cataluña estará pendiente de este partido, hay que ganarlo...* ¡Hiju'e puta! Núñez sabía que Schuster y yo teníamos una invitación de Paul Breitner para su partido despedida antes de la final por esa copa y no quería saber nada de dejarnos ir. Nos metía presión hasta con los políticos de la ciudad... *¡Si el Madrid no cede a Santillana, pues nosotros tampoco a ustedes!*, gritaba histérico.

La hecatombe total llegó cuando me retuvo el pasaporte. Me llenaba de orgullo que el alemán Paul Breitner, el gran Paul Breitner, me hubiera invitado a mí, ¡a mí!, a su partido de despedida. Era una cosa que me quería ir, ¡ya!... Nos mandaba un avión privado a mí y a Schuster. Yo lo había llamado y le había dicho que sí, que iba a ir. Hasta que Schuster me pregunta con su tono alemanote: *¿Tienes-el-pasaporrrte?* Y yo le contesto: "Sí, por supuesto, Jorge (a Cyterszpiller) andá a buscarlo". Y entonces veo que al gordo se le transforma la cara. El cabeza de termo se lo había entregado al club, para que lo tuvieran ellos por si había viajes por las copas europeas, y esas cosas... ¡Lo quería matar! Ahí nomás tuve la sospecha de que Núñez no me la iba a hacer fácil, todo lo contrario. Me iba a romper los huevos. Era lunes: lo hice llamar por teléfono al club para que me mandaran el pasaporte, y no, no lo mandaban. Otro día más, y nada. Entonces fui y pedí hablar con Núñez. *No está*, me dijeron primero. Yo había visto el auto y el chofer. *Ahora no lo puede atender,* cambiaron enseguida. Vino otro dirigente, que yo quería mucho, Nicolás Casaus, que había nacido en Mendoza, casi llorando: *No, Dieguito, no te lo podemos dar, el presidente no quiere...* Estábamos en la sala de trofeos, en el Camp Nou. Entonces le dije: "¿Así que el presidente no quiere dar la cara? Yo voy a esperar cinco minutos... Si no me dan el pasaporte, todos estos trofeos que están acá, que son divinos, que son de cristal, los voy a tirar uno por uno". Casaus me rogaba: *No, Dieguito, no podés*... Y el alemán Schuster se sumaba otra vez: *A-vi-sssa-me-qué-émpezamos*. Agarré un Teresa Herrera, hermoso, y lo interrogué por última vez a Casaus...

—¿No me da el pasaporte?

—*No, el presidente dice que no*...

—Está, se hace negar y no me da el pasaporte...

—*No, ¡sólo dice que no puede dártelo!*

Levanté lo más que pude el trofeo y lo tiré... *¡Puuummbbb!*... Hizo un ruido... *Tú-éstas-loco*, me dijo Schuster. "Sí, estoy loco. Estoy loco porque no me pueden sacar el pasaporte... Y cuando pasen más segundos, más minutos, más trofeos voy a tirar." La cosa es que me devolvieron el pasaporte... y no nos dejaron ir al partido de Breitner. No sé qué carajo, pero había una cláusula de la Federación Española... Pero les rompí un Teresa Herrera y el pasaporte me lo dieron; era anticonstitucional que se quedaran con él.

La Copa del Rey la ganamos igual, aunque yo tenía una calentura que volaba: la final fue en Zaragoza, el 4 de junio del '83, contra el Real Madrid, dirigido por un grande, don Alfredo Di Stéfano. Era una rivalidad enorme, hermosa: Barcelona contra Madrid, Menotti contra Di Stéfano, Maradona contra Stielike... Arrancamos ganando nosotros, con un gol de Víctor después de un pase mío y nos empató Santillana, justamente, el tipo al que tampoco habían dejado ir a la despedida de Breitner. El gol de triunfo lo hizo Marcos, mi amigo Marquitos, cuando faltaban diez segundos para terminar. Le demostramos a España —¡y a Núñez!— de lo que éramos capaces.

Yo ya estaba instalado, dispuesto a todo. Con la Claudia, habíamos decorado la casa de Pedralbes como nos gustaba. Tenía una cancha de tenis, una canchita de fútbol, una piscina enorme... Y una parrilla donde nunca faltaba carne. Me había hecho muchos amigos y a ellos les encantaba comer a lo argentino, asado o lo que fuera. Venían Quini, Esteban, Marquitos. Les encantaba. Y yo pensaba que había llegado la hora de festejar. Ahora sí...

La cosa era tirarnos con todo a la Liga '83/'84. Y arrancamos perdiendo, 3 a 1 contra el Sevilla el 4 de septiembre. Eso fue un mal presagio, me parece. Pero enseguida empezamos a levantar: le ganamos al Osasuna, al Mallorca, y en la cuarta fecha tenía que venir al Camp Nou nada menos que el Athletic de Bilbao... Era el 24 de septiembre de 1983. Ese mismo día, a la mañana, me pasó una cosa increíble. Fui a un hospital, para visitar a un pibito que estaba muy golpeado, porque lo había atropellado un auto. ¡Tenía las piernas a la miseria, pobrecito! Cuando me vio, se le iluminó la cara; lo saludé, le di un beso y me apuré a irme, porque esa misma noche tenía que jugar el partido. Cuando ya estaba en la puerta, él desde la cama, hizo un esfuerzo y casi me gritó: *Diego, ¡cuídate, por favor, que ahora van a por ti!* Eso me dijo: ahora van a por ti.

Cuando el vasco Andoni Goikoetxea me fracturó, nosotros le íbamos ganando tres a cero al Athletic, ¡tres a cero! Yo pude ver la jugada dos días después, por televisión. Estaba tirado en la cama del hospital en Barcelona, y atiné a decir: "Goikoetxea sabe lo que hizo". Yo no lo había visto venir en la cancha. Si no, lo habría esquivado, como tantas otras veces ante tantas otras patadas. Pero sentí el golpe, oí el ruido, como de una madera que se rompía, y enseguida me di cuenta. Cuando se acercó Migueli y me preguntó qué me pasaba, cómo estaba, le dije, llorando: "Me rompió todo, me rompió todo".

Parece increíble, pero muy poquito antes de que sucediera eso, Schuster le había entrado fuerte a Goikoetxea. Como tiempo atrás el vasco había lesionado al alemán, el estadio se vino abajo: *¡Schuster, Schuster!*, gritaban, como aplaudiendo la venganza. El vasco estaba que volaba: *Yo lo voy a matar a éste*, decía. Claro, lo tenía siempre al lado porque me marcaba a mí. Entonces le dije:

—Tranquilo, Goiko, serenate, que van perdiendo tres a cero y por ahí te ganás una amarilla al pedo...

Juro que se lo dije de corazón, porque lo había visto nervioso, sin ánimo de cargarlo ni nada parecido. Y enseguida, la jugada. Fue un rechazo de ellos y yo corrí a buscar la pelota hacia el arco nuestro, a la altura de la mitad de la cancha. Yo corrí porque pensé que Goiko me iba a anticipar, y como nosotros hacíamos la ley del off-side, ya lo veía en el área nuestra... Entonces piqué con él, le gané, la puntié, y cuando fui a pisar para girar y salir, *track,* vino el hachazo de atrás, sentí que se me aprisionaba la pierna, que tenía todo destrozado...

Después lo único que quería saber era cuándo podía volver a jugar. El Flaco Menotti entró a la habitación y me dijo: *Usted es un crack, Diego, y saldrá adelante. Ojalá que su sacrificio sirva para que de una vez por todas se acabe la violencia.* Entre todos decidieron operarme. Nadie quería decírmelo, hasta que entró un empleado de limpieza y me comentó, como si tuviera necesidad de consolarme: *Quédate tranquilo, Diego, la operación dura apenas dos horas.* ¡Apenas dos horas! Le pedí asustado al doctor González Adrio, que era el que se iba a encargar: "Quiero volver pronto, doctor". Loco como estaba, yo creía que podría jugar contra el Real Madrid, un mes después. Un disparate, imposible... Me dolía, ¡cómo me dolía! Era la primera vez en mi vida que entraba en un quirófano, y cuando desperté, lo que hice fue preguntar por mi papá, porque lo había visto muy preocupado, más que yo.

Con el tiempo lo perdoné a Goikoetxea. En aquella época mis hermanos y los hinchas del Barcelona decían que era un asesino y yo no los contradecía. Al que no perdono es a Clemente, que era el entrenador del Athletic: él declaró, apenas terminado el partido, que estaba muy orgulloso de sus jugadores, y después, que esperaría una semana para saber si era realmente tan grave lo que yo tenía. Igualmente, el que mejor le contestó fue el diario *Marca*, que mandó un título perfecto: *"Prohibido ser artista"*. Era una buena síntesis porque en ese tiempo era muy grande la pelea entre los que jugábamos y los que... corrían. Y yo era algo así como la bandera de los que se divertían con la pelota, justo en el país donde más se pegaba. Porque los italianos sabían marcar, pero los españoles te *asesinaban* en la cancha.

Tan grave fue la lesión que me obligó a un trabajo de recuperación tremendo. Lo hice con un genio, el doctor Rubén Darío Oliva, y en Buenos Aires, donde yo quería estar.

Al Loco Oliva —así lo llamo yo, con respeto, y él lo sabe— lo tenía en la mesita de luz. Para mí, no hay un médico en el mundo que sepa más que él de medicina deportiva. Por supuesto, si lo había llamado setenta veces por cualquier contractura, mucho más lo necesitaba en ese momento, fracturado. El vivía en Milano. Todavía vive allí. Cada vez que yo le pegaba un telefonazo, él se tomaba un avión y una hora y media después aterrizaba en Barcelona. A veces, viajaba a la noche, dormía en España, me atendía a la mañana y salía a los piques para Italia, para llegar a atender a sus pacientes. Si él habría llegado enseguida, después del partido, a mí no me operaban, no, señor... No, porque él no lo hubiera permitido. A mí me operaron dos horas después del partido, enseguida. Y el doctor Oliva llegó a la madrugada. Se reunió con el doctor González Adrio y le preguntó cómo estaba todo. Entonces, hicieron un trato entre ellos. Oliva le dijo: *Si dentro de quince días le hacemos una radiografía y se notan ya las primeras sombras de la soldadura del hueso, el tratamiento de recuperación lo sigo yo, con mi estilo. De lo contrario, lo continúa usted*. Claro, si seguía con el gallego, eran por lo menos seis meses de inactividad. Pero Oliva le hizo trampa, no esperó quince días: a la semana, nomás, me sacó el yeso, me hizo una radiografía, vio cómo estaba todo y me dijo:

—*Pisá...*

—¿Qué? Yo le digo Loco a usted, doctor, pero es un apodo, nomás.

—*¿Alguna vez te fallé? Pisá, pisá suave.*

Y pisé, con un cagazo enorme, pero pisé.

Una semana después, cuando teníamos la cita todos juntos para ver cómo iba mi evolución, Oliva y yo casi lo matamos de un infarto a González Adrio. Yo llegué caminando con muletas, con la pierna izquierda levantada... *Por acá, Diego, con cuidado,* me dijo el tordo del Barcelona, y me indicó unos escalones, por los que tenía que bajar para ir a hacerme la radiografía. Entonces yo le dije: "Téngame, doctor, por favor". Le di las muletas y bajé caminando, tranquilamente. A González Adrio se le cayeron los anteojos. Después vieron todo y, claro, mi caso quedó en manos de Oliva. Trabajamos un tiempito en Barcelona y enseguida planteamos eso de viajar a Buenos Aires. Por supuesto, el cabeza de termo de Núñez no quiso saber nada, pero a Cyterszpiller se le ocurrió una gran idea. Le dijo al enano:

—*Si lo deja viajar a Diego a la Argentina, nosotros le prometemos que en enero está en la cancha, para jugar. Si no cumplimos, no cobramos una peseta del contrato hasta que vuelva.*

Al guacho de Núñez le brillaron los ojitos. Claro, él tenía la palabra de los médicos del Barcelona: por seis meses, mínimo, no iba a poder jugar. Se ahorraba unas pesetas, o se las quedaba él, qué sé yo.

La cosa es que gracias a la sabiduría y las ideas del doctor Oliva —que contradecían lo que proponía la mayoría de los médicos—, que me sacó el yeso a los siete días de la operación, pude volver a una cancha a los 106 días: el 8 de enero de 1984, bajo la lluvia, jugué contra el Sevilla. Ganamos 3 a 1, hice dos goles, el segundo y el tercero. Cuando estábamos dos a cero, la gente empezó a pedirle al Flaco que me sacara, para aplaudirme. En eso, el Sevilla se puso dos a uno, y se callaron todos. Hice el tercero y empezaron otra vez, hasta que Menotti me sacó. El estadio se vino abajo, gritaban todos, aplaudían. Más que el clásico *"¡Maradooó, Maradooó!"*, no sé, era como un alarido: es una de las ovaciones que más recuerdo en mi carrera. ¡Nadie lo podía creer!

En el partido siguiente, le hice dos goles al Osasuna, pero no sirvieron para nada, porque ellos nos metieron cuatro. Enseguida empatamos con el Mallorca y llegó la revancha contra el Athletic, el 29 de enero: ganamos 2 a 1, hice los dos goles yo... Empezamos a pelearle la Liga al Real Madrid, cabeza a cabeza. Pero cuando jugamos contra ellos, el 25 de febrero del '84, nos caímos: perdíamos uno a cero, empaté yo y faltando cinco minutos, nos hicimos un gol en contra... Perdimos el campeonato por eso, terminamos terceros.

Yo estaba intacto gracias a Oliva, que les había hecho entender a todos que una de las claves de mi juego está en la movilidad de mis tobillos. Si me hacían una recuperación tradicional, yo iba a perder esa posibilidad que tengo de girarlos, que es mayor de lo normal.

Igual el problema no estaba en la cancha, sino afuera. Uno de los tantos encontronazos que tuve con Núñez fue porque no me dejaba hablar. Sí, no me dejaba hablar con un periodista en especial, José María García, que lo criticaba mucho a él. Yo igual hablaba, con García, con Pérez, con Magoya, yo hablaba para la gente... La cosa es que me llama un día y me dice: *Le prohíbo darle notas a García.* Yo le dije que no, que a mí no me prohibía nada, que mientras yo me entrenara y jugara, que para eso había firmado el contrato, él no me podía prohibir nada. Le dije que no me había comprado la vida. ¡Para qué! Se puso como loco...

Con esas cosas, yo ya sabía que era boleta. Núñez ya me había dicho que el que mandaba era él. "Está bien, me parece perfecto que mandes vos", le contesté, pero a partir de ahí empezó una pelea muy fuerte a través de los diarios. Cuando jugábamos bien, no pasaba nada. Pero apenas empatábamos, ya empezaba con que "cómo" me había agarrado la hepatitis, que salía de noche, que andaba con mujeres, que esto, que lo otro. Todo con una prensa controlada. Entonces un día corté por lo sano y le dije:

—¡Quiero que me venda!

—¡*No!*

—Entonces, ¡no juego más!

Y salió lo del Napoli. Fue sucio lo que me hizo Núñez, muy sucio. Tan sucio que mucho tiempo después, cuando ya estaba en Italia y volví a España para recibir un premio, como el mejor jugador iberoamericano, o algo así, el tipo buscó venganza y me inventó una historia que me pudo haber salido muy cara. Un pibe dijo que yo lo había atropellado con el auto y le había quebrado las piernas. La policía me fue a buscar a la entrega de premios y me llevó preso. Los jugadores se enteraron y me fueron a buscar... Estaban Schuster, Hugo Sánchez, Juanito, que en paz descanse... Juanito les gritaba, desde afuera de la comisaría, *¡Viva Franco!,* y yo adentro, firmando papeles y mirándolo a los ojos al pibito: "¿Cuándo te pisé, yo? ¿Cuándo? ¡Contales todo, deciles que es una mentira de Núñez, por favor!".

La cosa es que mi paso por Barcelona terminó siendo nefasto. Por la hepatitis, por la fractura, por la ciudad también, porque yo soy más... más Madrid, por la mala relación con Núñez y porque allí en Barcelona arranca mi relación con la droga. Aunque no hace a la cuestión de lo que estoy contando, debo admitir que allí arranqué y de la peor manera: cuando uno entra, en realidad quiere decir que no y termina escuchándose decir sí. Porque creés que la vas a dominar, que vas a zafar... y después se te complica. Pero lo de la droga en Barcelona no tuvo ninguna incidencia en mi vida de futbolista, ¡ninguna! Si no, yo no habría podido tener los logros que tuve en el Napoli. Núñez dijo que me vendió porque él sabía que yo tomaba cocaína... ¡Mentira! Yo no habría conseguido todo lo que conseguí en Italia, porque esa porquería de la cocaína, en vez de motivarte, te desanima... Para el fútbol no te sirve como tampoco sirve —recién ahora lo sé— para la vida. Empezó como una jodita más. Y lo que en aquel momento parecía divertido, se volvió dramático. Hoy me arrepiento, cuando ya estoy en el baile y todavía tengo que zafar de alguna manera. Por mis hijas, por toda la gente que me quiere y que hice o hago sufrir. Pero es inevitable, es así, no es un invento mío; es el invento que hoy gobierna el mundo. Quiero ser clarito en este tema: los gobiernos no hacen nada para detener esto. ¿Por qué? Porque también les conviene tener adictos. Pero ésa es otra historia y otro tiempo.

En aquella época hablaban del "clan Maradona" y a mí me enojaba muchísimo. ¿Qué era el clan? Era mi gente, mi familia, mis amigos, mis empleados... Yo tenía una casa en el barrio de Pedralbes, en la zona más linda de Barcelona. Tres pisos, diez habitaciones, pileta, cancha de tenis. ¿Por qué no la podía abrir para la gente que yo quisiera? Repito hoy lo que decía en aquel tiempo: yo soy feliz cuando estoy al lado de la gente que quiero. Para mí, ellos —Osvaldo Dalla Buona, Galíndez, Néstor "Ladilla" Barrone, entre otros— eran argentinos que estaban necesitando que alguien los protegiera; y ese alguien era yo. Para que todos los catalanes me escucharan, declaré en televisión: "Quiero decirle a la gente de Barcelona que no todos los argentinos somos malos, que los argentinos no nos llevamos por delante a nadie, que sabemos vivir. Nosotros no tenemos la culpa de todos los que vinieron a hacerle mal a esta ciudad, y ahora nos quieren hacer pagar por otros". No me cansaba de repetirlo, para que entendieran: hay cosas que mis amigos argentinos podían hacer, como pelearse, fumar o tomar, sin que por eso tuviera que hablarse del clan Maradona. Lo que hicieran mis amigos me podía parecer bien o mal, pero no por eso iban a dejar de ser mis amigos ni tampoco yo estaba implicado en todas sus cosas. Estaba harto de que se hablara del clan Maradona; ¡en Barcelona no había ningún clan! Ayudé a los que me pareció que necesitaban y muchos no me lo agradecieron. Es más, muchos se me volvieron en contra. Entonces dije nunca más... Ahora es mi familia, mis amigos de verdad, y nadie más. Pero que quede claro: ni clan ni entorno ni nadie me llevó a hacer lo que hice, a cometer los errores que cometí: si uno no quiere, no quiere. Y eso lo digo por la droga, por ejemplo.

Allí estaba Núñez siempre presente, y allí ha seguido hasta hace poco. Cosa curiosa, ni siquiera es catalán, porque nació en el País Vasco. No sabe lo que es una pelota ni nunca lo va a saber, no puede ser más importante que un jugador de fútbol ni nunca lo va a ser. Así como me persiguió a mí, siguió con Schuster después, y luego lo tuvo entre ceja y ceja a Rivaldo. Está obligado a inventar cosas para tener a la gente: si el Barcelona no sale campeón como salía antes por dos o tres puntos de ventaja, entonces él es más creíble que los jugadores que salen a la cancha. Si no ganan la Liga, a Rivaldo le van a inventar cualquier cosa. A Romario lo echó él, a Stoitchkov lo echó él... ¡Todas figuras!

Hay un especie de *macrimanía* entre los dirigentes. Por Mauricio Macri lo digo, por supuesto, por el presidente de Boca Juniors. Es algo muy perverso. Ellos no son agradecidos: nosotros les damos poder, les damos fama... Meten la mano en la lata y siguen siendo dirigentes. Porque Núñez ha sido presidente del Barcelona, pero "Núñez y Navarro" es algo más, es la empresa constructora que tiene con la mujer, la que levantó varias de las obras para los Juegos Olímpicos. Así son la mayoría.

La cosa es que ya no aguantaba más en Barcelona. El último partido, el 5 de mayo de 1984, en Madrid, fue una imagen de todo lo que me pasó allí: una batalla campal contra el Athletic, nuestro archienemigo, en la final de la Copa del Rey, que perdimos 1 a 0, con aquel gol de Endika que los vascos me recordarían muchos años después, cuando volví a jugar a España con el Sevilla. Terminé a las patadas con todo el mundo, porque nos estaban ganando y nos cargaban; hasta que uno me hizo un corte de manga y se pudrió todo.

Nos cagamos a palos en el centro de la cancha... Menos mal que a mí salieron a defenderme Migueli y los muchachos, porque si no me mataban. No sé, creo que Goikoetxea quería terminar el trabajo que había empezado unos meses antes. Desde afuera querían saltar a la cancha los míos, todos esos amigos a los que llamaban el clan, querían defenderme y no podían... Se colgaban del alambrado, que era como una reja, y la policía les pegaba en los nudillos, para bajarlos... ¡Una locura! A mí, después, me dio mucha vergüenza por el Rey. Claro, el rey Juan Carlos estaba ahí, en el palco de honor, era su Copa, y nosotros nos estábamos cagando a trompadas. Me dio pena por él, porque yo lo quería mucho, me caía muy bien. Había leído en las revistas lo que decía y me parecía un buen tipo. Por eso, una vez, antes de ese escándalo, le había pedido una audiencia, oficialmente. Y a los dos meses, *pin,* me llegó la respuesta, que me esperaba en el Palacio, en la Zarzuela. Un fenómeno Juan Carlos, a todos les daba veinte minutos y conmigo se quedó como una hora y media. Hablamos de fútbol, de la Argentina, de los asados... ¡Y de barcos! Al tipo le encanta navegar. Yo me lo imaginaba por los ríos de Corrientes al Rey de España. Bueno, la cosa es que estábamos ahí, charlando, y de golpe se abre una puerta y aparece ¡Felipe González!, el *presidente* de España. Los dos me pidieron una camiseta argentina para los pibes... Pero bueno, la historia terminaba. Mal, pero terminaba.

Después del escándalo, me decidí definitivamente y pegué un portazo. Del otro lado dejé un contrato en blanco, que me ofrecía el vicepresidente Joan Gaspart: *Pon la cifra,* me decía. De atrás, Cyterszpiller me susurraba: *Dale, dale, ponela y nos quedamos...* Yo le dije muchas gracias y me fui. No tenía ni idea hacia dónde.

LA RESURRECCION
Napoli '84/'91

Cuando yo llegué al Napoli estaba en cero...
Y con deudas.

En el '79, cuando todavía estaba en Argentinos, el Napoli ya me había venido a buscar... Si hasta me mandaron una camiseta al hotel donde yo estaba concentrado, con una carta que decía que estaban esperando que abrieran las fronteras a los extranjeros para llevarme. Me invitaban a pasar diez días allá, todo pago, viejo, todo pago, me querían llenar de regalos. ¡Yo no entendía nada! Por aquella época se hablaba también del Sheffield de Inglaterra, del Barcelona mismo, qué sé yo... Para mí, todos eran el Estrella Roja de Fiorito... Para mí, Napoli era algo italiano, como la pizza, y nada más.

Lo curioso es que años después, cuando me vinieron a buscar a Barcelona seguía sin saber mucho más de ellos. Vinieron a por mí, dirían los gallegos... Y la verdad es que lo único que yo quería era irme de ahí, irme de España, irme de Cataluña, irme de Núñez. A cualquier parte. Todos me preguntan ahora: ¿por qué no a Juventus, por qué no a Milan, por qué no a Inter? Y... ¡Porque el único que se preocupó por ir a ofrecerme algo fue el Napoli! Y también porque Giampero Boniperti, que había sido jugador y era presidente de la Juve, había dicho que alguien con un físico como el mío no podía llegar a nada. Bueno, a algún lado llegué, ¿no? El fútbol es tan hermoso, tan incomparable, que le da lugar a todos. Hasta a los... enanos como uno.

83

La cosa es que yo quería cambiar de aire y jugar. A ver si se entiende: no digo jugar bien, digo jugar... Jugar un campeonato entero. Y había más razones. Por un lado, cuando el Barcelona me vendió, sabía muy bien adónde, a ver si le vas a ganar una a los catalanes: ellos no imaginaban a ese equipo italiano como un gran rival en Europa. Por el otro lado, lo más importante, algo que no he contado nunca en detalle: nosotros necesitábamos un negocio porque a Cyterszpiller le había ido tan mal con los números que estábamos en cero. Sí, señor, quebrados... Quebrados económicamente. Cuando yo llegué al Napoli estaba en cero... Y con deudas. Esa es otra de las causas por las que no fui ni a Juventus, ni a Milan, ni a Inter. Salió lo del Napoli y apuramos todo. Jorge había comprado cualquier cosa, petróleo, casas, bingos en Paraguay, qué sé yo... ¡Todo con mi plata! Ya está, ya fue. A mí me pasó lo que canta la Negra Sosa: me caí, me levanté. Tenía 25 años y ni un solo mango. Nunca se lo expliqué a nadie, ni a mi señora: sólo digo que me quedé sin un peso por mi culpa. Tuve que empezar de nuevo... Lo cierto es que teníamos necesidad, porque debíamos acá, debíamos allá. Tan era así que del 15 % que me correspondía a mí, que era 1.500.000 dólares, no vi una moneda. Y la casa de Barcelona, en el barrio de Pedralbes, la tuvimos que regalar para pagar deudas.

El día de la presentación, y sólo para verme, ¡fueron 80.000 napolitanos al San Paolo!

Fue el jueves 5 de julio de 1984. Yo lo único que les dije fue lo que me habían enseñado: "Buona sera, napolitani. Sono molto felice di essere con voi...", y revolié la pelota a la tribuna. Los tipos deliraban y yo no entendía nada. Estaba vestido con un jogging celeste, una bufanda del Napoli, una remera blanca de Puma y parado encima de una bandera que habían extendido en el piso. Por primera vez escuché un himno que habían compuesto para mí: *Maradona, ocupate vos / Si no sucede ahora, no sucederá más / La Argentina tuya está aquí / No podemos esperar más*. Y enseguida pasaron por los altavoces otra canción con la música de "El Choclo", justo a mí, que soy un enamorado del tango... Estuve quince minutos, quince minutos, nada más, porque nos queríamos ir para Buenos Aires, de vacaciones. Cuando bajé por las escaleras del túnel, para irme del estadio, me encontré con Claudia y me abracé con ella llorando... Me temblaban las piernas, otra vez, como cuando había debutado en primera, como cuando había empezado en Boca. Todo había sido muy fuerte, en los últimos tiempos, y sabíamos que nos estábamos jugando la vida, que empezábamos de nuevo. Y en un lugar que tenía mucho que ver conmigo. Por eso les dije a los periodistas, sinceramente, algo que me salió del corazón: "Quiero convertirme en el ídolo de los pibes pobres de Nápoles, porque son como era yo cuando vivía en Buenos Aires".

Yo caigo en el Napoli y, sin saberlo, caigo en un equipo de Serie B. Un equipo de Serie B que juega contra uno de la Serie C, por la Copa Italia, y termina apretado contra un arco. De contragolpe, no se cómo, agarré una pelota y la clavé en un ángulo: ganamos 1 a 0, pero supe que iba a sufrir, que iba a sufrir mucho. A mí me dieron el historial del Napoli cuando ya había firmado: ahí me enteré de que en las últimas tres temporadas había estado peleando el descenso, y que en el último campeonato, el '83/'84, se había salvado... ¡por un punto! Les pregunté, entonces, si por lo menos me garantizaban tranquilidad. Como me dijeron que sí, le metí para adelante. Aparte, durante las negociaciones, los hinchas habían hecho hasta una huelga de hambre para que yo fuera. No exagero, ¿eh? ¡Huelga de hambre! Y uno de ellos, creo que se llamaba Gennaro Espósito o algo así, se había encadenado a las rejas del San Paolo. Entonces empecé a ponerme bien físicamente, porque sabía que para ganar en el fútbol italiano necesitaba otro cuerpo. Porque los defensores italianos no eran como los españoles: en España te mataban a codazos y a patadas, a mí me pegaron hasta en la lengua, pero en Italia no, porque la televisión los mandaba en cana a todos y porque se entrenaban para marcar. ¡Y eso que yo tenía el recuerdo de Gentile, en el Mundial '82! Me fui adaptando, me fui adaptando y ahí, en esa etapa, fue fundamental Fernando Signorini.

Yo le decía el Ciego, porque no veía una vaca adentro de un baño, pero sabía mucho, muchísimo, más que nadie, de preparación física. Había llegado a mí en un mal momento, después de la lesión en España. Allá me había ayudado en la recuperación, por eso pude volver a los 106 días. En Nápoles, el trabajo era distinto: era poner a punto la máquina. Y lo logramos. Desde el primer día, en la pretemporada que hicimos en Castel del Piano, me hicieron sentir como un napolitano más: me aplaudieron los tacos, los caños, las chilenas —hice un gol así, en la primera práctica—, los amagues... Me festejaron todo.

El técnico era Rino Marchesi y debutamos contra el Verona, de visitantes, el 16 de septiembre de 1984. Nos hicieron tres. Tenían al danés Elkjaer-Larsen, al alemán Briegel... El alemán me hacía así, *tac*, y me sacaba de la cancha. Nos recibieron con una bandera que me hizo entender, de golpe, que la batalla del Napoli no era sólo futbolística: "BIENVENIDOS A ITALIA", decía. Era el Norte contra el Sur, los racistas contra los pobres. Claro, ellos terminaron ganando el campeonato y nosotros...

En la primera rueda del campeonato '84/'85 sacamos nueve puntos, ¡nueve puntos! Y me fui para Buenos Aires a pasar las fiestas con una vergüenza que no puedo ni contar. A la vuelta, cuando teníamos que empezar de nuevo, la segunda mitad del campeonato, en Italia hacía un frío de la puta madre. Y el 6 de enero, el día de Reyes, fuimos a jugar contra Udinese, que había sacado ocho puntos y peleaba con nosotros el descenso... ¡Era un partido por la B, a mí me daba una desesperación bárbara! La cosa es que le ganamos 4 a 3: para nosotros jugaba la Chancha Bertoni, Ricardo Daniel Bertoni, que hizo dos goles, y yo hice otros dos, de penal. A partir de ahí, después de las fiestas, hicimos más puntos que el Verona, que salió campeón. Nosotros hicimos 24 puntos y ellos 22. Nos quedamos afuera de la Copa UEFA por 2 puntos, nada más. Yo metí 14 goles, quedé tercero en la tabla, a 4 de Platini... Había cada nene en el campeonato italiano: el mismo Platini, Rummenigge en el Inter, Laudrup en la Lazio, Zico en Udinese, Sócrates y Passarella en la Fiorentina, Falção y Toninho Cerezo en la Roma.

Entonces, agrandado, lo encaro al presidente del club, Corrado Ferlaino, y le digo: "Compre a tres o cuatro jugadores y venda a los que la gente silba. El termómetro suyo tiene que ser ése, cuando yo le doy la pelota a uno y lo silban, chau... Y si no, piense en venderme, porque yo, así, no me quedo. Cómpreme un par de jugadores. A Renica, de la Sampdoria, que lo ponen de tres y es un líbero de la puta madre". Y lo fuimos armando, así lo fuimos armando.

Para la segunda temporada, la '85/'86, llegaron Alessandro Renica, Claudio Garella —que había sido el arquero campeón con el Verona— y Bruno Giordano... Garella atajaba con los pies, ¡era una cosa increíble, no usaba las manos! Por eso yo le pedía, por favor: "Está bien, no la agarrés, pero no des rebote". Y nunca dejó una pelota ahí, para que la empujen. Por eso: yo digo que, por lo que sea, por juego o por resultados, lo que marqué a fuego en ese club fue una época de respeto. Antes Paolo Rossi se había negado a ir, porque decía que no era una ciudad para él, que en Nápoles había camorra. Lo cierto es que al Napoli no quería ir nadie.

Cuando lo vi por primera vez a Giordano, me di cuenta de que era un jugador para nosotros: había estado metido en el lío del Totonero, el escándalo con las apuestas clandestinas en lo que era como el Prode nuestro. Me dicen ése es Giordano, que esto, que lo otro... Jugaba en la Lazio, tocaba, se iba por la derecha, por la izquierda. Yo dije: "Este es para el Napoli". Y lo encaré: "Giordano, por favor, vení a jugar para nosotros". Y el me contestó: *Ya, cuando quieras*. Le pidieron tres palos verdes a Ferlaino y el tipo me lloraba, me decía que no los tenía. "Hacé el esfuerzo, viejo", le dije. Y se hizo, por suerte, porque Giordano fue un fenómeno. Con Bruno nos entendíamos bárbaro, él se tiraba más atrás y yo iba un poco más de punta. Yo hice 11 goles y él 10, nos clasificamos para la Copa UEFA, terminamos terceros, a seis puntos de la Juve, que ganó el *scudetto*.

El técnico, a esa altura, ya era Bianchi, Ottavio Bianchi... Bah, los técnicos éramos nosotros, porque a mí no me cayó bien de entrada. Era un duro, no parecía latino, más vale alemán, no le sacabas una sonrisa ni a palos. Conmigo no era cargoso porque sabía que, cuando se ponía pesado, lo dejaba hablando pavadas. Era un tipo autoritario, pero conmigo tenía bastante consideración. Un día me dijo:

—*Hay un ejercicio que quiero que haga.*

—¿Cuál?

—*Tiro la pelota y usted tiene que ir al piso para barrer con zurda y barrer con derecha.*

—Eso yo no lo hago, yo no me voy a tirar al piso... A mí me tiran al piso los contrarios...

—*Bueno, vamos a tener problemas todo el año.*

—Bueno, y vos te vas a tener que ir.

Así era la relación, aunque los resultados los conseguíamos. Por suerte, para esa época, Dios ya me había puesto en el camino a Guillermo Cóppola. El firmó conmigo, en realidad, en octubre de 1985. Los cambios se dieron por aquello de la forma en que me había ido de Barcelona, en quiebra total. Insisto, no fue culpa sólo de Jorge Cyterszpiller; al fin, en realidad, las decisiones las tomé y las tomo siempre yo. Jorge no quería renunciar, porque tenía confianza en que nos íbamos a recuperar, pero yo ya había trabajado mucho como para no tener nada. *Las cosas van a cambiar,* me decía él. Y yo le contestaba: "No, las cosas no cambian, no va...". En realidad, yo había hecho un plan con mi mujer, sabíamos que teníamos toda una vida por delante y era necesario aprovecharla. Ese plan tenía que ver con los cambios que se venían, ya no podíamos esperar más.

A Guillermo yo lo conocía desde mi pase a Boca, aunque él, aquella vez, estaba del otro lado del mostrador. Defendía los intereses de la mayoría de los jugadores que tenían que pasar a Argentinos Juniors, sobre todo al Carly Randazzo, que era el que menos ganas tenía de irse. La cosa es que en el '85 estábamos en Ezeiza, concentrados para jugar un partido por la eliminatorias con el Seleccionado, y él se enteró por Ruggeri, por Gareca, que yo lo andaba buscando. En realidad, les había preguntado a ellos qué tal era, cómo se manejaba. Y recordaba, siempre, un gesto que Guillermo había tenido con Barbas, que me había llamado mucho la atención: después de transferirlo de Racing al Zaragoza, apareció por Alicante, donde estábamos concentrados para el Mundial de España, y le devolvió a Barbitas algo de plata, después de mostrarle un montón de números con la liquidación de los gastos. Todo con una minuciosidad terrible... Eso se lo recordé cuando nos sentamos por primera vez a hablar de lo nuestro. Guillermo estaba charlando con Fillol, que también era de él —¡todos eran de él!— y yo lo llamé a mi habitación: le expliqué que la cosa con Jorge ya no iba más y si podía contar con él, que estaba por terminar la relación con Jorge... Guillermo me dijo que no quería entrometerse, pero yo lo paré en seco: "¡Vos no tenés que hablar! Voy a hablar yo". El, en ese momento, representaba a casi doscientos jugadores, Ruggeri, Gareca y otros nenes, trabajaba en el banco y yo le pedía exclusividad. Me pidió tiempo. Cerró una transferencia más, la de Insúa a Las Palmas, me acuerdo, y cuando llegó a Nápoles ya tenía estudiados todos mis números, todos mis quilombos... Yo tenía una cuenta en el Banco de La Rioja, ahí lo conocí a Ramón Hernández, que iba a ser el secretario de Menem en la presidencia. ¿Quién se iba a imaginar dónde llegaría Ramón después? Enseguida, los puso a mi viejo y a mi suegro a trabajar en la oficina de Buenos Aires: qué había, qué faltaba, una especie de inventario; si no confiaba en ellos, ¿en quién iba a confiar? Era una forma de reunir a toda la familia, aunque ni mi suegro ni mi viejo entendieran nada de números. Ellos eran como una especie de inspectores.

Muchos años después, Guillermo me confesó que, para él, trabajar conmigo era la gloria, ¡era la gloria trabajar conmigo!

Lo de Guillermo, por sobre todas las cosas, fue el orden, el manejo, la presencia, la inteligencia para saber cómo emplear mi plata, cómo invertirla... El nunca tuvo un tanto por ciento de nada, porque... ¡él tenía más plata que yo! Muchas veces jodíamos que íbamos a hacer una carrera, a ver quién juntaba más. Porque de la situación en la que nosotros estábamos, Guillermo hizo un tesoro... Por eso, cuando dicen que Cóppola me lleva a esto, que Cóppola me lleva a lo otro, yo contesto: "Cóppola me sacó del cero y me llevó a diez, ¡Cóppola me sacó del cero y me llevó a diez!".

Y lo de la droga, que no hace a esta historia, lo respondo con pocas palabras, escuchen bien: jamás Cóppola pudo haberme llevado a la droga porque cuando yo empecé, en Barcelona, él todavía no estaba. Punto.

La cosa es que terminamos terceros, ¡terceros! Eso, para el Napoli, era la gloria. Campeón la Juve, segundo la Roma y terceros nosotros. ¿Se acuerdan de aquella bandera del Verona, en el primer partido de mi carrera en Italia? ¿Aquello de "BIENVENIDOS A ITALIA" para los napolitanos? Bueno, llegó el tiempo de la revancha, la vendetta...

Fue el 23 de febrero de 1986. Toda la curva, la tribuna de ellos, gritándonos: *¡Lavatevi, lavatevi!* (¡Lávense, lávense!). Nos ganaban dos a cero, los napolitanos indignados... Toque, *pin, pan,* se equivoca un defensor, gol mío. Y a cuatro minutos del final, pum, penal, le pego yo, dos a dos. ¡Festejamos, nosotros, como si hubiésemos ganado la Copa de Campeones! Y claro, los napolitanos que estaban en el banco, en vez de venir a abrazarnos a nosotros, todo el banco se fue abajo de la curva que había estado gritando: *¡Lavatevi, lavatevi!* Así éramos, así era el equipo y la ciudad donde jugábamos y vivíamos nosotros.

En la temporada '86/'87 explotó, por fin, todo lo que veníamos preparando. Encima, yo venía de ser campeón del mundo con la Argentina, en México. No me faltaba nada, nada... Bueno, sí, perdimos en el primer turno de la Copa UEFA contra el Toulouse, pero es que tampoco podíamos con todo: encima yo, aquel día, erré un penal en la definición, porque perdimos por penales... Pero igual, estábamos en la lucha grande.

Le había pedido a Ferlaino que me comprara a Carnevale, Andrea Carnevale, y, como ya había aprendido que yo no fallaba cuando pedía algo, me lo había traído desde Udinese. El me había preguntado qué nos faltaba para coronar y yo le había dicho: "Un poco de suerte, presidente, un poco de suerte, nada más". Los demás, los grandes, estaban asustados. Tenían a Platini, tenían un montón de fenómenos, pero también tenían miedo, ¡un miedo bárbaro! Colgaban banderas racistas, pero por temor: no entendían que unos pobres del sur se estaban llevando un pedazo de la torta que antes se comían sólo ellos, ¡el pedazo más grande!

Haber conseguido el primer *scudetto* para el Napoli en sesenta años fue, para mí, una victoria incomparable. Distinta a cualquier otra, incluso al título del mundo del '86 con el Seleccionado. Porque al Napoli lo hicimos nosotros, desde abajo, algo bien de laburante. Me hubiera gustado que todos vieran cómo lo festejamos, lo celebramos más que cualquier otro equipo, ¡mucho más! Fue un *scudetto* de toda la ciudad. Y la gente fue aprendiendo que no había que tener miedo, que no ganaba el que tenía más plata sino que el más luchaba, el que más buscaba... Para esa gente, yo era el capitán del barco, yo era la bandera. Podían tocar a cualquiera, pero a mí no... Es que... es muy simple... cuando nosotros le empezamos a armar el equipo, llegaron los resultados: venía el Inter, lo goleábamos, venía el Milan, le ganábamos. A todos les ganábamos.

Y en Torino, contra la Juventus, el 9 de noviembre del '86, pasó una cosa increíble: perdíamos uno a cero, empatamos y explotó el estadio, todos festejaban... No entendíamos nada. En el gol de ellos habían dicho gol, así nomás. Metemos el segundo y otra vez, los festejos. Y el tercero, más todavía. ¡Claro, la cancha estaba llena de laburantes, todos del sur! *¡Na-po-lí, Na-po-lí!,* terminaron gritando, impresionante.

Ya éramos campeones cuando me enteré de un pequeño dato estadístico, porque los periodistas italianos son fanáticos de esas cosas: sólo dos equipos habían ganado en un mismo año el *scudetto* y la Copa Italia; dos del norte, Torino y Juventus. Así que, antes de jugar la final de la Copa, enfrenté a la prensa y les dije: "Sí, claro que sería lindo ganar la Copa Italia. Parece difícil, pero la explicación tal vez pase porque los postulantes eran siempre del norte. Nosotros, los del sur, no somos de desaprovechar las chances. Ni en el fútbol... Ni en la vida". La dejé picando y lo conseguimos. Encima, le ganamos a una de las hinchadas más racistas de Italia, la del Atalanta de Bérgamo. Era todo ideal.

Pero el problema, ¿cuál era el problema? Que los dirigentes del Napoli no querían saber nada de gastar plata. Y después de aquel *scudetto*, por la Copa de Campeones, estuvimos a punto de eliminar al Real Madrid. Tuvimos que jugar a puertas cerradas en el Bernabeu el partido de ida y, para el de vuelta, la gente se enloqueció, parecía que todos los napolitanos del mundo querían estar en el San Paolo: recaudamos cuatro millones de dólares —que con la reventa y todo, al mejor estilo napolitano, serían siete u ocho, en realidad— pero el club no los usó y perdimos la gran oportunidad de hacer un Napoli grande, grande, grande... Ni siquiera nos cambiaron el césped de la cancha de entrenamiento, allá en Soccavo.

¿Les cuento cómo era el centro Paradiso de Soccavo, el centro de entrenamiento del Napoli? Más propio de un club de la segunda de la Argentina que de uno de primera en Europa: las paredes de los vestuarios se caían a pedazos, parecía mi casa de Villa Fiorito; había un alero de chapa para dejar abajo cuatro autos y el piso de la cancha te rompía los tendones. Por eso digo que Salvatore Carmando, que era el masajista, el kinesiólogo y todo, merece el 50 % del reconocimiento por cualquier título que hayamos conseguido.

Yo tenía contrato hasta el '89, pero a Guillermo se le ocurrió que era importante apurar la renovación. Aparte, el Napoli al que yo había llegado dos años antes, no tenía nada que ver con ése, después de un tercer puesto y un *scudetto*. La negociación empezó en Madrid, en aquel partido a puertas cerradas que perdimos con el Real, en el estadio Bernabeu, por la primera ronda de la Copa de Campeones. Septiembre de 1987. Como al fin quedamos eliminados, Ferlaino ya empezó a echarse para atrás. Pero no contaba con algo: Silvio Berlusconi me quería llevar al Milan... Y empezó el tironeo, aunque íntimamente yo sabía que no podía jugar en otro equipo italiano que no fuera el Napoli, porque me mataban a mí y también al que me comprara. Eso le dije a Berlusconi, cuando lo vi y me impresionó como un gentleman, como un ganador.

—Berlusconi, si se da, nos tenemos que ir los dos de Italia; usted va a perder los negocios porque los napolitanos le van a romper las pelotas todos los días y yo no voy a poder vivir...

A principios de noviembre del '87, nosotros estábamos concentrados en el Hotel Brun, de Milán, para jugar contra el Como, y apareció un Mercedes Benz impresionante a buscar a Cóppola. Se lo llevaron a Milano 5, donde tenía su ranchito el propio Berlusconi. Una mansión de ésas de las películas. El le dijo a Guillermo que me quería a mí, a toda costa, cuando terminara mi contrato, que había gastado casi cincuenta millones de dólares y todavía no había podido conseguir un puto título. Ni le preguntó cuánto ganaba en el Napoli: ¡él ofrecía el doble para mí!, un departamento en Piazza San Babila, la zona más cara de la ciudad, el auto que quisiera —no un Fiat 600, ¿eh?: Lamborghini, Ferrari, Rolls Royce—, cinco años de contrato dentro de la organización de ellos y un lazo con la Fininvest, su empresa de comunicación.

Vaya uno a saber por qué, ¿no?, esas cosas que pasan, pero lo cierto es que mi amigo periodista Gianni Miná tuvo la noticia del encuentro y en diciembre la publicó en su revista *Special*... ¡Para qué! El martes a la mañana, todos sabían que el Milan me quería y ofrecía lo que a mí se me ocurriera; y el mismo martes a la noche, Ferlaino aceptó todas las condiciones que le pusimos nosotros y firmamos un nuevo contrato, con el triple de beneficios de lo que pretendíamos al principio: eran 5.000.000 de dólares por año, hasta el '93, sin contar los ingresos por publicidades y merchandising, que serían 2.000.000 más cada 365 días... Unos mangos y un regalito, además: el presidente, Ferlaino, se me apareció en casa con una Ferrari F40 negra, ¡era la única que había en el mundo en ese momento!

No sé... No sé qué habría pasado con mi carrera si arreglaba finalmente con el Milan; no sé si habría sido distinta, mejor o peor. Pero yo conocía al napolitano y sabía que el napolitano daba la vida por mí... ¡Guay con el que tocaba a Maradona en Italia! Se le iban todos los napolitanos al humo, en Torino, en Milán, en Verona, donde fuera. En realidad, si algo no tenía en aquellos tiempos, era problemas de plata...

Por aquellos tiempos, justamente, la International Management Group había hecho una encuesta sobre quién era la persona más conocida del mundo. Y salió mi nombre... Entonces, el grupo quiso comprar los derechos de mi imagen: ofrecieron 100.000.000 de dólares, ¡cien palos verdes! Pero... Pero había un detalle: me exigían la doble nacionalidad: argentino y... ¡estadounidense! Y eso, la nacionalidad, el ser argentino, como los sentimientos, no tiene precio. Nada puede pagar que yo deje de ser argentino, nada. Así que rechacé la oferta. Fue una decisión mía, como todas en mi vida. Guillermo podía orientarme, pero yo decidía, y así era en todo. En esta tema de la oferta de los 100.000.000 de dólares no era sólo eso: también teníamos participaciones que elevaban esa cifra y hasta Henry Kissinger se había metido en el tema. Pero no, no, ser argentino no tenía precio.

Plata no me faltaba, les dije. Por aquellos tiempos, yo hacía un programa en la RAI y cobraba 250.000 dólares por mes. ¡Teníamos mil puntos de rating! Además, había firmado un contrato de cinco millones de dólares con los japoneses de Hitochi, para una ropa deportiva que lleva mi nombre. Y también con ellos otro contrato de publicidad para un café frío, o algo así. Como teníamos que filmar la publicidad en algún sitio especial, ellos propusieron el Cañón del Colorado, en Estados Unidos. Yo pregunté por qué y me dijeron que tenía que ver con el ambiente, con cómo era el lugar... Entonces yo les dije: "¡Hagámoslo en Argentina, yo quiero hacerlo en mi país!". Y me llevé a los japoneses a La Rioja, a Talampaya. *Necesitamos modelos,* me dijeron. "Yo los tengo, mis hermanos, el Turco y el Lalo", les contesté. ¿Saben quién nos prestaba todos los días el helicóptero para viajar desde La Rioja hasta Talampaya? El gobernador de La Rioja... Carlos Saúl Menem. Y así salió, y quedó espectacular... Y vendieron un montón de café frío en Japón. También hicimos unas tomas en la boca del volcán Vesubio, para Asahi, una marca también japonesa de cerveza. Con eso generábamos fortunas, pero yo hacía poner en todos los contratos: "Que no altere el normal desarrollo de mi actividad profesional". Hicimos series, programas de televisión, útiles escolares para los chicos, alfajores, lo que quisiera...

Pedía autos que no existían y al tiempo me los traían. Me pasó con una Mercedes Benz Cabriolet, que no llegaba nunca a Italia. Yo le tiré la cosa a Guillermo y él llamó a Mercedes, picaba siempre. La cosa es que pasó el tiempo y un día Guillermo me llamó para que me asomara al balcón... Miré para abajo y ahí estaba: la Mercedes, con todos los tipos que la habían traído alrededor, todos capos, era la primera que entraba en Italia. Bueno, bajé, todo muy lindo, abrazos por acá, abrazos por allá, pedí la llave y me subí. Toqué todo, el volante, los controles, una maravilla... Por ahí, miré para abajo y vi la palanca: "Es automática", les dije. A Guillermo se le transformó la cara: *Si, Die, sí, es automática, último modelo.* Me bajé, les di la llave a los tipos, les dije muchas gracias y subí a mi casa: a mí no me gustaban los autos con caja automática. Ahora que lo cuento, ¡qué locura!

La vida en Nápoles, mientras tanto, era increíble. No podía salir ni a la esquina, porque... me querían demasiado. Y cuando los napolitanos te quieren, ¡te quieren! *¡Ti amo più che ai miei figli!,* me decían. ¡Te amo más que a mis hijos! No podía ir a comprarme un par de zapatos, porque a los cinco minutos estaba la vidriera rota y mil personas adentro de la zapatería. Entonces iba la Claudia, ella me compraba la ropa, todo. Y a ella sí que la respetaban: *Cuidado con tocarle la mujer a Maradona, que si no el domingo no juega.* Y el viaje desde mi casa hasta Soccavo, ida y vuelta, ¡una aventura! La cosa era así: yo tenía que salir, de un lado o del otro, me paraba detrás del portón, con el motor en marcha y acelerando... Cuando daba la orden, me lo abrían y picaba, ¡picaba con todo! La gente se iba abriendo y yo pasaba por el medio, ¡una locura! Y los que ya conocían mi táctica, me seguían con las motitos... hasta que los perdía. ¡Los motorini, en Nápoles, eran una locura! Me perseguían por todos lados... Pero en el Mercedes o en la Ferrari, los perdía. El hecho de que me haya ido maravillosamente bien en Nápoles tuvo que ver, más que nada, con que les traje cosas que ellos no tenían: futbolísticas, si se quiere, como tacos, gambetas y títulos, pero también, y más que nada, orgullo... Orgullo, por eso de que antes nadie quería saber nada con Nápoles, que tenían miedo. Yo fui creyendo que era un golfo hermoso y nada más, pero me los gané a fuerza de tacos y gambetas, de ir al frente. Por eso hoy, cualquier napolitano te lo puede decir: *Aquellos equipos no los habían armado los dirigentes; los había armado Maradona.*

Eran tiempos, aquellos de la temporada '87/'88, la cuarta mía en Italia, de la fórmula Ma-Gi-Ca. A mí y a Giordano se había sumado, gracias a Dios, Careca, Antonio Careca. La gente ya se había acostumbrado a vernos pelear arriba y esa temporada no fue la excepción, por eso me preparé con todo, tal vez como nunca, para enfrentarla.

95

En octubre del '87 me interné por primera vez en la clínica del doctor Henri Chenot, en Merano, Suiza. Jamás había parado desde mi llegada a Italia, tenía encima una seguidilla de casi doscientos partidos, entre el campeonato, las copas, los amistosos y la Selección. Me dolían tanto los aductores que ni el doctor Oliva, que siempre fue un mago conmigo, encontraba más solución que el descanso. Eran pinchazos que me hacían saltar las lágrimas... Y yo jugaba, jugaba, jugaba, pero siempre a costa de infiltrarme. Por eso, cuando hablan de los futbolistas, de que ganamos demasiado, que somos unos vagos: ¿tendrán idea de lo que significa una aguja de diez centímetros clavándose cerca en la ingle, en un tobillo, en una rodilla, ¡en la cintura!? No, seguro que no...

Lo cierto es que en aquel tratamiento, el de la clínica, encuentro yo la explicación al rendimiento que tuve en aquel campeonato; lo que no voy a entender jamás, eso lo reconozco, es por qué nos caímos como nos caímos al final. Es curioso lo de aquella temporada, una mezcla muy rara de sentimientos, todavía hoy la recuerdo como una de las mejores, si no la mejor, de toda mi carrera, porque estaba físicamente como nunca, un balazo; y al mismo tiempo es una de las más amargas, de las que más bronca me dan al sólo mencionarlas, porque se dijo que ¡el Napoli había vendido el campeonato! Que lo había entregado, presionado por los apostadores.

Pero primero vale la pena contar todo lo bueno. Está todo anotado, es la verdad de los números: llegué a hacer goles en seis partidos consecutivos, algo que, creo, no se conseguía en Italia desde los tiempos de Gigi Riva, en el Cagliari; vacuné a todos los equipos de primera división, algo que nunca había logrado nadie, y encima algunos se los hice con la de palo, con la derecha, como al Udinese; conseguimos ¡el 87 % de los puntos! en las primeras 19 fechas, récord histórico. ¡Una máquina, éramos una máquina!, un rendimiento que me sirvió hasta para convencer a Bianchi, que tuvo que archivar su autoritarismo: yo, prácticamente hacía sólo fútbol en las prácticas y me entrenaba a fondo nada más que tres días por semana; los viernes, sólo masajes y alguna jugada de tiro libre. Además, se había olvidado, por fin, de sus miedos: ata-

Mirá qué pinta la fiera... Torneos Evita, Río Tercero. En aquella época, con los Cebollitas les ganábamos a todos los que se nos cruzaban.
Y a mí ya me sacaban fotos.

Ahí está, ésa era mi casa en Villa Fiorito, en la esquina de Azamor y Mario Bravo. Llovía más adentro que afuera, pero yo tengo un recuerdo maravilloso, igual. Porque era lo que mis viejos me podían dar y para mí estaba bien.

Uy, el bautismo. Debe ser la foto mía más vieja de todas. Hay otra dando vueltas por ahí, con un pibe en jardinero corriendo atrás de la pelota, dicen que soy yo... ¡Mentira! Es mi primo el Dany, Dany López. Una vez unos periodistas le pidieron una foto a la Tota y ella le dio esa, por joder, nomás.

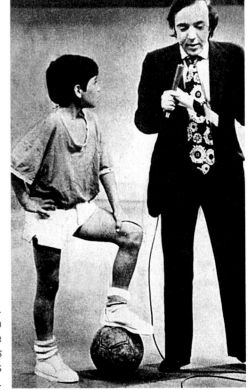

Tenía 12 años, yo, y ya era famoso. O eso me decían, por lo menos. Como hacía jueguito en las canchas y a la gente le gustaba, me llevaron a *Sábados Circulares,* que era el programa que más se veía. Me divertí, me divertí mucho.

Ahí está, ahí está toda la banda.
¡Cómo jugábamos! Ahí están
Dalla Buona, Chammah, todos.
Y mirá mi parada... ¡un guapo!

Un clásico de los Cebollitas,
contra Huracán. Otro gran
rival nuestro, siempre, era
Chacarita. Estuvimos 136
partidos sin perder. Francis
Cornejo me regaló una
libreta donde están todos los
partidos que estuvimos
invictos, uno por uno.

El que me pasa la mano por encima de la cabeza es Tomate Pena, pobrecito, que en paz descanse. Un fenómeno de tipo, ¡cómo me cuidaba!
Esa era la época en que yo hacía jueguito en los entretiempos de los partidos de primera. Pensar que después jugué contra él. Y mucho
después, ¡contra el hijo!

¡Qué momento ese! 20 de octubre de 1976, me faltaban diez días para cumplir los dieciséis y el DT, Montes, me llamó y me dijo: "Vaya y haga lo que sabe". En la primera jugada le metí un caño espectacular a Cabrera.

¡Estas no las habían visto, ¿eh?! Mis dos primeros goles en primera: 14 de noviembre de 1976, contra San Lorenzo de Mar del Plata. Ya me sentía seguro, la verdad. Pero gritar los dos goles fue lo máximo, lo máximo.

Tengo cara de susto, ¿no? Pero no estaba asustado, en serio. Mi única preocupación era que sabía que el Flaco Menotti me iba a hacer debutar en el Seleccionado, sólo si el partido contra Hungría iba bien. Y fue bien, así que entré. La gente gritó "¡Maradooó, Maradooó!", y allá fui. 27 de febrero de 1977. Ganamos 5 a 2.

¡Qué lindo enganche! Y lo que se ve atrás, una locura... Toda esa gente iba a ver a Argentinos, ¡qué maravilla!

Sigo pensando que ése fue el mejor equipo que integré. El Seleccionado Juvenil, campeón mundial en Japón '79, mi primer título grande. Ahí estamos besando la Copa con el Tucu Meza. Yo quise volver a la Argentina para bajar del avión con ella y regalársela a los argentinos... Lo había soñado y lo cumplí.

El Loco, pobre, había dicho que yo era un gordito. No sabía que la bronca era mi combustible. Cyterszpiler me pidió que le hiciera dos goles y yo le dije: "No, cuatro le voy a hacer". Cuatro le hice, y éste fue uno de ellos.

El Flaco Menotti me había dejado afuera del Mundial '78 y justo un año después le empecé a demostrar cuánto se había equivocado. En el Monumental, en un partido homenaje, contra Resto del Mundo, le metí este golazo a Leão. Y lo grité...

¿Cómo no lo iba a gritar así? Gritaba revancha, gritaba un montón de cosas. Lo que no me imaginé, eso sí, es que este salto iba a quedar como una marca registrada mía, mi forma de festejar los goles.

Mi primer gol en el Seleccionado mayor, una alegría enorme. Fue el 2 de junio de 1979, en Glasgow, ganamos 3 a 1.

¡Qué colores, por Dios! Me encanta este afiche, me encanta. Creo que se me ve en la cara lo hincha de Boca que soy.

cábamos todos, conmigo, con Careca y con Giordano a la cabeza. Si yo terminé siendo el goleador, con 15, y Careca segundo, con 13... Faltaban pocas fechas, llevábamos cinco puntos de ventaja.

Después, lo malo... El 17 de abril perdimos 3 a 1 con la Juventus, en Torino. No volvimos a ganar, una semana atrás de la otra, un resultado peor que el otro: empatamos con el Verona, 1 a 1; perdimos con el Milan, 3 a 2; con la Fiorentina, 3 a 2, y con la Sampdoria, 2 a 1. ¡Sacamos un punto en cinco partidos! Perdimos un campeonato que no podíamos perder y se empezaron a decir estupideces.

El partido decisivo, creo, fue ese contra el Milan, en el San Paolo: arrancamos perdiendo uno a cero, empaté yo con un tiro libre como creo no patié nunca y después nos mataron con otro gol de Virdis y uno de Van Basten; Careca metió uno, para el 3 a 2, y después el árbitro Lo Bello lo frenó a Antonio cuando se iba otra vez solo contra Galli, el arquero. En una de ésas, si empatábamos... Pero ya estaba todo listo. El boludo de Bianchi había empezado a hacer experimentos, lo había dejado afuera a Giordano y todo se fue al carajo. Encima, yo estaba hecho mierda, lesionado, ya no tenía lugar en la cintura y en la rodilla para infiltrarme y no pude ni salir a la cancha en los últimos dos partidos.

No es cuestión de buscar culpables a lo que pasó... Yo creo que mis compañeros se equivocaron cuando sacaron aquel comunicado para echar al entrenador, a Bianchi, después de la derrota contra la Fiorentina. Tenían razón, la verdad, porque a Bianchi se le había escapado la tortuga con las decisiones que había tomado. Por eso fue una idea noble de Garella, Ferrario, Bagni y Giordano, pero a destiempo. El comunicado decía que nunca habíamos tenido diálogo con él, y es cierto... Pero Bianchi no había tenido la culpa de todo, como tampoco la habíamos tenido nosotros, los jugadores, como se le quiso hacer creer a la gente después. A mí nunca me fue ni una ni otra... Nunca me banqué que me acusaran y estaba dispuesto a irme del Napoli si la gente pensaba que hubo algún jugador que se vendió. No lo acepto hoy y no lo acepté aquella vez. Por eso me quedé en Nápoles, una vez terminado el campeonato: porque quería dar la cara. Recuerdo que mandé a

Buenos Aires a Claudia y a Dalmita, por si había algún hijo de puta que quería llegar a las manos. Por eso me quedé y aproveché para ir al partido despedida de Platini; no quería ir porque no tenía ganas y estaba físicamente muerto, pero el francés me llamaba quince veces por día a mi casa... Pero sobre todas las cosas, me quedé para dar la cara, para hablar con Ferlaino, para decir de frente todo lo que teníamos que decir. Se habló de la camorra, del totonero. Y lo más increíble es que ¡se había hablado de lo mismo el año anterior! ¡Y nosotros ganamos el campeonato igual!

Con la gente seguía bien. Pero pasaba que si la gente decía que la *squadra* se había vendido, estaba diciendo que Maradona se había vendido... Y si realmente pensaban así, me quería ir. En el partido contra la Sampdoria, el último, la gente gritaba: *¡Bianchi, Bianchi, resta con noi!* (¡Bianchi, Bianchi, quedate con nosotros!). Así que yo pensé: "Está bien, que se quede Bianchi en el club". La verdad es que me daba mucha, mucha bronca, porque el pensamiento generalizado del plantel, aunque yo no había firmado aquella nota, era que se tenía que ir el técnico. Ferlaino, en el momento en que se perdió el *scudetto*, tendría que haber dicho "váyase" y listo. Pero así, con el comunicado, terminamos haciéndolo mártir, lo hicimos más que Maradona... Tanto fue así que terminaron renovándole el contrato inmediatamente.

No es que yo no estuviera de acuerdo con mis compañeros o ellos conmigo, al contrario. Si el fin de toda esta revuelta era Maradona, ¡pero Maradona por abajo, ¿se entiende?! ¡Maradona por abajo! Yo no tenía nada que ocultarle al técnico, habían sido duras las palabras cuando discutimos con él, si casi llegamos a las manos... Lo que nos pasó futbolísticamente en aquellos últimos partidos fue que no teníamos mucha fuerza en la mitad de la cancha: teníamos a Romano que venía desgarrado, Bagni que estaba mal y De Napoli, que era el que corría por los demás, palmado. Tampoco nosotros, los de arriba, les dábamos una mano a los del medio y el técnico nunca ponía cuatro volantes. Cuando se avivó, ya estábamos fundidos... El querer cambiar justo en el partido clave, con el Milan, fue culpa de él. Y fue culpa nuestra haber aguantado todo el campeonato con Bagni filtrado. Y la dejé picando, con un análisis simplemente de números: "Y aparte otra cosa: si vos sumás, Maradona hizo 15 goles, Careca 13, Giordano 10, entonces, *je, ¿viste?* Es imposible perder un campeonato. Pero si hacés diez y te meten doce, bueno...".

Al fin, me volví a Buenos Aires con toda la calentura del mundo. Cuando nos íbamos de vacaciones, el club dio su opinión: apoyaba a Bianchi, le renovaba el contrato por un año y dejaba abierta la puertita para pegarles una patada en el culo a los cuatro ideólogos del comunicado: Garella, Ferrario, Bagni y Giordano. A mí, lo que me caía como una patada en los huevos, era que le daban todo el mérito de lo que habíamos conseguido al técnico, ¡al técnico! ¿Tan rápido se habían olvidado? Yo había llegado primero que él, había luchado contra el descenso, me había peleado con Ferlaino, le había dicho que comprara a este jugador, al otro, ¿y entonces? Encima, eso no era todo... Yo le había pedido a Ferlaino que comprara al Checho, a Sergio Batista, y él por las suyas compró al brasileño Alemão. Le tomó la leche al gato, como tantas otras veces.

Cuando volví a Italia en julio, me tiré con los tapones de punta. El pueblito elegido para la pretemporada era Lodrone y allá fui, a pedirle explicaciones al técnico, a defender a los cuatro que habían firmado el comunicado y a aconsejarles a todos que no habláramos más, porque si seguíamos así le iban a renovar el contrato a Bianchi por cinco años... Hablamos con el tipo, no le pedí disculpas ni nada que se le parezca, pero me di cuenta de que la única salida para el Napoli era seguir dándole para adelante. Eso hice y arrancamos otra etapa.

De aquella primera parte de la temporada '88/'89, la quinta mía en Italia, recuerdo particularmente dos partidos, dos domingos consecutivos que no voy a olvidar mientras viva. Primero, en la sexta fecha, el 20 de noviembre de 1988, goleamos a la Juventus 5 a 3, en Torino, con tres goles de Careca. Y en seguida, a la semana, el 27, le metimos cuatro, 4 a 1, al Milan en el San Paolo. ¿Se imaginan lo que eran los hinchas del Napoli? ¡A la Juve y al Milan, nueve goles en dos partidos! Y así seguimos: nuestro enemigo, en esa temporada, era el Inter, el Inter del Pelado Díaz. En un partido contra el Bologna, en esos días, inventé el festejo bailando un tango... Es que ese mismo día habían llegado mis viejos a verme y a ellos les dediqué el baile. Eso fue: una dedicatoria.

Y al mismo tiempo, empezamos nuestra carrera en la Copa de la UEFA: ¡Yo me moría por conseguir un título internacional, carajo, eso me faltaba!

Cuando llegaron las fiestas, me di cuenta de que en aquel 1988 me había pasado de todo... Entonces, cerré el año con un mensaje que le mandé a todos los argentinos, a través de los medios y pensando en la gente de UNICEF, que me había llamado a colaborar: "Haría cualquier cosa por los chicos de todo el mundo, sobre todo por los que más lo necesitan, me gusta verlos contentos y felices. Por eso me disfracé de payaso y fui uno más de ellos en el circo Medrano, en Nápoles. Había más de tres mil allí y entre ellos mi hija, Dalmita. Por eso quiero cooperar con UNICEF, para ayudar a todos los niños que pasan hambre y sufren. Estoy convencido de que es la mejor forma de terminar este 1988... Por eso también me traje a Nápoles a mis padres, para pasar con ellos la Navidad, porque nunca estuvimos separados para esa fecha, y también para recibir el Año Nuevo. Yo lo siento así y gracias a Dios puedo hacerlo... Este 1988 será inolvidable para mí. Sufrí una gran tristeza, como fue la derrota del Napoli en el Campeonato Italiano, pero muchas más alegrías. Mi mejor temporada por un lado, pero también ver crecer día a día a mi hija y tener a toda mi familia reunida. Eso es lo más importante que puede tener Maradona.

"No pido nada más para mí, en este 1989 que se inicia. Como digo siempre, tengo miedo de exigir demasiado. Sólo deseo que mi hijo que está por nacer llegue a un mundo mejor, sin guerras, sin hambre... Eso, en definitiva es lo que deseo para todos. Feliz 1989, Argentina".

Eso, en definitiva, es lo que esperaba para mí, también.

Y fue entonces que vino la idea del cambio, la idea de irme. Apareció ese Bernard Tapie, el presidente del Olympique de Marsella, y me ofreció todo lo que yo quisiera y mucho más. Otra vez en el hotel Brun de Milan, donde estaba para filmar algo de publicidad, me senté con él... Con él, que había llegado en su avión privado, con Guillermo y con un empresario, Santos. El tipo me dijo: `No hablemos de cifras, yo pongo el doble de lo que da el Napoli... Lo quiero a usted, ¡sí o sí! ¡Ojo, no era sólo el tema de la plata! O, por lo menos, no era sólo el tema de la plata para mí, porque el Napoli se llevaba... ¡25.000.000 de dólares! Pero había otros temitas que me interesaban más: una villa, y no precisamente Fiorito, una casa en serio, con un parque de 6.000 metros para que corra mi hija, para que disfrute mi familia, con pileta; lo que siempre me habían prometido en Nápoles y nunca me daban, simplemente porque no había: ya estaba cansado de escuchar a mi hija decirme: *Papi, ¿vamos a jugar al balcón?* Y también, lo dije aquella vez y lo reconozco ahora, la tranquilidad de un campeonato como el francés, más... apacible, con un mes de paro en enero, como para volver a la Argentina. Era volver a empezar, era otra cosa, la verdad, era ideal. El tema es quién se hacía cargo de dejarme ir, y yo creo que ése era el terror de Ferlaino... Claro, porque el napolitano que firmara mi libertad, estaba condenado para siempre, todos iban a decir: *Ese hijo de puta es el que dejó ir a Maradona.*

La cosa es que, mientras tanto, seguíamos avanzando en el campeonato, seguíamos avanzando en la UEFA... En eso estábamos, en Munich, para jugar el partido de vuelta por la semifinal contra el Bayern, el 19 de abril del '89, y el presidente se me acercó. Charlamos un rato y me lo largó: *Si ganamos la Copa UEFA, te prometo que te dejo ir a Marsella.* ¡Para qué! Yo bailaba en una pata... No quería herir a los napolitanos, que me amaban, pero creo que irme a un club que no fuera italiano no los lastimaba tanto. La cosa es que empatamos y nos clasificamos para la final, porque en el partido de ida, en Nápoles, habíamos ganado 2 a 0. Ahora teníamos que jugar contra el Stuttgart de Jurgen Klinsmann y yo estaba que me salía de la vaina... Teníamos un nivel de la puta madre y estábamos convencidos de poder ganar la Copa. El 3 de mayo les ganamos 2 a 1, en Nápoles. Y el 17, empatamos 3 a 3, en Alemania... El último partido, el decisivo, fue aquel en que yo le meto la pelota de cabeza a Ferrara, para que defina, una jugada muy rara porque le di así, de cabeza, desde afuera del área y después de un rebote... Para mí, era todo junto: el primer título internacional con un club, el nombre del Napoli en Europa y... ¡el pase!

Pero Ferlaino no me quiso largar. Ahí mismo, en la cancha, se me acercó cuando yo todavía tenía la copa en las manos... Me habló al oído, agarrándome de los hombros, y me dijo: *¿Vamos a cumplir el contrato, verdad Diego? Hay mucho por hacer todavía.* Yo le quería partir la copa en la cabeza, pero sólo me salió decirle: "No es momento, presidente, no es momento... Pero yo cumplí con mi promesa, ahora tiene que cumplir usted". Y me contestó, ahí mismo, en la cancha*: No, no, no... Yo no te vendo, sólo te lo dije para motivarte.*

Ahí, ahí mismo, empezó otra guerra. En realidad, estallaron bombas de batallas anteriores, que por esas cosas no habían explotado antes, y lo que quedó de ahí para adelante fue un campo minado... Entonces, cuando terminó el campeonato, viajé a la Argentina para sumarme al Seleccionado y jugar la Copa América, y empecé a decir todo lo que pensaba... Ferlaino lo había llamado a Cóppola a Brasil para decirle que me olvidara de mi venta, que no me dejaría ir por nada del mundo. ¡Y yo no aguantaba más, no aguantaba más! Me costaba perdonarle a Ferlaino —en aquel momento, ahora ya lo hice— que haya dudado de mí, después de cinco años de conocerme. Después de un partido contra Bologna, que no pude jugar porque mi maldita cintura no me dejaba ni caminar, el 7 de mayo, él había declarado que no creía que fuera para tanto... ¡Y yo traía ese problema en la cintura desde los Cebollitas! Si hasta me aprendí el nombre científico: lumbago artrítico profesional. ¡Inyecciones con agujas de diez centímetros me clavaban ahí para que pudiera jugar! Y es el día de hoy que me duele, todavía... Pero, claro, yo era el poco profesional, el irrespetuoso... Me gustaría tener una estadística de los partidos que jugué lesionado, infiltrado, enyesado casi... ¡Ojo que lo volvería a hacer! Porque lo que yo quería era jugar y ganar.

Desde Brasil les mandé un mensaje. Habían insultado a Guillermo y también a Claudia en el anteúltimo partido del campeonato, contra el Pisa, el 18 de junio, y ya no aguantaba más: o me venden o se bancan que me tome mis vacaciones como corresponde y, cuando vuelva, vemos... Eso les dije. Yo siempre un poco rebelde, ¿no? Y en ese momento quería imponer mi rebeldía en Nápoles, si es que me tenía que quedar allí. Ellos ya lo habían contratado a Albertino Bigon, en el lugar de Ottavio Bianchi, por suerte, aunque yo no tuve nada que ver en el raje... Cuando lo hicieron, estaba navegando por el golfo de Nápoles con mi familia, en el *Dalmín*. Me quedó, me queda, la gran bronca de que se haya ido como un ganador; estaba —y estoy— harto de que cuando ganábamos el mérito era del técnico y cuando perdíamos la culpa era de Maradona. Hay todavía gente que piensa que los técnicos ganan los partidos; se equivocan, no hay táctica sin jugadores y creo que eso no tiene discusión. Y pregunto: si Bianchi era tan fenómeno, ¿por qué no fue campeón con el Como? ¿Porque es un equipo chico? Eso era el Napoli cuando yo llegué... Y sin embargo, el cabeza de termo ése, cuando necesitó un consejo, ¿a quién llamó? ¡A Passarella!

La cosa es que me quería ir del Napoli, pero sabía también que si las cosas no se daban, me quedaba y daba pelea.

Entonces se dio aquello de las vacaciones interminables: después de la Copa América me fui a pescar a Esquina, en Corrientes, me fui a esquiar a Las Leñas, en Mendoza, y disfruté, disfruté, disfruté de mis primeras vacaciones en muchísimos años... Yo quería mis vacaciones y las iba a tener, se habían metido conmigo, iban a bailar. ¿Qué se creían, que era la primera vez que tenía un quilombo? Me había pasado en Argentinos, cuando insultaron a mi viejo; en Barcelona, cuando se me tiraron encima con todo... Pero había llegado el límite: se metieron con Guillermo, con la Claudia, con Dalmita. Parecía que se habían olvidado, de golpe, todo lo que les había dado: el *scudetto*, después de sesenta años; la Copa de Italia; la Copa de la UEFA, su primer título en Europa; dos subcampeonatos. Parecía que también se habían olvidado que me habían pagado un poco más de diez palos verdes y ya llevaban ganados más de cien. ¿La verdad? Estaba dispuesto a tirarles granadas por la cabeza.

Fue entonces que, casualmente, me empezaron a relacionar con la droga y con la camorra. Aparecieron unas fotos en el diario *Il Mattino*, y también en otras revistas fotos mías con Carmine Giuliano, al que acusaban de ser el líder de uno de los grupos camorristas, el capo de uno de los barrios más fuertes, el de Forcella... Que había camorra en la ciudad, no lo voy a negar yo. Pero de ahí a que yo hiciera negocios con ellos, hay un trecho muy largo: a mí nunca me rompieron los huevos. Era como que yo entretenía a la gente, entonces ellos decían: *Con el pibe no se metan*. Reconozco que era algo atrapante, ese mundo, lo reconozco. Para los argentinos, una novedad: la mafia, ¿cómo será? Era algo fascinante ver eso, pero claro, a mí me ofrecían cosas y yo nunca quería aceptar: por aquello de que primero te dan y después te piden... A mí me ofrecían ir a los clubes de fans, me regalaban relojes, ésa era la relación que tenía. Pero si yo veía que no era clarita la cosa, no aceptaba... Pero era una época increíble: cada vez que iba a uno de esos clubes me regalaban Rolex de oro, autos, ¡autos! A mí, por ejemplo, me dieron la primera Volvo 900 que hubo en Italia... Y yo les preguntaba: "Pero, ¿qué tengo que hacer?". Y me contestaban: *Nada, sacate una foto*. "Gracias", decía yo, y al otro día veía la foto en el diario. Así fue que aparecí con Carmine Giuliano y su familia.

Bueno, también decían que traficábamos. Desde Buenos Aires, entonces, mandamos un comunicado donde contábamos y denunciábamos un montón de cosas que nadie sabía. Y pedíamos protección para volver, porque si no se daban las condiciones de seguridad, ni locos aparecíamos por ahí. Detallábamos atentados que habíamos sufrido, como una bola de acero que me tiraron contra el parabrisas de uno de mis autos, y que nunca habían sido investigados, o robos nunca aclarados, como ese en el que me llevaron el balón de oro del '86. Denunciábamos que había un complot que ponía en peligro la vida de mi familia. Cosa que era cierta...

Eso fue el límite, lo máximo, porque había habido otras cosas, pero chiquitas: como que no me dejaban ir otra vez a Merano, a la clínica del doctor Chenot, para empezar bien el campeonato. Pero eso era sólo un detalle, la guerra ya era muy sucia, era como vivir esquivando bombas...

¿Decían que los napolitanos ya no me querían más? ¿Que era peligroso que volviera? Decidí volver y dar la cara, a ver quién era más guapo, a ver quién mentía.... ¿Hablaban de la camorra y de la droga? Claro, era fácil tirárselo a un jugador, que tenía que dar la cara, que tenía que enfrentar controles antidóping. ¿Y los dirigentes? Esos que venían a saludarte al vestuario y estaban tan duros que no podían ni hablar... Volví, entonces. En poco tiempo, otra vez gracias a Fernando Signorini, que durante todos esos días en los que yo había estado de vacaciones había preparado un plan de trabajo impresionante, que terminaba en el Mundial de Italia. Volví contra la Fiorentina, el 17 de septiembre de 1989, y por primera vez me senté en el banco, con el número 16. Entré en el segundo tiempo, barbudo como estaba y... ¡erré un penal! Nadie me silbó, nadie de los que los diarios decían que me odiaban me insultó, nadie. Al contrario. Por eso, a los únicos que perdonaba —y perdono— era a la gente: los demás, los que habían hablado, los que habían escrito, querían acomodar lo que habían desacomodado. Yo falté quince días a los entrenamientos y era un mafioso, un drogadicto y un camorrista. A la vuelta, aplaudido otra vez, era un pibe bueno. Y todo porque hacía mi trabajo, lo que llevaba haciendo, en aquel momento, durante trece años... Me molestó, me molestó mucho que Ferlaino y el club no me defendieran. Estaba preparando una revancha, una revancha que no se imaginaban. Era distinta a cualquier otra cosa que hubiera hecho antes en mis años de rebeldía.

Fue como si hubiera elegido los rivales para gritarles a todos a la cara: ¿Vieron, vieron que hay que pensar antes de hablar? Y al Milan, ¡al Milan!, al que supuestamente le habíamos vendido el campeonato anterior, le metimos tres, uno de ellos mío... Tres a cero, fue el 1º de octubre en el San Paolo, en uno de esos partidos que soñás de pendejo, me salieron todas.

A partir de aquel retorno contra la Fiorentina, jugué veinte partidos seguidos, uno mejor que el otro... Y cuando parecía que el scudetto se lo llevaba el Milan, que nos devolvió el tres a cero en el Giusseppe Meazza, el Barbudo (Dios) me volvió a dar una buena mano. O, mejor dicho, me tiró una moneda.

Fue el 8 de abril del '90. En aquella época, yo volaba, ¡volaba de verdad! Fuimos a jugar a Bérgamo y les cobramos a los hinchas del Atalanta, los más racistas de Italia, con su propia moneda. Le tiraron una a Alemão, cuando se iba para los vestuarios, le abrieron la cabeza y se suspendió el partido. Después, ¡el Tribunal nos dio los puntos! Y ya al final, cuando todos descontaban que el Milan se llevaba el título otra vez, pegamos el *sorpasso*, como dicen los italianos. El 22 de abril le ganamos al Bologna, al mismo Bologna que había provocado mi pelea con Ferlaino, por aquello de la cintura, el año anterior, mirá lo que son las cosas. Lo cierto es que cuando todos pensaban que aquel primer *scudetto* nuestro había sido un milagro, algo que no se repetiría jamás, estábamos allí, en las puertas del segundo.

La temporada que había empezado de la peor manera, con el drogadicto y camorrista, que era yo, al borde del abismo, terminaba con el título... Nunca había estado ni estuve físicamente mejor, nunca. Volaba.

Teníamos que jugar el último partido contra la Lazio, pero ya estaba todo dicho. Me acuerdo que me encararon los periodistas italianos en Soccavo, a la salida del último entrenamiento, y me preguntaron si no habríamos sufrido menos de no haber tenido yo todos los líos de principio de temporada, si no me arrepentía de nada. Como respuesta, me salió en el mejor italiano: "A me piacere vincere cosí". A mí me gusta ganar así. El 29 de abril, con mis compañeros del Seleccionado argentino ya aterrizados en Italia para encarar la recta final hacia el Mundial, jugamos con la Lazio, el último partido. Un trámite, viejo, un trámite. Gol de cabeza de Baroni y a cobrar, a cobrar otra vez.

Los maté, estaban todos rendidos de nuevo, nadie podía decir una palabra. Sólo yo las dije: que la culpa de todo lo que había pasado no la tenía ni Maradona ni Ferlaino; que lo mejor que nos había pasado era traer un técnico como Albertino Bigon, que sabía hablar con los jugadores. Y ya en el vestuario, después de la vuelta olímpica, mandé un mensaje para la Argentina: "Este título, esta nueva alegría, es para mi viejo. Apenas terminó el partido hablé por teléfono con él y lloramos mucho los dos... Mucho... Me dijo que él se alegraba por mí y por los que están muy cerca mío.

Pero por nadie más. No se olvida que la última vez me fui de Argentina como si fuera un delincuente, era poco menos que eso... Me dijeron irresponsable cuando todos saben que yo logré todo lo que logré luchando desde abajo, que cuando empecé no tenía ni para el colectivo... En todos lados se dijeron cosas muy feas... Y él, que es un viejo sabio, no perdona; no es tan blando como yo. Te digo algo: quisiera tener el cinco por ciento de su honestidad y sus principios... Lloré, lloramos juntos... Se lo dedico a él, porque sufrió por mí. Y le agradezco a Dios los padres que me dio".

Un rato antes, en la cancha misma, apenas escuché el pitazo final, había gritado, desde el alma y con todo el corazón: "¡Esta es la prueba de que yo me conozco mejor que nadie! ¡Y el pago para que me dejen vivir mi vida! ¡Quiero vivir mi vida, por favor!".

No me dejaron, no me dejaron... Porque todos saben lo que vino después, todos lo saben: el Mundial de Italia, para el que me había preparado como nunca. La eliminación de Italia y... la venganza. Nunca me lo perdonaron, nunca, y por eso todo terminó como terminó. Me acuerdo que fui a un programa de televisión italiano, sólo porque lo conducía mi amigo Gianni Miná, y dije, entre otras cosas:

"¿Por qué me odian en Italia? Cuando yo llegué a Nápoles era un jugador simpático, que todos admiraban y adoraban... porque no ganábamos nada. Era simpático y admirado porque jugaba bien, pero al Napoli le hacían tres goles en Torino, cuatro en Florencia, y así todos los domingos. Pero cuando el Napoli organizó un gran equipo y comenzamos a ganar en todas las canchas, empecé a ser antipático. En cinco años, desde que yo llegué, el Napoli ganó dos *scudettos*, la Copa Italia, la Copa UEFA, dos segundos puestos y un tercero en la Liga... Y a alguien le debe haber fastidiado que Maradona y el Napoli hayan ganado tanto. Y encima, después del Mundial, en diciembre del '90, le ganamos la Supercopa italiana a la Juve 5 a 1, ¡5 a 1! Esos triunfos le deben haber dolido a más de uno... Hablaban de que me la pasaba en las discotecas, en los night clubs, y eso, que yo sepa, no le hace mal a nadie. El día antes de ese partido contra la Juve fuimos varios muchachos del Napoli a un boliche y parece que nos hizo muy bien, porque al otro día le hicimos cinco. También me criticaban porque muchas veces me entrenaba en mi casa. ¿Y qué? Yo siempre me entrené en mi garaje y no quería cambiar mis costumbres, porque en la cancha siempre me iba bien. Siempre me iba bien.

Aun cuando pasó aquella historia fea del partido en Moscú, contra el Spartak. No me había entrenado bien durante toda la semana, estaba en mi casa y el equipo se fue a Rusia, sin mí. Todos estaban pendientes de si yo viajaba o no, si viajaba o no. Y yo viajé. Llegué, llegué en un avión privado pero llegué. Empatamos uno a uno, fuimos a los penales y perdimos, si no seguíamos en la Copa de Campeones... Lo que pasa es que yo estaba jugado, ya.

Después de lo del Mundial no tendría que haber vuelto, no tendría que haber vuelto. Aquel partido contra Italia, en Nápoles, con el gol de Caniggia, fue mi sentencia, fue mi sentencia... Yo no había intentado una sublevación de los napolitanos contra el resto de los italianos, cuando jugamos allá, porque yo sí sabía y sentía que los napolitanos eran italianos también... Pero eran los otros italianos, los que no vivían en Nápoles, los que no querían enterarse, los que no querían aceptarlo: sólo aquel día, el día del partido, se dieron cuenta de que los napolitanos también pertenecían a Italia y podían ayudar a la Selección... Yo sabía muy bien lo que nos ocurría cuando íbamos a jugar de visitantes, aquellos carteles de Bienvenidos a Italia, Lavatevi, Terroni. ¿Por qué tenía que esconder aquel racismo? ¿Por qué no lo iba a recordar justo en el momento en que los italianos, por interés, querían agregar a Nápoles en su mapa? Jamás pretendí que hincharan por mí, jamás... Pero me querían, me querían tanto, que la Curva B gritó mi gol de penal contra Italia, lo gritó. Porque argentinos no había tantos y el grito yo lo escuché... El problema es que lo escucharon todos, todos... Y no me lo perdonaron.

Encima, se dio el *impasse* en mi relación con Guillermo. Fue en octubre del '90, cinco años después de haber empezado. Nos separamos por razones nuestras... Y yo decidí que siguiera trabajando conmigo alguien del grupo, como era Juan Marcos Franchi. Con Guillermo necesitábamos un paréntesis, y el tiempo nos dio la razón. Si antes vivíamos en un clima tremendo, porque era tremendo, después del Mundial fue peor. Es que todo había cambiado demasiado ya. Nápoles ya no era lo mismo, nada era lo mismo.

Y en eso apareció el famoso doping, el famoso doping de Antonio Matarrese... Nosotros habíamos sacado a Italia del Mundial porque teníamos huevos y les hicimos perder a muchos un gran negocio, fortunas, porque la final a toda orquesta era Italia-Alemania... Fue una maniobra, sí, lo juro. Porque yo tenía el problema con la droga, sí, pero por eso mismo me hacía análisis. Y aparte de que la cocaína no sirve para jugar —no sirve porque te tira para atrás y no para adelante— me cuidaba, me hacía análisis propios... Y en aquel partido contra el Bari —fecha fatal: 17 de marzo de 1991— estaba limpio, limpio. Hoy, gracias a Dios, hay una causa abierta, la Justicia está investigando el laboratorio que realizó mi análisis y el de tantos otros, porque había muchas cosas mal hechas, empleados que declararon que los frascos estaban fraguados, un montón de barbaridades... Que se comprobara eso sería para mí un triunfo histórico. Nada, igual, me devolverá los años de fútbol que me hicieron perder... Nada.

Me despedí del Napoli con un gol a la Sampdoria, el 24 de marzo, un gol de penal. Pero me fui de Italia empujado como un delincuente... Y ésa no es la mejor síntesis de mi historia allí, seguro que no lo es.

LA GLORIA
México '86

El momento más sublime de mi carrera,
el más sublime...

Yo lo miraba de reojo, porque sabía que mucho no faltaba, que no faltaba nada... Lo miraba de reojo a Arppi Filho, el referí brasileño, chiquitito así, y cuando levantó los brazos y pegó el pitazo, ¡me volví loco! Empecé a correr para un lado, para el otro, me quería abrazar con todos. Sentí en el cuerpo, en el corazón, en el alma, que estaba viviendo el momento más sublime de mi carrera, el más sublime... 29 de junio de 1986, estadio Azteca, México; esa fecha y ese lugar están marcados en mi piel. La Copa en mis manos, la sacudía, la levantaba, la sacudía, la besaba, la sacudía, no sé, se la presté un ratito a Pumpido, en el palco, pero se la pedí enseguida, quería asegurarme de que era de verdad. Que la Copa del Mundo era nuestra, de los argentinos.

¡Nos habíamos jugado tanto por eso! ¡Nos había costado tanto! Que no creyeran en nosotros, que nos quisieran voltear ¡desde el gobierno!, que nos putearan, que nos criticaran. Si hasta los mexicanos se nos volvieron en contra, gritaron los goles de los alemanes. ¿Latinoamericanismo? ¡Latinoamericanismo las pelotas, los latinoamericanos éramos visitantes, ahí, en el Azteca justamente! Lo que nadie entendió, nunca, fue que nuestra fuerza y nuestra unión había nacido precisamente de ahí, de la bronca... De la bronca que nos daba haber tenido que luchar contra todo. Así tenía que ser, ¿no?, ¡si era un equipo mío! Un equipo hecho desde abajo y contra todos.

111

Para mí, el Mundial de México '86, la más grande alegría deportiva de toda mi carrera, había empezado, en realidad, tres años antes. Bah, también podría decir que comenzó en el mismo momento en que terminó el Mundial de España, porque la revancha me daba vueltas por la cabeza desde aquellos terribles días, pero... En enero de 1983 pasó algo decisivo, fundamental. Yo estaba en Lloret de Mar, en la Costa Brava española. De joda, nada: estaba recuperándome de la maldita hepatitis que no me dejaba jugar en el Barcelona, acompañado por Fernando Signorini y un médico. Vivíamos en una casa hermosa, sí, pero eso era sólo para las fotos: nosotros nos pasábamos todo el día laburando. Y en eso apareció Bilardo, que ya era el nuevo técnico del Seleccionado argentino, en el lugar del Flaco Menotti. Venía caminando junto con Cyterszpiller, desde la casa y hacia la playa... Hacia nosotros.

Yo me estaba preparando para salir a correr y el Narigón me saludó, me dio un beso, y me preguntó:

—*¿Tenés un buzo para mí?*

Le di uno y me dijo:

—*¿Puedo salir a correr con vos?*

Lo primero que pensé fue exactamente lo mismo que después sentí muchas veces, a lo largo de tantos años de relación: "Este tipo está loco, este tipo está mal de la cabeza...". La cosa fue que corrimos un rato y, cuando volvimos, me preguntó:

—*Quiero saber cómo estás y también comentarte mis planes para el Seleccionado, por si te interesa participar...*

—¿¡Cómo!? Por supuesto... Quédese tranquilo que mi contrato con el Barcelona dice bien clarito que me tienen que ceder para las eliminatorias y también para algún otro partido, siempre que el club no tenga algún compromiso importante...

—*Me imaginaba, por suerte... Y el otro punto: me interesa saber si tenés alguna exigencia económica o algo.*

—¡¿Exigencia económica para jugar en el Seleccionado?! De eso olvídese, Carlos... Yo, por defender la camiseta argentina jamás voy a hacer un problema.

—*Bueno, bárbaro, bárbaro... También quiero decirte que, si estás de acuerdo, vas a ser el capitán de la Selección.*

112

Me quedé duro, pero duro, duro, en serio. *Sos el más representativo,* me repitió.

Me largué a llorar. Y llorando se lo conté a la Claudia, a mi vieja. A todos. Capitán de la Selección. Era lo que siempre había soñado ser. Representar a todos los futbolistas argentinos, a todos. A mí me encantaba ser capitán, sinceramente. Alguna vez dije, en un reportaje, que quería terminar mi carrera como capitán del Seleccionado. Y aclaraba enseguida, que iba a ser así porque Passarella se iba a retirar antes, por edad. Fui capitán de Argentinos Juniors, capitán del Juvenil, capitán de Boca, ¡y de la Selección argentina! En cada viaje que hacía, estuviera en Austria o estuviera en Nueva York, lo que hacía siempre era comprarme cintas, cintas, cintas. Así que cuando Bilardo me lo confirmó, Claudia salió corriendo a buscar las doscientas cintas que tenía guardadas en el cajón, esperando el momento para usarlas. Era un sueño, un sueño que se cumplía aunque yo, por ahí, lo esperaba para más adelante. ¡Tenía sólo 24 años y estaba Passarella en el medio! El había sido mi modelo como capitán, el había sido el capitán, el patrón, el número uno de Menotti, ¡yo quería ser el capitán, el patrón, el número uno de Bilardo! Y lo fui, lo fui... No sé, no sé si Passarella empezó a enojarse por eso, puede ser, pero lo mío iba más allá, mucho más allá de la relación con él. Lo mío era un sueño que se cumplía.

Lo primero que me propuse en ese momento fue construir algo, una conciencia: jugar por la Selección debía ser lo más importante del mundo. Si teníamos que viajar miles y miles de kilómetros, hacerlo; si teníamos cuatro partidos por semana, jugarlos; si teníamos que vivir en hotelitos que se caían a pedazos, aceptarlo... Todo, todo por la Selección, por la celeste y blanca. Ese era el estilo que quería transmitir.

Y no quiero ponerme como ejemplo, ¿eh?, pero lo cuento, lo cuento igual para que se entienda, para que se sepa lo que hacíamos nosotros por el Seleccionado. Todo pasó en mayo de 1985, justo antes del comienzo de las eliminatorias para México '86 y cuando yo ya era jugador del Napoli. Aunque para mí todos los partidos con la celeste y blanca eran importantes, aquellos amistosos con Paraguay y Chile sí que valían de verdad, por varias razones. Primero, porque era mi presentación en un equipo de Bilardo, mi regreso a las canchas argentinas y a la Selección desde el Mundial de España, ¡casi tres años después!; el último partido lo había jugado contra Brasil, el 2 de julio del '82, y desde que el Narigón asumió hasta estos partidos, había probado con muchachos que estaban en la Argentina. Ahora parece raro, pero yo estuve casi tres años sin ponerme la camiseta celeste y blanca: desde la eliminación en España hasta estos amistosos. Yo, tranquilo, porque Bilardo había sido muy claro desde el principio, no me había escondido nada a mí y no le había escondido nada a nadie: él durante todo el '84 había declarado públicamente que yo era la única certeza que tenía el Seleccionado, el único titular, que eso correspondía con quien era el número uno del mundo, que era el símbolo, que era el capitán porque a donde fuera, a Singapur, a China, a Alemania, a cualquier parte, le preguntaban por mí, le hablaban de mí. Ahí, en Alemania, en una conferencia de prensa le preguntaron si me iba a poner y se le adelantó Beckenbauer, que estaba sentado al lado, y contestó: *Si no lo pone él, que me lo dé a mí.*

Aunque yo no jugué durante todo ese tiempo, de alguna manera estaba presente: les mandaba telegramas antes de cada partido, para alentarlos, para que se dieran cuenta de que formaba parte del grupo. Eso hice, por ejemplo, en aquella gira que hicieron por Colombia y Europa, que arrancó como el culo y terminó bárbara; me sentía cerca de ellos.

Pero, bueno, la cosa es que llegaron esos dos partidos y yo decía que eran muy, muy importantes: porque lo único que nos quedaba después de esas dos pruebas era salir a jugarnos para poner al equipo en México '86. Contado así suena fácil, pero te la regalo...

La cosa es que Matarrese, Antonio Matarrese, el presidente de la Federcalcio ya en aquel tiempo nos empezaba a poner piedras en el camino: si viajábamos, aun con el permiso de nuestros clubes, la Liga Italiana se reservaba el derecho de suspendernos. Entonces yo les contesté: "¿¡Qué!? ¡Ni Pertini me impedirá viajar a Buenos Aires!". Sandro Pertini era el presidente de Italia....

También estaba Passarella en la historia —él jugaba en la Fiorentina— y a ninguno de los dos nos querían dejar viajar a la Argentina, decían que era una locura. ¿¡Una locura!? ¿¡Una locura jugar por mi país!? ¡Las pelotas! Armé el itinerario, tenía que estar en todos lados, ya era un capricho.

La maratón empezó el domingo 5 de mayo: en Nápoles, empatamos contra la Juventus 0 a 0. Del estadio mismo volamos en uno de mis autos, no me acuerdo en cual, para llegar a Roma, 250 kilómetros, al aeropuerto de Fiumicino. Nos habían previsto una custodia policial, pero no cumplieron: me banqué el tránsito del domingo, con mi estilo, y pudimos hacer el trayecto en una hora y media, *je*... Tomé el avión, aterricé en Buenos Aires y el jueves salí a la cancha, en el Monumental, para enfrentar a Paraguay: empatamos 1 a 1, hice un gol. Volví a la concentración, con los muchachos, y al día siguiente, a las cinco de la tarde, me subí al avión de Varig que hizo escala en Río de Janeiro y siguió hasta Roma. Sábado 11, otra vez en Fiumicino, otro avión: ahora, para Trieste... De Trieste a Udine hay 70 kilómetros y los hicimos en auto. Llegué para la hora de la cena, comí algo y me fui a dormir. Al día siguiente, domingo 12, a la cancha, para jugar contra el Udinese: empatamos 2 a 2, hice dos goles... ¿A festejar? ¡No! ¡A viajar! Setenta kilómetros en auto hasta el aeropuerto de Trieste, una vez más, aerotaxi desde allí hasta Fiumicino y, justo a tiempo, vuelo de Aerolíneas para Buenos Aires, otra vez.

El martes 14 estaba en el Monumental, como si nunca me hubiera ido, pero esta vez para enfrentar a Chile. Ganamos 2 a 0, grité un gol, me tomé un... respiro, y regresé a Italia: el domingo 19, en Nápoles, le ganamos 1 a 0 a la Fiorentina de Passarella, que estaba un poquito más descansado que yo porque él se había hecho amonestar cuando todo el paseo empezó y se salvó de un viaje... Sí, no paré desde el domingo 5 hasta el domingo 19 de mayo, porque quería cumplir con los dos, con el que me pagaba, sí, pero también con el que me amaba y me necesitaba.

Claro que ya en aquellos tiempos me inventaban cosas igual: publicaron que por jugar esos dos partidos había cobrado 80.000 dólares, ¡una plata que no le daban ni a Frank Sinatra cantando desnudo en la cancha de River!

Apenas llegué, me sumé al grupo de muchachos que ya trabajaban en Ezeiza. El proceso ya había empezado y no venía nada fácil... Ellos habían hecho una gira que empezó como el culo, en Colombia, y había terminado fenómeno, en Alemania. Enseguida dos empatecitos. Yo había llegado a jugar como uno más y de lo que Bilardo me pidiera: el Loco parecía convencido y yo lo iba a seguir, a muerte.

Las eliminatorias empezaron en Venezuela. ¿Fácil? ¡Fácil las pelotas, para nosotros no había nada fácil! Podía ser que el rival fuera débil, pero aquella vez no jugaron sólo once jugadores contra nosotros, jugaron más. Es la única forma que tengo, hoy, para explicar lo que pasó... Resulta que, apenas aterrizamos en San Cristóbal, se armó un tumulto bárbaro. Había policías, pero eran venezolanos, también. La cosa es que un loco me salió al cruce y me metió tal patada en la rodilla derecha, que ni el tano Gentile lo hubiera hecho mejor. ¡Me mató, me mató! Entré rengueando al hotel, con el doctor Eduardo Madero corriendo atrás y todo el mundo asustado. ¡El hijo de puta me había arruinado el menisco!

Toda la noche previa al partido estuve con hielo en la rodilla derecha, tirado en la cama. No me dormí hasta las cinco de la mañana. Al principio, me parecía una boludez, pero después se fue agravando, agravando. Y encima, en ese maldito partido y en los que siguieron me apuntaban ahí, todos me pegaban en la rodilla derecha. Digo ahora maldito partido porque nos costó un huevo y medio ganarlo, bien al estilo nuestro: terminamos 3 a 2, pidiendo la hora.

Después vino Colombia, en Bogotá, el 2 de junio. ¡Qué presión, qué presión, yo nunca había vivido nada igual! Después ganamos 3 a 1, y todo pareció un camino de rosas, pero nada que ver, ¿eh?, nada que ver... Lo que pasa es que la mayoría de los jugadores no habíamos estado nunca en eliminatorias, incluido yo. Todavía hoy creo que si perdíamos allá, en Bogotá, nos quedábamos afuera del Mundial, porque hubiera sido un golpe anímico demasiado fuerte.

Una semana más tarde, en el Monumental, le ganamos a Venezuela. Pero nos puteaban que daba calambre. ¡Yo no entendía nada! La tocaba Trossero, lo silbaban; la tocaba Burruchaga, lo silba-

116

ban; la tocaba Clausen, lo silbaban... Era terrible, tan terrible que terminamos ganando 3 a 0, pero los últimos dos goles los hicimos en los últimos cuatro minutos.

Los dos partidos contra Perú, los que definían la historia, fueron terribles, ¡terribles! El primero en Lima, el 23 de junio, fue el de Reyna... Lo digo así y ya todo el mundo sabe de qué estoy hablando, de aquel muchacho que me siguió hasta el baño, ¡una cosa de locos, viejo! En una jugada, pisé mal y salí de la cancha, para que me viera el tordo. ¡Y el tipo me siguió hasta el borde de la cancha! Cuando volví, se me paró otra vez al ladito, el cabeza de termo. Me hablaba, me hablaba. Cada uno tiene sus armas para jugar, está bien, pero las mías siempre fueron otras, distintas. Cada uno hace lo que puede, ¿no?, pero este muchacho se pasó de la raya... Me pegaba trompadas, también. Está bien, era local, a la semana siguiente tenían que ir a jugar a Buenos Aires, ¿qué le iba a decir?, ¿que allá lo iba a matar? Si eso no era cierto... Qué bárbaro ese Reyna: después de esa experiencia, con los años, me fui dando cuenta de que me gustaba más que me marcaran hombre a hombre, porque me los sacaba de encima, así, *tac,* rapidito, y quedaba solo. En cambio en zona era más complicado. Pero lo de Reyna... Y pensar que a Cuba me llegó una pelota firmada por todos los futbolistas peruanos, deseándome la recuperación y estaba la de él, también.... ¡Hasta La Habana y a los 40 años me siguió, el hijo de puta!

Después vino el partido de Buenos Aires, el 30 de junio, el de la clasificación. ¡Mamita, cómo sufrimos, mamita! ¡El susto que tuve esa tarde, en el Monumental, no lo había tenido nunca y no creo, ya, a esta altura, que lo vuelva a tener en una cancha de fútbol! Pero, ¿¡cómo puede ser, viejo!? Estábamos jugando bien, por primera vez estábamos jugando bien, *je*, y resulta que nos metieron dos contraataques y dos goles, dos goles en el primer tiempo... Nos hablábamos con Passarella, no entendíamos nada... Camino al vestuario, al final del primer tiempo, nos reputeábamos entre nosotros, porque nos dábamos cuenta de que lo estábamos perdiendo por errores nuestros. En el entretiempo, Carlos no nos dijo nada de los goles, nada del primer tiempo, nos gritó que nos

olvidáramos, que empezáramos de nuevo, que saliéramos a clasificarnos para el Mundial y que... ¡nos dejáramos de joder!

Pero yo sabía que no era fácil, estábamos nerviosos. Nos había
pasado lo mismo en un partido contra Paraguay y también contra
Venezuela... Y salimos con todo. Enseguida, Pasculli metió el primero, pero no alcanzaba. En una, después de un pique, miré el
cartel electrónico y marcaba 23 minutos. Hice un pase, miré otra
vez, ¡32! ¡Hijos de puta los peruanos, ¿adelantaban el reloj o qué?!
Y al final, cuando faltaban diez, llegó aquella jugada de Passarella,
el empujoncito de Gareca, ¡qué sé yo! Yo ni me di cuenta quién
había hecho el gol, pero lo tenía cerca a Pedrito Pasculli y me
abracé con él, me abrazaba con cualquiera... Pero fue de Gareca,
fue del Flaco, si no la pelota se iba afuera, se iba afuera.

Hasta ese momento, yo pensaba en la palabra repechaje y se
me rompía el alma. Estaba fundido, fundido físicamente y con la
maldita rodilla derecha a cuestas: soñaba con pegarle y clavarla en
un ángulo, pero no me daba, no me daba... Por suerte al fin se nos
dio, a todos. Nos clasificamos para el Mundial de México y ahí mismo, lo juro por mi madre, le dije al Flaco Gareca: "Así, así vamos
a terminar la final del Mundial nosotros... Sufriéndola, pero ganán-
dola".

Al equipo ése le faltaba entrar en la gente. Y no era que no entendíamos lo que nos pedía Bilardo, ¿eh?: lo entendíamos perfectamente pero no nos soltábamos, no nos liberábamos. Y encima,
empezaron los quilombos.

Yo creo que Passarella nunca digirió aquello de que yo era el
único titular y capitán en el equipo de Bilardo, nunca. Y entonces
empezó a meter presión. Y en una nota de *El Gráfico* declaró: *"Soy
titular o no juego en la Selección"*. Eso era en octubre del '85. Yo
ya estaba cansado del conventillo, de los celos y de todas las pelotudeces y salí con los botines de punta. Armé una conferencia
de prensa en Nápoles, y dije de todo... Yo hablé como capitán,
aunque no como dueño de la verdad absoluta, y lo hice sin haber
conversado antes ni con Bilardo ni con Passarella. En este problema yo estaba en el medio. Para Bilardo, aparentemente, el único
titular era Maradona. Bueno, yo consideraba que Bilardo había es-

tado muy claro de entrada, no sabía lo que pensaba Daniel. Lo único que podía decirle a él, como amigo suyo fuera de la cancha y como compañero, como hombre y como jugador, era que acá lo fundamental era otra vez el tema del respeto a las trayectorias. Y yo creía que Daniel sabía que Bilardo nos había respetado desde el llamado para las eliminatorias. Después, si le había hecho o no promesas, eso no lo sabía, era un problema en el que eran ellos los que tenían que ponerse de acuerdo. Lo que pasó es que ahí hubo algo raro detrás, eso no me lo quita nadie de la cabeza, por todo lo que leí y lo que me contaba mi mamá por teléfono desde Buenos Aires. Daniel quería la titularidad, pero todos sabíamos, los que estábamos a su lado y lo habíamos visto luchar como un león por la camiseta argentina, que él era un ganador nato. Entonces, yo me preguntaba: ¿por qué nos hacía sufrir con una renuncia que no quería nadie, ni siquiera Bilardo?

Bueno, cada técnico tiene sus jugadores. En los tiempos de Menotti, si alguno le tocaba a Passarella, se armaba un lío nacional y todos lo entendíamos, porque Daniel era el capitán, el hombre mimado de todos, como antes lo había sido Houseman, pero nadie decía nada. Yo renuncié una vez a la Selección de Menotti, porque creía en ese momento que debíamos estar todos en el mismo nivel, no por un puesto ni nada por el estilo, pero después volví. Por eso no quería criticar a Daniel por lo que hacía, porque era grande y yo no iba andar indicándole qué debía hacer. Lo único que le podía pedir como capitán y compañero era que tratara de arreglarlo de la mejor manera posible. En la concentración, él sabía que era titular, porque era un líder y por todo lo que significaba dentro y fuera de la cancha. Lo necesitábamos, lo necesitaban todos los argentinos.

Lo que yo le pedí a Daniel fue que decidiera por él mismo, no por otros. Lo conocía mucho y por eso repetía que detrás de todo aquello había algo muy extraño, que no sabía lo que era. Si lo hubiera sabido, lo habría dicho, porque me gustaban y me gustan las cosas claras.

Yo no sabía, y no me interesaba saber, si lo de Bilardo era un capricho o qué era, pero nosotros siempre respetábamos lo que decía el técnico. Me preguntaba, ¿por qué entonces las cosas debían cambiar? Daniel, por el solo hecho de estar entre los 22, sabiendo lo que le daba al plantel desde adentro, no necesitaba que Bilardo le dijera: *Vos sos titular*. El fue titular desde siempre.

Y rematé: "No es posible que cuando nos tenemos que unir, nos desunamos, que sigamos con esta historia de los pro y los contra de Bilardo, de los pro y los contra de Menotti, ¿no se dan cuenta de que nos estamos destruyendo inútilmente? Yo me quedé afuera en el Mundial del '78: éramos 25, tenían que salir 3 y uno de ésos fui yo, pero igual le estoy agradecido a Menotti, por todo lo que hizo por mí".

En medio de todo el lío aquél, me tocó enfrentarme con Passarella, pero en la cancha: Napoli contra la Fiorentina, en Florencia, el 13 de octubre. Los diarios italianos toda la semana, dale que dale, con el duelo, con la pelea, un circo bárbaro. Al final, salimos 0 a 0, nos dimos la mano y yo declaré lo que realmente pensaba en ese momento: "No entiendo todo este ruido, toda esta polémica... Daniel es un amigo, todos lo hemos querido y lo queremos mucho. Y para mí es titular indiscutido en la Selección. Es suficiente, ¿no les parece?". El dijo algo parecido y la historia siguió, siguió.

Yo, más allá de todos esos quilombos, estaba viviendo un momento mágico. A pesar de la rodilla golpeada en Venezuela, que había generado una pelea entre los médicos, porque estaban los que decían que tenía que operarme y los que no, seguía para adelante... Por aquellos días, le ganamos a la Juventus, un sueño de todos los napolitanos, con gol mío. Como para que entendieran, de una vez por todas, lo que yo había dicho: *Hoy por hoy, entre el Napoli y el Seleccionado, yo elijo el Seleccionado*. Lo dije, sí, pero eso no quitaba que me matara por el Napoli cuando tenía que jugar.

El tema era, por aquellos tiempos, qué jugadores seguían hasta el Mundial, quiénes no, y a quiénes se convocaba. Yo bancaba a muerte a los que habían estado en el ciclo, porque se habían comido muchos garrones, demasiados: Pasculli, Gareca, Valdano, Camino, Russo, el Pato Fillol, Garré, Burruchaga, Ponce. Y también declaré, públicamente, ¿eh?, que me gustaría que se sumara Ramón Díaz. Sí, Ramón Díaz: estaba convencido de que, con Bilardo, él sería otro jugador, más completo todavía. Era un jugador para Bilardo, igual que el Bocha, que Bochini.

Con él fuimos a aquella gira, cuando jugamos dos partidos contra México, en noviembre del '85. ¡Tipo raro el Bocha! Era mi ídolo de pibe, yo siempre soñaba con jugar con él... Y no se daba, no se daba. Estuvimos en exhibiciones de Agremiados, cosas así. Después, él participó de las giras previas a las eliminatorias y yo pensé que se iba a dar, pero no, se rayó y se fue. Por eso, la primera vez, la primera en serio, fue allá, en Los Angeles. El era uno de los nuevos, el Bichi Borghi también.

A Borghi yo lo conocía de las inferiores de Argentinos. De ahí lo subieron rápido a la primera y lo bajaron rápido también, por exceso de audacia, por seguir teniendo mentalidad de pendejo. Tuvo que golpearse y darse cuenta de que jugar en primera era otra cosa. Lo que pasa es que, lamentablemente, los argentinos siempre estamos necesitados de inventar ídolos, engordarlos... Yo ya decía, en aquel tiempo, que a Borghi no había que apurarlo. Y en los partidos en México le gritaba que la largara más, que jugara en equipo, que si no la gambeta no servía para nada.

Y así se iba armando el equipo, siempre sufriendo, siempre con muchas presiones. ¿La verdad? No nos quería nadie...

Yo por suerte y gracias otra vez al doctor Oliva me había salvado del cuchillo: no era necesario que me operaran la maldita rodilla derecha que había hecho famoso a aquel venezolano cabeza de termo que me la pateó. Pero tenía otras preocupaciones.

Yo trataba de defender a un grupo que no estaba lleno de *fuoriclassi*, de fuera de serie, pero sí que se mataba trabajando. Eran los que venían peleando como podían hasta ahí y llegaba la hora de la verdad. Yo quería que Bilardo respetara a los hombres, más que a los jugadores. El no podía dejar a Barbas afuera del Mundial, al Pato Fillol. En febrero ya le pedía que largara la lista, que la diera, para que trabajáramos tranquilos. Le hablé de Ramón Díaz, y él ni lo fue a ver... Por eso digo, aquello de que yo sacaba y ponía jugadores, ¡por favor!

En marzo del '86, la verdad, yo estaba para el cachetazo. Bilardo me había venido a visitar a Nápoles y de lo único que se había preocupado era de mi condición física. Como si yo no le fuera a cumplir... Además, había viajado a Florencia a buscarlo a Passarella, como si aquél no fuera un caso cerrado desde que Daniel se había ido. Tenía las bolas llenas y la barba crecida... La barba crecida: desde aquel tiempo es que dicen que cuando yo tengo barba... ¡mala señal! Pero la verdad es que aquella vez me la había dejado por un pedido de mi hermana, la Lili, que quería verme con barba de macho... Eso me había dicho: barba de macho.

Se venían unos amistosos y a mí me cargaban hasta en el vestuario del Napoli: un compañero, Penzo, me decía si no teníamos miedo de pasar un papelón contra Francia... ¡lo quería matar! Pero algo de razón tenía, no se entendía muy bien lo que estábamos haciendo, éramos medio una banda, Bilardo no sumaba a ninguno de los jugadores que a mí me gustaban, como el Tolo Gallego o el Guaso Domenech.

Me sentía solo, solo. Hasta pensé, como tantas otras veces, en tirar todo a la mierda... Menos mal que por aquellos días llegó mi vieja. Se habían ido el Turco, el Lalo, la Claudia, mi viejo, mis sobrinos. Y estaba sólo ella. Muchas veces me levantaba, a la mañana, y le decía: "Tota, ¿y si nos volvemos, y si nos vamos a la mierda?". No sé, por ahí sentía que se me venían muchas cosas encima y no se estaba encarando todo como a mí me gustaba.

Entonces Fernando Signorini me presentó un plan que me entusiasmó... Era un plan físico que arrancaba en evaluación y terminaba, teóricamente, en los diez puntos para los días de México. Y dije, ma' sí, vamos a darle para adelante. Y le di.

Viajamos a Roma, al Centro de Medicina del Comité Olímpico Italiano, que dirigía mi amigo, el profesor Antonio Dal Monte. Por sus manos habían pasado todos los medallistas olímpicos italianos y yo me puse a pensar en la Copa, en tener la Copa del Mundo en mis manos.

Al fin, Penzo no tenía razón con aquello del miedo a los franceses, pero... Francia nos ganó 2 a 0, Passarella jugó y le pegó un codazo terrible, ¡terrible!, a Tigana. Enseguida viajamos a Zurich, a jugar contra el Grasshoppers, de Suiza. Les ganamos 1 a 0, cagando.

A nosotros nos interesaba saber dónde estábamos parados físicamente, se hablaba mucho de la diferencia entre los sudamericanos y los europeos, todo eso. Para mí, y ahí estaba mi confianza, iba a ser fundamental el mes de mayo, cuando por fin estuviéramos todos juntos. Bilardo lo tenía anotado en su agenda y yo le creía, yo creía. Teníamos que entender —y esto parece una boludez ahora pero en aquel momento parecía revolucionario— que era fundamental que los delanteros entendiéramos que si se perdía la pelota, no podíamos quedarnos paraditos, mirando, ¡teníamos que dar una mano!

Yo era consciente de que no despertábamos entusiasmo en la gente... ¡Más que entusiasmo despertábamos bronca! Pero lo que nadie entendía es que faltaba tiempo, que en ese equipo había muchos jugadores valiosos. No me sorprendía, por otra parte: así es el hincha argentino, también a Menotti le habían hecho la vida imposible antes del '78, ¿o se olvidaron de eso? Yo respetaba las opiniones, pero me jodía, me jodía mucho pensar que esos mismos que criticaban iban a ser después los primeros en subirse al carro de la victoria.

Ya estábamos acostumbrados a luchar solos. Pero estábamos compenetrados y sabíamos lo que queríamos. Aquélla era una Selección perseguida... Había gente, mucha gente, que ya no soportaba nada: Borghi ya no era la promesa, Pasculli no le hacía goles a nadie, Maradona era un jugadorcito... Nos perseguían, sí, que no haya ninguna duda. Pero estábamos más unidos que nunca, teníamos una solidaridad indestructible.

Aquel abril del '86 fue terrible: el 30, perdimos con Noruega, nos querían matar; lo único bueno del partido fue que debutó el Negrito Héctor Enrique. Fuimos a Tel Aviv, a jugar contra Israel, y teníamos todos los cañones apuntándonos: ¡el gobierno quería voltear a Bilardo! Raúl Alfonsín, que era el presidente, había comentado que la Selección no le gustaba, Rodolfo O'Reilly, que era el secretario de Deportes, hacía lobby, y todos le movían el piso... Fue terrible, en serio. Resulta que para los políticos el fútbol era algo poco serio y de golpe se había convertido en una cuestión de Estado, ¿se puede creer? ¡Sí, se puede creer! Yo lo había dicho: "Si se va Bilardo, me voy yo". Ojalá haya servido para algo, como presión, porque si el gobierno argentino echaba al técnico del Seleccionado hubiera sido un disparate y un papelón mundial... El 4 de mayo, le ganamos a Israel 7 a 2 y yo ya estaba convencido: en esos treinta días que nos quedaban nos prepararíamos para ganar el Mundial, ¡para ganarlo! Estaba convencido, además, de que los otros se iban a ir cayendo.

A esa Selección la quería particularmente. Era y es fácil entenderlo: era el capitán, había un grupo de gente excepcional. Sentía que la suerte no nos había ayudado, hasta ahí, y que después iba a llegar toda junta. Sentía, también, que nos faltaban el respeto, que había hacia nosotros una falta de respeto total.

Cuando por fin nos instalamos en la concentración del América, en el Distrito Federal de México, me di cuenta, así, como un flash, que todo lo que pensaba no era un sueño, nada más. Ibamos a ser campeones del mundo.

Jugamos con un equipo de ahí, del club, y perdimos; fuimos a Barranquilla y empatamos 0 a 0 con el Junior. Pero la cosa iba más allá de los resultados, mucho más. Tuvimos una reunión, sí, una reunión muy fuerte y no fue en Barranquilla, fue en México. Nos dijimos de todo, de todo... Así éramos, vivíamos de reunión en reunión. Y en una de ésas fue que me agarré con Passarella, también, pero lo cuento más adelante, en detalle, porque se lo merece.

Ahí definimos que éramos nosotros contra el mundo, así que más vale que tiráramos todos para el mismo lado... Y tiramos, ¡cómo tiramos! A mí las concentraciones siempre me ataron, siempre me ahogaron, pero aquella vez fue distinto: porque nos sinceramos, porque nos dijimos las cosas en la cara. A partir de eso, todo creció.

Me hubiera encantado que mis hijas me vieran jugar en México. ¡Lo que se hubieran divertido! En aquel Mundial, lo único que yo tenía en la cabeza era poder demostrarle a los argentinos que nosotros teníamos un equipo, no sé si para salir campeones, pero sí para dejarlos bien, muy bien parados en el mundo del fútbol.

Yo estoy convencido de que el primer partido, contra Corea del Sur, el 2 de junio del '86, en el estadio Olímpico de México, no en el Azteca, más de la mitad de los argentinos lo vio de reojo. Ni sabían quiénes jugábamos... Encima se dio lo de la salida de Passarella, entró Brown, entró Cucciuffo, el Negro Enrique... Nosotros confiábamos, confiábamos, pero no teníamos ningún resultado bueno anterior como para que nos apoyara. Pero salimos del vestuario convencidos —ésa es la palabra—, convencidos. Estábamos para vacunar a cualquiera. Todo eso de los laterales volantes, las posiciones, de golpe todos lo habíamos aprendido, lo aplicamos contra Corea y los coreanos se enojaron, me parece... ¡Cómo me pegaron, mamita! ¡Cómo me pegaron! Me hicieron once fouls, casi todos los del partido. Digo once y parece poco, pero algunos me dejaron sangrando, sin joda... ¿Y saben cuándo amonestaron por primera vez a un defensor? A los 44 minutos, al número 17, la desgracia, que no me acuerdo cómo se llamaba pero yo ya lo había bautizado Kung Fu. Otro me entró tan fuerte con los tapones, que me traspasó la media ¡y la venda! Y mirá que yo uso vendas que son como yesos, ¿eh?

Ahí mismo empecé con mis luchas contra la FIFA: por los golpes y... por la hora. Claro, por un lado, los árbitros no defendían a los habilidosos, dejaban pegar, y por el otro, por la televisión, los partidos se jugaban al mediodía, a la mañana, a cualquier hora. ¡Saben el calor que hacía en México, con altura, a las 12! Era la hora de los ravioles, no la hora del fútbol, viejo... Yo siempre me acostaba tarde antes de los partidos y me levantaba a las once, pero jugando al mediodía me tenía que levantar a las ocho de la mañana. Era una costumbre de toda la vida, por más que me metiera en la cama temprano, no me podía dormir. Pero, bueno, la cuestión era más grave que una costumbre personal. Por eso armamos un lindo lío con Valdano. Los dos, Valdano y yo.

Todos me preguntaban si no había ido demasiado al frente contra el poder, desprotegido, fuera de tiempo... ¿¡Y qué se pensaban!? ¿¡Que yo era un político!? ¡No, no, no, nunca lo fui ni lo voy a ser! Encima, Havelange, João Havelange, el mismísimo presidente de la FIFA, jugador de waterpolo, salió contestándome que había que respetar al que estaba arriba. Para mí, le contaron mal lo mío o ya estaba sordo: yo no pretendía arruinarles el negocio de la televisión, allá ellos; lo que le pedía era que nos consultara a nosotros, a los jugadores, a los verdaderos dueños del espectáculo, porque ellos sin nosotros no eran ni son nada. Sin Maradona, sin Rummenigge y sin el último suplente de Marruecos... No son nada sin ninguno de nosotros. Y decía, sí, que a las 12 del mediodía se podía morir un tipo, y los quería ver ahí, ¿qué pasaba, eh, qué pasaba? A mí me agarraba un terrible dolor en el pecho en los primeros partidos.

Y lo otro, también: las patadas. No sé, me parece que aquella vez los coreanos se asustaron y se la agarraron con el más gil. ¡Y querían que hablara bien de los árbitros! ¿Cómo iba a hablar bien si le permitían a un tipo pegarme veinte patadas? A Zico le hacían lo mismo. A Platini no tanto, porque el francés metía el pelotazo y se quedaba. ¡Cómo iba a hablar bien de los arbitrajes!

Los otros dos partidos de la primera ronda fueron contra Italia, 1 a 1, el 5 de junio, en Puebla, y contra Bulgaria, 2 a 0, cinco días más tarde, otra vez en el Olímpico. Pasamos caminando, dando cátedra. Ya todos los panqueques se habían dado vuelta, ¡se habían dado vuelta! A Italia yo le hice aquel gol tan lindo, que está entre los mejores de mi galería: lo mataron al arquero, a Galli, pobre, y nadie se dio cuenta de que yo no le di tiempo, porque salté a encontrarme con la pelota, después del pelotazo de Valdano, que me había caído justito delante de mí, en el área, y cachetearla con la zurda en vez de esperar que cayera, con Scirea, que en paz descanse, corriéndome de atrás... ¡Eso hice, la crucé al segundo palo antes de que bajara, no fue que Galli estuvo lento! ¡Fui yo que estuve rápido! Es que estaba muy enchufado: los muchachos tenían en la cabeza, porque Bilardo les machacaba, que me tenían que acompañar. Y yo lo ayudaba en eso, porque no me quedaba paradito allá arriba: si tenía que hacer pressing sobre los defensores no se me caían los anillos, fiera.

Empatamos, sí, porque a los tanos les dieron un penal, por mano de Garré. Pero creo que jugamos el mejor partido de todos desde que estábamos con Bilardo. Creo que fue ahí, en ese partido, donde Bilardo terminó de encontrar el equipo. Porque le dio bola a Batista, lo dejó al Checho que jugara solo como volante central, le dio otra función, más abierta, a Giusti, y lo liberó a Burruchaga. Por eso digo: no fui yo solo, hubo un equipo.

Después, contra los búlgaros, cometimos algunos errores viejos, como que nos pesquen mal parados de contraataque, pero ya estábamos demasiado firmes. Igual, nos confundió un poco la actitud de ellos, porque pensamos que nos iban a atacar más. De todas maneras los vacunamos: primero Valdano, que se colgó del cielo para cabecear un centrazo de Cucciuffo, después Burru, por un centro mío, de esos que me encantan, cuando llego al fondo como wing izquierdo y con la raya final ahí, como si fuera un precipicio, saco el centro torciendo nada más que el tobillo, mirando a la tribuna. Y a cobrar, 2 a 0. Vacunábamos a todos, uno atrás del otro. ¡Ya estábamos en octavos de final!

Eramos un equipo que tenía todo, técnica y garra. Un periodista argentino, Juvenal, lo definió bárbaro: *"Dinámica europea con chamuyo criollo".* Eso éramos, muy ordenados tácticamente, con una propuesta defensiva muy novedosa, con un libre, como Brown; dos stoppers como Ruggeri y Cucciuffo; dos laterales volantes como Giusti y Olarticoechea; un volante central que paraba a todos como Batista; el Negro Enrique, que nos daba el equilibrio, y Burruchaga que era el enlace; y arriba, Valdano y yo. Con leves cambios, ésa era la base, ¡un equipazo!

Mi vieja, la Tota, me decía: *Nene, ¿qué comés? ¡Corrés más que nunca! En la televisión aparecés siempre vos con la pelota.* Es que estaba enchufadísimo, mejor que nunca. Me moría por tirarme a tomar sol, pero no quería dejar el comedor, la concentración, la pieza... ¡La pieza! Yo la compartía con Pedrito Pasculli y todos los días le agregábamos algo: un cuadrito, una foto, un adorno, una carta... Queríamos que fuera nuestra casa por un mes, ¡nuestra casa hasta la final!

Tenía nuestro estilo la pieza, además. Era humilde, humilde... No te digo Fiorito, no, pero paredes finitas de ladrillos, camitas chiquitas un poco duras, un solo teléfono, el de la factura de Passarella que cuento más adelante. Pero para nosotros estaba bien, porque así éramos: cobrábamos 25 dólares, ¡25 dólares!, de viático por día... Yo lo vivía intensamente, era todo tal cual lo había soñado, ni más ni menos. Me sentía, por fin, el patrón de Bilardo, como antes Passarella se había sentido el patrón de Menotti. Bilardo se la había jugado por mí, me había dado la capitanía, me había bancado... Passarella fue grande en el '82 porque tenía todo lo que yo tuve en el '86: la capitanía, el consenso, la confianza... Yo salía de la concentración para el Azteca y decía: "¡Hasta lueeegooo!", era como una ceremonia, sabía que iba para ganar.

Teníamos nuestras cábalas, nuestras costumbres repetidas. Siempre, una vez por semana, cenábamos en el restaurante "Mi Viejo", que era del gordo Cremasco, un ex compañero de Bilardo, en la época de Estudiantes. También, por ejemplo, el día anterior a cada partido había una salida obligatoria, a un shopping que se llamaba Sanborns, o algo así. Lo habíamos hecho antes del primer partido, contra Corea, y no lo podíamos cortar. Eso sí: cada vez avanzábamos más en el campeonato, y cada vez más gente se enteraba de nuestra cábala. Para mí, era casi un entrenamiento más: me la pasaba corriendo por los pasillos, con trescientas personas atrás, al trote, hasta que me metía en un negocio —podía ser uno de los negocios electrónicos o una peluquería... de mujeres— y ahí me quedaba, mientras sentía miles de ojos mirándome, clavados en mí, desde el otro lado de la vidriera. ¿La verdad? Yo estaba feliz, feliz... Era un cariño exagerado, pero no me abrumaba, para nada. Conmigo, en esas caminatas, estaba siempre el Negro Galíndez. Bueno, en esas caminatas y a cada rato, listo para defenderme. Me acuerdo que Tito Benrrós, el utilero, lo hacía entrar siempre: a propósito, me gritaba, o hacía que se enojaba, y el Negro saltaba como un loco. Cuando estaba bien, es una forma de decir, ¿no?, lo hacíamos cantar boleros. Su clásico era: *Reloj, me voy amor...* o un disparate así, con una voz que, bueno, mi perro sonaba mejor. También estaba Salvatore Carmando conmigo, por supuesto: era el masajista del Napoli y siempre me había ayudado mucho. Lo cierto es que la pasábamos muy bien en la concentración del América. Eramos un grupo, un buen grupo.

Nos entendíamos de memoria. Sincronizábamos con Valdano, si él bajaba yo me quedaba más arriba o al revés, Burruchaga picaba cuando tenía que picar. Carlos nos había metido eso en la cabeza y las cosas salían sin hablarnos, como calcadas de los entrenamientos.

Igual no era fácil. El partido contra Uruguay, en Puebla, por los octavos, el 16 de junio, se abrió con el gol de Pedrito Pasculli, gracias a un pase de... Acevedo, un defensor de ellos. No fue un triunfo más, ése: a mí me fastidiaba la paranoia que tenían los uruguayos en aquellos tiempos y, además, ¡hacía 56 años que no le ganábamos a los yoruguas en un Mundial! Desde aquella final del '30. Seguíamos, seguíamos volteando muñecos, pegábamos más duro que Tyson. Eso sí: el guacho de Luigi Agnolin, el referí italiano, me anuló mal un gol a mí, porque yo no había ido en plancha sobre Bossio: ¡Nooo, viejo, nooo! Le gané porque salté, no fue plancha... Ese Agnolin era terrible: nosotros lo quisimos apretar de entrada y el tano nos contestó: *A mí no me aprieten porque yo los cago a trompadas a todos.* Lo empujó a Francescoli, lo empujó, a Giusti le metió un codazo... A mí me gustaba Agnolin, era de los pocos que me gustaban, aunque se equivocaba como la mayoría de los árbitros.

A esa altura del campeonato a mí me gustaba Alemania, no era ningún boludo, yo. A mi hermano Lalo le gustaban los de toque prolijo, por eso se inclinaba por Marruecos, que estaba haciendo un buen torneo. Y al Turco le gustaban más Francia y Dinamarca. A mí me gustaba Alemania por varias cosas: iban al frente como locos; tenían a Matthäus, ya en aquella época uno de los mejores del mundo, a Völler, que era un fiera; a Allofs...

Lo de Dinamarca fue increíble: parecía el tren bala, con Laudrup, con Elkjaer-Larsen y el técnico se volvió loco cuando empezó perdiendo 2 a 1 con España, sacó a un defensor y se derrumbó: le metieron cinco, sobre todo porque mi amigo el Buitre Butragueño, estaba inspiradísimo... Bilardo siempre decía: un error táctico, un partido.

La cosa es que habíamos llegado hasta ahí cuando nadie creía en nosotros y alguno me preguntó si nos conformábamos con estar entre los ocho mejores... ¡Para qué! Les recordé, porque la tenía siempre bien presente, aquella frase de Obdulio Varela, antes de la final del '50, antes del Maracanazo: *Cumplidos solamente si somos campeones.*

Se venía Inglaterra, nada menos. 22 de junio de 1986, otro día que no voy a olvidar mientras viva, nunca... Aquel partido contra los ingleses, peleado, apretado, con el negrito Barnes complicándonos las cosas al final. Y con mis dos goles. ¡Mis dos goles!

Del segundo recuerdo muchas cosas, muchas... Si lo cuenta algún pariente mío, siempre aparece un inglés más; si lo cuenta Cóppola, Bilardo me había dado la noche libre el día anterior y yo volví para el partido, al mediodía... No, en serio: creo que es el gol soñado. Yo en Fiorito soñaba con algún día hacer un gol así en la canchita, con el Estrella Roja, y lo hice en un Mundial, para mi país y en una final.

Sí, una final, porque nosotros, por todo lo que representaba, jugábamos una final contra Inglaterra. Porque era como ganarle más que nada a un país, no a un equipo de fútbol. Si bien nosotros decíamos, antes del partido, que el fútbol no tenía nada que ver con la Guerra de las Malvinas, sabíamos que habían muerto muchos pibes argentinos allá, que los habían matado como a pajaritos... Y esto era una revancha, era... recuperar algo de las Malvinas. Todos decíamos, en las notas previas, que no había que mezclar las cosas, pero eso era mentira, ¡mentira! No hacíamos otra cosa que pensar en eso, ¡un carajo que iba a ser un partido más!

Era más que ganar un partido, era más que dejar afuera del Mundial a los ingleses. Nosotros, de alguna manera, hacíamos culpables a los jugadores ingleses de todo lo sucedido, de todo lo que el pueblo argentino había sufrido. Sé que parece una locura, un disparate, pero eso era, de verdad, lo que sentíamos. Era más fuerte que nosotros: estábamos defendiendo nuestra bandera, a los pibes muertos, a los sobrevivientes... Por eso, creo, el gol mío tuvo tanta trascendencia. En realidad, los dos la tuvieron, los dos tuvieron su gustito.

El segundo fue, como dije, el gol que uno sueña de pibito. Nosotros, en el potrero, cuando hacíamos algo así o parecido, decíamos que lo habíamos mareado al rival, lo habíamos vuelto loco... Fue... no sé, cuando yo vuelvo a verlo, me parece mentira haberlo logrado, en serio. No porque lo haya hecho yo, pero te parece que no se puede hacer un gol así, que lo podrás soñar, pero nunca lo vas a concretar. Ya es un mito, ahora, y por eso se han inventado muchas cosas, como que yo pensé en un consejo de mi hermano, en el momento... No, en el momento, no, pero después sí me di cuenta, algo me habrá venido a la cabeza, porque definí como mi hermano el Turco me había dicho: resulta que poco más de seis años antes, el 13 de mayo del '81, durante una gira con el Seleccionado mayor, contra Inglaterra, en Wembley, yo había hecho una jugada muy parecida, pero muy parecida y definí tocándola a un costado cuando me salió el arquero. La pelota se fue afuera por esto, por nada, cuando yo ya estaba gritando el gol. El Turco me llamó por teléfono y me dijo: *¡Boludo!, no tendrías que haber tocado... Le hubieras amagado, si ya estaba tirado el arquero.* Y yo le contesté: "¡Hijo de puta! Vos porque lo estabas mirando por televisión". Pero él me mató: *No, Pelu, si vos le amagabas, enganchabas para afuera y definías con derecha, ¿entendés?* ¡Siete años tenía el pendejo! Bueno, la cosa es que esta vez definí como mi hermano quería.

Lo que sí es cierto, y también se cuenta como una leyenda, es que yo lo venía viendo a Valdano, que corría a mi izquierda, abriéndose hacia el segundo palo... La cosa fue así: yo arranqué atrás de la mitad de la cancha, sobre la derecha; la pisé, giré y pasé entre Beardsley y Reid; ahí ya me puse el arco entre ceja y ceja, aunque me faltaban unos metros, todavía... Con un enganche hacia adentro, lo pasé a Butcher, y es a partir de ahí donde me empezó a ayudar Valdano, porque Fenwick, que era el último, ¡no me salía! Lo esperaba a él, lo esperaba para hacer la descarga hacia adentro, que era lo lógico... Si Fenwick me salía, yo se la daba a Valdano y él quedaba solo contra Shilton... Pero Fenwick ¡no me salía! Yo lo encaré, entonces, amagué para adentro y me le fui por afuera, hacia la derecha... ¡Me tiró un guadañazo terrible, Fenwick! Yo seguí y ya lo tenía a Shilton de frente... Estaba en el mismo lugar que en aquella jugada de Wembley, ¡en el mismo lugar! Iba a definir de la misma manera, pero... pero el Barba (Dios) me ayudó, el Barba me hizo acordar... *Pic...* Hice así y Shilton se comió el amague, se lo comió... Entonces llegué al fondo y le hice, *tac,* adentro... Al mismo tiempo Butcher, el grandote rubio, que me había alcanzado de nuevo, ¡me pegó un patadón! Pero no me importaba nada, nada de nada... Había hecho el gol de mi vida.

En el vestuario, cuando le dije a Valdano que lo venía mirando, me quiso matar: *No te puedo creer, ¿hiciste ese gol y me venías mirando? Me ofendés, viejo, me humillás, no es posible*.... Y se acercó el Negro Enrique, que estaba en la duchas, y la remató: *Mucho elogio, mucho elogio para él, pero con el pase que le di, si no hacía el gol era para matarlo*. ¡Hijo de puta, el Negro! ¡En el área nuestra me había dado el pase!

Pero fue un gol, un gol... increíble. ¿Saben qué quería hacer yo con ese gol? Quería poner toda la secuencia en fotos bien grandes encima de la cabecera de la cama... Le agregaba una foto de Dalmita (en aquel tiempo, todavía no había nacido Gianinna) y le metía una inscripción abajo: *Lo mejor de mi vida*. Nada más.

Y me dio mucho placer el otro, también. A veces siento que me gustó más el de la mano, el primero. Ahora sí puedo contar lo que en aquel momento no podía, lo que en aquel momento definí como "La mano de Dios"... Qué mano de Dios, ¡fue la mano del Diego! Y fue como robarle la billetera a los ingleses, también...

Nadie se dio cuenta, en el momento: me tiré con todo. Ni yo sé cómo hice para saltar tanto. Metí el puño izquierdo y la cabeza detrás, el arquero Shilton, Peter Shilton, ni se enteró y Fenwick, que venía atrás, fue el primero que empezó a pedir mano. No porque la haya visto, sino porque no entendía cómo podía haberle ganado en el salto al arquero. Cuando yo vi que el juez de línea corría hacia el centro de la cancha, encaré para el lugar de la tribuna donde estaba mi papá, donde estaba mi suegro, para gritárselo a ellos... ¡Mi viejo había sacado medio cuerpo afuera, convencido de que yo había hecho el gol de cabeza! Estuve medio gil, porque salí festejando con el puño izquierdo cerrado y mirando de reojo a ver qué hacían los jueces, ¡mirá si el árbitro se agarraba de eso y sospechaba! Por suerte ni se enteró. A esa altura, todos los ingleses protestaban y Valdano me hacía así, *¡sssbhh!*, con el dedo en la boca, como si fuera una foto de una enfermera en un hospital.

El me había dado el pase: habíamos tirado una pared, lo apuraron, me devolvió un adoquín, porque otra no le quedaba, y yo salté, salté con el arquero y el puño arriba, pero detrás de la cabeza... Golazo, golazo, a llorar a la iglesia... Como le contesté a un periodista inglés, de la BBC, un año después: "Fue un gol totalmente legítimo, porque lo convalidó el árbitro. Y yo no soy quién para dudar de la honestidad del árbitro".

Me querían matar todos, por supuesto. Pero cuando volví a Italia me pasó una cosa sensacional. Me vino a ver Silvio Piola, que fue un gran goleador italiano en los mundiales de los años treinta, y me dijo: *A todos estos que te dicen que sos deshonesto porque hiciste un gol con la mano, deciles que en Italia tienen un honesto menos, entonces... ¡Porque ya también hice uno con la mano, jugando para la Nazionale, contra Inglaterra, y bien que lo festejaron!* Un fenómeno, el viejo. Después leí que él también había hecho uno como yo.

Bélgica, pobre, fue un escalón, nada más. En esa semifinal, que se jugó el 25 de junio, estábamos tan agrandados que no podíamos perder. Eso me daba un poco de miedo, la verdad, ¡nosotros nunca éramos banca! Ahí, en ese partido, se terminó de confirmar lo que yo ya venía sintiendo: todos los demás, mis compañeros, me ayudaban a ser figura. En una de ésas, soy figura por los goles que hago, pero los espacios me los hacen ellos. En el primero, por ejemplo, el mérito de Burru fue inmenso. Le amagué, me entendió, hizo la pausa y me la metió justa. En el segundo, el mérito fue de Cucciuffo y Valdano, que me la trajo. Esta vez, cuando hice los goles, pensé en mamá, en lo feliz que debía estar por eso... Porque la alegría es cada vez más grande. En ese partido, insisto, todo el mundo decía que íbamos a ganar, y a mí me daba un cagazo enorme eso: es muy fácil relajarse, dejarse estar, dormirse en los laureles. Por eso, después de los dos goles, quise seguir metiendo, quise hacer más... Y miraba el palco donde estaba mi viejo... Sólo me faltaba que el Barba nos ayudara para ganar el campeonato. Ya estábamos ahí, en la final, en el lugar donde sólo nosotros, los jugadores y el cuerpo técnico, creíamos.

Y para la final se venía Alemania, el equipo que había elegido *papá* desde el principio. Alemania.

Los alemanes siempre son bravos. Hasta que no les dan el certificado de defunción no se entregan... En ese Mundial, no sé si por primera vez, los equipos salían juntos para la cancha. En el camino nosotros hacíamos un montón de boludeces: gritábamos, nos pegábamos puñetazos en el pecho. Todos nos miraban con miedo. Pero los alemanes, no. Me acuerdo que le dije al Tata Brown: "Con éstos no hay caso, viejo... Estos no se asustan con nada".

En la final me mandaron a Matthäus encima. Ese sí que sabía, no era una marca al hombre común. Normalmente, los que te hacen marca personal son torpes, pero Lothar sabía jugar: podía ser diez, podía marcar, terminó siendo líbero. Un fenómeno. Yo busqué el gol desesperadamente, quería mi gol, pero más quería ganar, más quería ganar.

Hicimos dos golazos, primero: el cabezazo del Tata Brown, porque se lo merecía como nadie, porque lo había reemplazado a Passarella y había jugado mejor que todos, y el de Valdano, porque fue un resumen de lo que Carlos nos pedía y una demostración de lo que era Jorge física y futbolísticamente.

Cuando nos empataron, yo no me asusté. Para nada... Nos habían cabeceado dos veces en el área, sí, una cosa imperdonable para cualquier equipo en serio, pero... Le miraba las piernas a Briegel y estaban hechas un garrote, sabíamos que iba a llegar, que el triunfo iba a llegar. Cuando volvimos a la mitad de la cancha, para sacar, aplasté la pelota contra el piso, lo miré a Burru y le dije: "¡Dale, dale que están muertos, ya no pueden correr! Vamos a mover la pelotita que los liquidamos antes del alargue". Y así fue, nomás: giré atrás de la mitad de la cancha, levanté la cabeza y vi cómo se le abría un callejón enorme a Burruchaga para que corriera, para que corriera hasta el arco... Briegel le había quedado de atrás, a sus espaldas, y ya no iba a tener potencia para alcanzarlo. Entonces, la cachetié así a la pelota, bien al claro. Y se fue Burru, se fue Burru, se fue Burru... ¡Gol de Burru! ¡Cómo grité ese gol de Burruchaga, cómo lo grité! Me acuerdo que hicimos una montaña enorme, uno arriba del otro, ya nos sentíamos campeones del mundo, faltaban seis minutos, ya estaba y... Bilardo nos empezó a gritar: *¡Déjense de joder, déjense de joder! ¡Vayan a marcar, vos y Valdano a marcar, dale, dale!*

Cuando llegó, por fin, aquel gesto de Arppi Filho que yo campaneaba de reojo, cuando terminó el partido y en el estadio Azteca lo único que se escuchaba era los gritos de los argentinos que estaban ahí, porque los mexicanos se habían quedado mudos, entonces me largué a llorar... ¿¡Cómo no me iba a largar a llorar si siempre me había pasado lo mismo en los grandes momentos de mi carrera!? Y éste era el máximo, el más sublime. Con la Copa en las manos nos fuimos para el vestuario y empezamos a putear a todo el mundo, a todo el mundo. Era mucha bronca junta y en medio de esa bronca me pasó algo impresionante...

—¡Venga, Carlos, venga! ¡Desahóguese! ¡Diga todo lo que tiene adentro, grítelo...! —le dije a Bilardo con rabia, porque los dos sabíamos cuánto habíamos sufrido, mucho, demasiado. Y él, con los ojos llenos de lágrimas, me contestó, así, bajito...

—*No, Diego, dejá... Esto yo lo quería desde hace mucho tiempo y no es contra nadie... Dejame pensar en una sola persona, en Zubeldía.*

Se acordaba de Osvaldo Zubeldía, de su maestro... Me dejó chiquitito así, me esfumó la bronca, no sabía qué más decir. Al tipo lo habían basureado, lo habían destrozado y no tenía ningún rencor, no gritaba revancha. Era campeón del mundo, había ganado todo... y no tenía resentimiento. Es una gran imagen que tengo, ésa de Bilardo. Se junta con otras, pero ésa me la quedo. Yo seguí gritando, por supuesto, afónico y revoleando la camiseta, en el medio de un vestuario que era un quilombo, con Galíndez besando la imagen de la Virgen de Luján, la que poníamos siempre en un esquinero, con todos arriba de los bancos, gritando como locos: *¡Se lo dedica-mo'-a todos / La reputa-madre que-los-reparió!*

Era un desahogo, un desahogo enorme. Nunca me voy a olvidar del clima de ese vestuario, ese piso verde de césped sintético, los bancos y los armarios blancos, la luz del sol entrando por las ventanas y nosotros... Nosotros felices.

Después nos fuimos para la concentración, a levantar nuestra...

casa. Habíamos cumplido con aquello que nos habíamos propuesto: irnos sólo cuando terminara el campeonato. Nos abrazamos, fuerte, bien fuerte y cumplimos con algo que nos habíamos prometido, entre todos: dimos la vuelta olímpica ¡en la canchita de entrenamiento, solos! En esa misma canchita, apenas aterrizamos en México, nos habíamos juramentado: *Somos los primeros en llegar, seremos los últimos en irnos.* No había tiempo casi para nada, sólo para hacer las valijas. Pero a cada rato, mientras guardábamos la ropa, nos mirábamos con Pedrito Pasculli y nos gritábamos, agarrándonos de la cabeza:

—*¿¿¿¡¡¡Qué hacés, guacho campeón del mundo!!!???*

Campeón del mundo, campeón del mundo... El sueño cumplido. Yo digo, hoy, que en aquellos increíbles días de México '86, Dios estuvo conmigo.

Cuando uno está mal puede decir muchas cosas y yo estaba muy caliente, pero mi gran triunfo fue que detractores terminaron viniendo al pie... Igual, hubo muchos que siguieron en la suya, que dijeron que el Mundial había sido mediocre y por eso lo habíamos ganado, o que la Argentina había sido campeón por mí.

Debo decir hoy que fue campeón no sólo por mí. Yo aporté, otros me ayudaron, todos ganamos... Por eso, quise que también disfrutaran del título hasta los que nos habían matado sin piedad.

Lo viví con todo, como cada cosa que hice en mi vida. Había que tomarlo como lo que era y lo repito ahora: fue un extraordinario triunfo del fútbol argentino, que lamentablemente todavía no se volvió a repetir, pero nada más que eso... Nuestro triunfo no bajó el precio del pan... Ojalá pudiéramos los futbolistas resolver los problemas de la gente con nuestras jugadas, ¡cuánto mejor estaríamos!

Pensaba en eso en el balcón de la Casa Rosada, porque allá estuvimos para saludar a la gente que se había juntado en la Plaza de Mayo. Sentía eso y también que era... ¡presidente! Ahí estaba al lado de Alfonsín, el tipo con el que había vuelto la democracia. También estaban los panqueques, claro. Hasta O'Reilly, que unos meses antes, nada más, lo había querido voltear a Bilardo. Pero en ese momento nosotros éramos los reyes... Yo ya lo conocía a Alfonsín, ya lo conocía. Me había recibido antes de las elecciones. Para mí, fue importante lo que él hizo al principio, pero después... Le faltó algo para terminar la obra. Y todavía hoy estamos luchando por salir.

En realidad, en ese momento no me importaban ni Alfonsín ni ningún político. Yo pensaba en la gente.

Me sentí, en realidad, muy cerca de la gente; si hubiera sido por mí, agarraba la bandera y salía corriendo, me metía entre ellos... En ese balcón se me cruzó todo por la cabeza: Fiorito, Argentinos, Boca, todo. Todos los sueños cumplidos.

Cuando llegué a mi casa, por fin, había una multitud. Le pisaban el jardín a la Tota, que se volvía loca, cantaban, tocaban bocina, me traían regalos... Mi casa, en la calle Cantilo, de Villa Devoto, se había convertido en un punto del recorrido turístico de Buenos Aires. A mí, mientras tanto, el intendente de la ciudad, que era Julio Saguier, me nombró Ciudadano Ilustre. La cosa es que mientras tanto, la gente seguía ahí, pasaban los días y seguían ahí. ¡Yo no lo podía creer! Yo decía: esto no se puede hacer por nadie, ni por Maradona ni por nadie... Mujeres grandes, gente grande, chiquitos, me costaba entender. No sé, trataba de ponerme en el lugar de ellos y en una de ésas yo, de pibe, me hubiera parado en la puerta de la casa de Bochini. Creo que es una cuestión de identificación, te gusta lo que hace un tipo y querés que lo sepa. Pero igual, me daba no sé qué, mi familia no tenía la culpa de nada y estaban obligados a vivir encerrados... Una noche de ésas, hice entrar a dos chiquitos, porque me dio mucha, demasiada pena: jugué un ratito con ellos a la pelota en el living, la mamá nos miraba y no lo podía creer. Me parece que ellos ni se dieron cuenta de que habían estado conmigo, pero yo sentía una lástima, una lástima tremenda. Intimamente sentía que todo eso era demasiado... Yo sólo había ganado un Mundial.

LOS AMIGOS, LOS ENEMIGOS
Passarella, Ramón Díaz,
Menotti, Bilardo, Havelange

Quiero terminar con esta historia de que Maradona
inventó la droga en el fútbol argentino.

Dicen que yo hablo de todo, y es cierto. Dicen que yo me pelié con el Papa, y tienen razón. ¿Porque salí de Villa Fiorito no puedo hablar? Yo soy la voz de los sin voz, la voz de mucha gente que se siente representada por mí, yo tengo un micrófono delante y ellos en su puta vida podrán tenerlo. A ver si se entiende de una vez: yo soy El Diego. Entonces, vamos a ser claros. Antes de seguir con mi historia, digamos que desde el pico más alto —justo después de México '86— vamos a poner los puntos sobre las íes en un montón de temas. En un montón de hombres y nombres...

Sí, me pelié con el Papa. Me pelié porque fui al Vaticano y vi los techos de oro. Y después escuché al Papa decir que la Iglesia se preocupaba por los chicos pobres... Pero, ¡vendé el techo, fiera, hacé algo! Las tenés todas en contra, encima fuiste arquero. ¿Para qué está el Banco Ambrosiano? ¿Para vender drogas y contrabandear armas, como se escracha en el libro *Por voluntad de Dios*? Yo lo leí, no soy un ignorante. Y también estuve con el Papa, porque soy famoso.

Fue... fue decepcionante. Yo siempre lo cuento: le dio un rosario a mi mamá, le dio un rosario a la Claudia, le dio un rosario no sé a quién, y cuando llegó mi turno me dijo, en italiano: *Este es especial, para vos.* A mí me salió decirle gracias, nada más. Yo estaba renervioso. Seguimos caminando, por ahí, y le pido a mi vieja que me muestre el de ella... Era, ¡era igual al mío! Pero yo le dije a la Tota: "No, el mío es especial, me dijo el Papa que era especial". Entonces me le acerqué y le pregunté: "Disculpe, Su Santidad, ¿cuál es la diferencia entre el mío y el de mi mamá?". No me contestó... Sólo me miró, me palmeó, sonrió, y seguimos caminando. ¡Una falta de respeto total, me palmeó y sonrió, nada más! Diego, no rompás las pelotas y picátelas que tengo más gente esperando, eso me dijo con la palmada en la espalda.

¿Se entiende por qué me enojé con él? Por cosas parecidas me enojé con muchos otros, por el caretaje, porque dicen una cosa acá y después le toman la leche al gato allá, porque se le escapa la tortuga, porque mienten, porque son cabezas de termo... No voy a hablar de todos los personajes con los que me pelié, ¡necesitaríamos una enciclopedia de esas que venden por fascículos! Voy a hablar de esos casos que todo el mundo tiene así, siempre en la punta de la lengua: *¡Uuuhhh, el Diego lo odia a...!* Para empezar, y que quede clarito, yo no odio a ninguno de esos con los que me pelié a los gritos a través de los medios. Puedo odiar, sí, a los que le meten la mano en el bolso a la gente, como algunos políticos, como algunos dirigentes, o a los que pueden matar a la gente, como los milicos argentinos en algún momento. Después, a los que le joden la vida a los pibes, de cualquier manera: pegándoles, no dándoles de comer, vendiéndoles falopa... De cualquier manera.

A los demás, vamos por partes...

Para empezar, yo no estoy chivo con Ramón Díaz, para nada. Y siempre se dijeron mentiras alrededor de nuestra relación. La primera, la más grande, la que quedó en la cabecita de termo de todos, es esa que dice que yo le llené la cabeza a Bilardo para que no lo llamara al Seleccionado. ¡Un disparate, se les escapó la tortuga, fiera!

Un disparate tan grande que a esta altura nadie me creería, ya lo sé, si contara que en Suiza, durante la gira previa al Mundial de Italia, comenté —y tengo un periodista de testigo, me animo a jurarlo— que el único que nos podía salvar en ese momento, cuando nos faltaba gol y algo más, cuando no vacunábamos a nadie, era Ramón Díaz. Así se lo dije: "¿Sabés quién tendría que estar en este equipo y se acabarían los problemas? El Pelado...". Faltaba un montón todavía para que el Narigón definiera la lista, hasta de Juan Funes, pobrecito, se hablaba, y el Narigón no lo llamó. Y que antes del Mundial '86, apenas terminaron las eliminatorias, declaré, ¡públicamente!, que el Pelado nos vendría muy bien, ¡está escrito, está escrito!

Nunca le hice un planteo a nadie, lo juro por mis hijas, para sacar del medio a alguien. Al contrario, si a Bilardo alguna vez le hice un planteo fue para que dejara en el equipo a Caniggia. Y esto que quede escrito, lo digo por primera vez: si Bilardo dejaba afuera del Mundial '90 a Caniggia, yo... ¡no lo jugaba!

Pero en lo de Ramón me quiero detener y repetir: lo juro por mis hijas, que es lo que más quiero en la vida, que yo nunca me opuse a que Ramón se sumara al Seleccionado. El que nunca se lo planteó fue Bilardo... El habrá pensado que yo estaba peleado con Ramón porque Ramón era amigo de Passarella, y Passarella sí estaba enfrentado conmigo. Lo que Ramón Díaz hizo fue tirarse del lado de Passarella cuando Passarella se fue al Inter. ¡Y eso es lógico! Si Passarella se va al Inter, o viceversa, me parece bárbaro, que el Pelado haga las relaciones con quien más le convenga. ¡Que va a hacer conmigo si yo estaba en el Napoli! En el '89, cuando el Inter salió campeón con el Pelado como figura, me crucé con él en la cancha y le grité, para que se dejara de joder con las giladas del Seleccionado: "¡Ojalá que Bilardo te llame, así te dejás de inventar boludeces!". Lo cierto es que un año después, cuando Bilardo definió el equipo para Italia '90, el Pelado no hacía un gol ni en un arco de veinte metros.

Más todavía: ¿saben quién le enseñó a definir a Ramón? ¡Yo, papito! En el '79, cuando fuimos a jugar el Mundial Juvenil a Japón, le metí en la cabeza que para hacer goles no tenía por qué agujerear a los arqueros... El cabeza de termo le apuntaba al pecho, cerraba los ojos y ¡pum! Era un asesino, sí, pero no era un goleador... Después, aprendió. De nada, Ramón. También anduvieron diciendo otras cosas: como que yo no había hecho la fuerza suficiente para que a Bertoni le renovaran el contrato en el Napoli, en nuestra tercera temporada allá. La Chancha y yo habíamos jugado juntos las dos primeras, el Pelado estaba en el Avellino, también en el sur de Italia, y los tres éramos muy amigos... Pero es mentira, ¡la decisión no fue mía y Daniel se fue bien! Por eso también lo desafío a Ramón, como a Passarella: vamos a sentarnos en el medio del Monumental, frente a frente, sin hinchas de Boca alrededor... Ahí mismo donde yo me acerqué hasta el banco para darle la mano, el día de mi último partido en Boca, contra River, en el '87, para que se diera cuenta de una vez por todas de que nos podemos decir pelotudeces, pero lo nuestro no es para tanto.

Por eso prefiero cortarla acá, y contar algo mejor: Emiliano, uno de sus hijos, que juega al fútbol en River y me dijeron que muy bien, me llamó por teléfono a mi casa, ¡a mí!, y me dijo que yo soy su ídolo: *Qué me importa lo de mi viejo, eso lo arreglarán ustedes cuando puedan... Pero yo te adoro.* Eso a mí me llenó de orgullo, fue hermoso, divino.

Pero que quede claro algo, por favor: yo nunca, nunca, nunca en mi vida, me opuse a que viniera alguien a la Selección. No, jamás. Al contrario, los que quisieron irse se fueron solos, como Passarella. Que Passarella se fue por menottista del Mundial de México, cosa que jamás va a reconocer. Como jamás, parece, me va a atender, porque yo muchas veces quise hablar con él y no hubo forma... Cuando le pasó lo de la muerte del hijo, lo peor que le puede pasar a un padre, quise hablar con él, porque me dolió en el alma. Pero nunca me contestó: le dejé mensajes, de todo. Hasta le escribí una carta abierta, a través de un periodista amigo, en *El Gráfico*. Ahí puse: "Viví con mucho dolor lo de Passarella. Yo creo que dijimos muchas boludeces... que ¡dije! muchas pavadas: nosotros hablamos del pelo corto, del arito, ¡por el amor de Dios, qué chiquito que es todo eso! Los que estamos lejos, los que lo vemos de afuera, podemos comentar: qué mal, qué dolor. Debe ser lo peor del mundo, pero eso no alcanza. El dolor se lo llevan ellos: podemos acercarnos, hablar, pero no sirve para nada. A mí lo de Passarella me pegó muy fuerte, nadie merece vivir algo así: yo veía las imágenes y me parecía mentira, me parecía que no era cierto que él, que su esposa, que su familia, estuvieran viviendo eso. Lo llamé varias veces después, sabiendo que no servía para nada. Pero para ponerme a disposición: todas nuestras discusiones son una idiotez al lado de eso, no tienen la más mínima importancia. Lo único que se me ocurre decirle es: Daniel, si me necesitás para algo, acá estoy...". Pero con esa historia, tan dolorosa, no quiero mezclar nuestros quilombos.

Para que nadie invente giladas, lo cuento todo: nosotros nos habíamos peleado en la concentración del América de México, en el Distrito Federal, donde vivíamos en la Copa del Mundo del '86. La historia fue así... Yo llegué quince minutos tarde a una reunión junto con los... rebeldes. Eso éramos, según Passarella, Pasculli, Batista, Islas... ¡Quince minutos tarde llegamos! Y entonces nos comimos un discurso de Passarella, con el estilo de él, bien dictador: que cómo el capitán iba a llegar tarde, que esto, que lo otro. Lo dejé hablar, lo dejé hablar... "¿Terminaste?", le pregunté. "Bueno, entonces vamos a hablar de vos, ahora", le dije.

Y conté, delante del plantel completito, todo lo que era él, todo lo que había hecho él, todo lo que yo sabía de él. Y se armó el lío grande, ¡grande, grande! Porque en aquella Selección, hay que decirlo, había dos grupos. Por un lado, los que apoyaban a Passarella. Su banda. Ahí estaban Valdano, Bochini, varios. Passarella les había llenado la cabeza y por eso decían que nosotros habíamos llegado tarde porque estábamos tomando falopa, y que esto, y que lo otro… pero, más que nada, por supuesto, eso de que estábamos tomando falopa y ésos éramos nosotros, mi grupo.

Entonces yo le dije:

—Está bien, Passarella, yo asumo que tomo, está bien...

Alrededor nuestro, un silencio tremendo. Yo seguí:

—Pero acá hay otra cosa: no estuve tomando en este caso... No en este caso, ¡mirá vos! Y, además, vos estás mandando al frente a otra gente, a los pibes que estaban conmigo... ¡Y los pibes no tienen nada que ver! ¿entendiste, buchón?

La única verdad es que Passarella estaba queriendo ganarse al grupo de esa manera, sembrando cizaña, inventando cosas, metiendo palos en la rueda. Quería ganárselo desde que había perdido la capitanía y el liderazgo; lo tenía atragantado, lo tenía acá. Porque él fue un buen capitán, sí, y yo siempre lo dije. Pero yo mismo lo desplacé: el gran capitán, el verdadero gran capitán, fui, soy y seré yo.

Después de eso, cada vez que podía, él me jugaba feo, muy feo.

143

Lo agarró a Valdano, que es un tipo muy inteligente, a quien todo el mundo escuchaba, incluido yo, que era capaz de estar cuatro horas con él sin poder meter un bocadillo, y le metió en la cabeza que yo estaba llevando a todos a la droga. ¡Que yo estaba llevando a todos a la droga! Entonces me planté, en el medio de esa reunión, y en nombre de mis compañeros y en nombre mío, por supuesto, le grité a Passarella:

—¡Acá nadie toma, viejo, acá nadie toma!

Y lo juro por mis hijas que no tomamos, que en México no tomamos. Pero como estábamos sacando los trapitos al sol, se me ocurrió hacerla completa:

—A ver, ya que estamos... Estos dos mil pesos de teléfono que tenemos que pagar entre todos, porque nadie se hace cargo, ¿por llamadas de quién son?

Nadie saltó, nadie contestó, alguno miró el piso... No volaba una mosca. Lo que no sabía Passarella es que por aquellos tiempos, en 1986, parece que hace un siglo ya, las cuentas telefónicas en México tenían detalle: en la factura venían los números, uno por uno... Y el número era el de él, ¡hijo de puta! Ganaba dos millones de dólares y se hacía el boludo por dos mil. Eso sí que es tomarle la leche al gato.

Yo prefiero ser adicto, por doloroso que esto sea, a ventajero o mal amigo. Esto de mal amigo lo digo por la historia que terminó de alejarme de él y terminó también de formar la verdadera imagen de Passarella para los demás: cuando él estaba en Europa, todo el mundo comentaba que se escapaba a Mónaco para verse con la esposa de un compañero, de un jugador del Seleccionado argentino... ¡Eso hacía y después lo contaba en el vestuario de la Fiorentina, como una hazaña! Entonces, cuando Valdano vino a pedirme explicaciones en México, en esa reunión, por lo de la droga, y también a darme una filípica, que yo no podía hacer esto, que yo no podía hacer lo otro... yo lo paré en seco. Le dije:

—Pará, Jorge, la reputa que te parió; vos, ¿del lado de quién estás? ¿Acá lo que te cuenta Passarella es verdad y lo que te cuento yo, no?

Entonces él me dijo:

—*Bueno, está bien, contame...*

Ya me había calmado:

—No, esperá, vamos a la reunión...

Allá fuimos, y en la reunión, con Passarella presente, conté todo lo que sabía de él y se hizo un silencio profundo... Hasta que saltó Valdano:

—*¡Vos sos una mierda!* —le gritó al Kaiser.

Ahí se rompió todo. Ahí le agarró la diarrea, el mal de Moctezuma, cuando la realidad era que todos meábamos por el culo. Ahí le dio el tirón, ésta es la verdadera historia.

Por eso es que yo digo que lo desafío a Passarella a encontrarnos en el Monumental, sin un hincha de Boca alrededor, a hablar de todo, frente a frente, en una mesa, como si fuéramos a jugar un truco de dos. Pero no se trata de eso, ¿eh? Se trata, mejor, de hablar de compañerismo, hablar de disciplina, cuando él, en las concentraciones ponía mierda en los picaportes de las habitaciones. Lo invito a hablar del pelo largo, cuando yo hice doscientos goles con unos rulos que parecían el casco de Schumacher y nunca se me cruzó por la cabeza decirle a nadie: "...No me pidan que cabecee...". ¿Y Kempes? ¿Por qué fue compañero de Kempes en el '78? En una de ésas el gran capitán se hubiera quedado sin la Copa si no era por Marito. A hablar de todo, lo invito.

A hablar de mujeres, ¡de mujeres!, y a hablar de fútbol. A hablar de droga, ¡de droga! ¡A hablar de lo que quiera, de lo que quiera!

Porque él dice que de mí no habla, que conmigo no habla, pero él sabe muy bien que no es quién para venir a decirme a mí nada de la droga. Porque si vamos a hablar de eso, tendremos que remontarnos a un proceso muy largo y muy viejo en el fútbol argentino, de una época en la que él jugaba y yo no, de una Copa Libertadores que yo nunca jugué y él sí, varias veces... ¿Y soy el único drogadicto, yo?

Una vez, cuando era presidente, Menem me invitó a conversar de este tema, que parecía ser sólo mío en la Argentina, con Passarella. Una reunión para charlar de todo, y también de la droga. "Cuando quiera, presidente, cuando quiera", le dije. Pero Passarella nunca apareció, parece que no se animó.

145

Para que quede clarito, esto: Passarella, si vos no querés que te ensucien, no ensuciés; si yo conocí la droga en el fútbol, fue por vos, ¡fue por vos! Entonces, claro: *De Maradona no hablo.* Porque si él habla y yo contesto, se pudre todo.

Ni con Passarella ni con Ramón Díaz me pelié por el tema de mi adicción a las drogas, nada que ver. Somos hombres y, con droga o sin droga, podíamos pelearnos a muerte por otras cosas. Hombres como Bilardo y Menotti, que están lejos de las drogas, también se pelearon entre ellos sólo por tener ideas diferentes. ¡Y de fútbol!

Esto, todo esto que estoy escribiendo, no es de buchón: esto se lo quise decir siempre en la cara a Daniel, pero nunca me atendió. Pero se acabó: quiero terminar con esta historia de que Maradona inventó la droga en el fútbol argentino: a mí me agarraron con cocaína y eso no es ventaja, ¡es desventaja! Pero cuando la droga se usó en el fútbol argentino, ¡se usó para correr! Fue para estar a la misma altura de los alemanes, fue para ganar la Copa Intercontinental, para ganar la Copa Libertadores... Para jugar, por lo menos, esa bendita Copa Libertadores que yo nunca pude jugar.

Y otra cosa: si a mí me designan técnico de la Selección, pero a cambio de eso tengo que meterle la mano en el bolsillo a los jugadores, digo que no. Y eso hizo Passarella cuando fue técnico, ¿eh? A ver si se entiende: en la Selección no se gana plata y vos no podés aceptar que, encima, la AFA te ponga trabas para que recaudes algo por otro lado. Porque eso yo lo viví, ¿eh?: cuando salí campeón, en México '86, gané 33.000 dólares, ¡33.000 dólares! Mientras mi amigo Ciro Ferrara, en Italia '90, salió tercero en la Copa del Mundo que organizaba su país y ganó ¡220.000 dólares! O sea, paremos la mano acá: yo quiero la gloria, dámela, pero no me metan la mano en el bolsillo, querido. Y eso hizo Passarella, que cuando asumió de técnico tomó dos medidas fundamentales: hacerles cortar el pelo a los jugadores y echarle la culpa de todas las derrotas a las gorritas con publicidad y a los contratos con la televisión. Si eso no es meterle la mano en los bolsillos a los jugadores, ¿qué es? Es decir, dejó que la AFA tomara medidas para que el plantel ganara menos. Mientras tanto, eso sí, él tenía un contrato de la puta madre y los jugadores casi tenían que pagarse los pasajes cuando viajaban desde el exterior

Passarella dijo: *¡Basta de gorrito, basta de publicidad, basta de pelo largo!*, como si las gorritas jugaran a la pelota, como si él no hubiera salido campeón del mundo gracias a Mario Kempes, que tenía una melena que le llegaba a la cintura.

A mí me dio mucha pena que, por mi culpa, porque decían que yo era el símbolo de todos los desarreglos del fútbol argentino, lo eligieran a él como técnico, como sinónimo de disciplina y de orden. ¿¡De disciplina y de orden, Passarella!? ¡Por favor! En una de ésas, disciplina y orden es untar con mierda los picaportes en las concentraciones, para divertirse con los compañeros... ¡Eso es el orden y la disciplina de Passarella!

Si yo tuviera que elegir a un técnico para que me dirija, me quedaría con el Flaco Menotti. Por sabiduría... Las cosas que él decía a mí me pasaban. Te hablaba y te quedabas mudo, y salías a la cancha y te sentías orgulloso de lo que intentabas hacer.

Y Bilardo... Carlos es como un padre para mí. Alguna vez dije que me gustaría que mis hijas tuvieran sus principios. Me ayudó mucho y nunca voy a terminar de agradecerle que confiara en mí como confió: fue decisivo para mi carrera.

Eso sí: siempre tuvo una actitud, más allá de lo futbolístico, que a mí nunca me gustó. Nunca dejó que ganaran plata los demás, los que estaban con él. Se le fue Pachamé, se le fue Echevarría... ¡y toda la plata para él! El propio Echevarría, que era su mano derecha y una de las personas más buenas que yo conocí en el fútbol, necesitó que Basile le diera una mano, que se lo llevara al Atlético de Madrid cuando el Profe, pobre, ya estaba muy enfermo.

Y otra cosa: tampoco me quiso explicar nunca, nunca —y yo lloré mucho por eso— por qué lo dejó a Valdano afuera del Mundial de Italia. Porque yo, ¡yo!, le fui a pedir a Valdano que intentara el regreso, después de su hepatitis, y se retirara del fútbol como lo que es, un grande, ¡un grande de verdad! Yo se lo pedí delante de Jorgito, su hijo. Y yo sentí que los traicioné a los dos cuando Bilardo lo dejó afuera... Sé que hay muchas sospechas, sé que a Valdano lo relacionaban con mis reclamos gremiales desde México '86, cuando juntos denunciamos que era criminal jugar al mediodía sólo porque la televisión lo pedía. Pero a mí me dijeron que Valdano no rendía,

147

eso me dijeron. Y nosotros teníamos lesionados a dieciocho, ni yo podía jugar. Lo único cierto es que por alguna razón Valdano no tenía que estar en aquel plantel y yo nunca pude enterarme de la verdadera historia.

Eso es lo único que me duele en el balance de mi relación con Bilardo. Como con Menotti me duele que me haya robado el orgullo de jugar el Mundial '78. Pero, igual, al Narigón lo quiero como a un padre y al Flaco lo admiro.

Ninguna de esas dos cosas, por supuesto, puedo decir de João Havelange. Es otro tipo con el que nos separamos al nacer. Orígenes distintos, relación imposible, por más que él diga que me quiere como a un hijo, a un nieto, a un bisnieto... No le creo nada. Nada. El solo, con su historia, me dio la oportunidad de definirlo con pocas palabras, como a mí me gusta hacerlo cuando me cruzo con alguien que no me gusta nada de nada: fue jugador de waterpolo... Me la dejó picando, en la línea, la toqué de rabona para meterla: "Perdón, don João, ¿waterpolo? ¿Y entonces por qué no es presidente de esa federación en vez de la nuestra". Claro, era la voz de un futbolista, y la voz de un futbolista, en la FIFA, no vale un mango. Si lo nuestro empezó al nacer, creció en México, cuando ellos, que estaban en palcos con aire acondicionado o con negros abanicándolos, nos hacían jugar al mediodía... Ojo, aquello no era Fiorito, ¿eh?, era mucho mucho peor. Y lo que no terminaba de cazar el cabeza de termo de Havelange era que yo no quería ni quiero arruinarle el negocio, ¡no! Al contrario... Pero quería que entendiera, sí, que la clave de todo ese negocio, de todo ese espectáculo, éramos nosotros, los jugadores. Y eso es lo que voy a seguir intentando desde nuestro sindicato: que nos escuchen.

Y digo esto: de mí saben todo, hasta confesé lo más grave que me pasó en la vida, como es mi adicción a la cocaína. Pregunto: ¿De Havelange? ¿Qué se sabe? Yo, lo único que sé es que tiene una línea de colectivos que se llama... ¡cometa!

Yo hubiera querido creer en él, de verdad. Pero después de aquel penal en el Mundial de Italia, del doping en Estados Unidos, me deja sin esperanzas. Me defraudó, creí que yo ya había pagado mi pena con aquello de Italia. El sabía que lo que yo había consumido no servía para nada, pero igual me dio por la cabeza sin asco... Creí que ya había pasado ese rencor contra Maradona, también después de lo de Sevilla. Pero no, no... Y eso me duele en el alma. Si hay un Dios dentro de él, se tendrá que replantear todo lo que hizo. El siempre se guió por los papeles, sin pensar que detrás de todo siempre hay seres humanos, una familia, un pueblo. Sobre todo, un pueblo. Por eso me calenté tanto cuando lo recibieron en la Argentina como a un héroe, después de Italia '90: allá, en el palco, yo no había ni querido darle la mano, él tenía la culpa de mis lágrimas, que no eran sólo por la derrota. Me dolía más la injusticia. Y Havelange, en mi paso por el fútbol, fue la cara de la injusticia. Una sola cosa me deja la conciencia en paz: pensar en cuánta gente se acordará de él cuando el tiempo pase, y cuánta gente se acordará de mí: ¿Havelange o El Diego? Ustedes tienen la respuesta.

LA LUCHA
Copa América '87 y '89

Sentía que la Selección era traicionada,
todo el tiempo.

Cuando al fin me fui de vacaciones a Polinesia después del '86, tal como se lo había prometido a Claudia, me imaginé que todo sería color de rosa. Me equivoqué, ¡cómo me equivoqué! ¿La verdad? Aquella vez a mí se me escapó la tortuga... No, con Claudia la pasamos fenómeno, las playas eran una maravilla, despunté el vicio con unos buenos picados en la playa —los matamos a unos holandeses— y la cantidad de autógrafos que tuve que firmar no fue tan grande como podría imaginarme. El problema estaba en otro lado, el problema era que aquella bandera que apareció en una tribuna del estadio Azteca, después de la final, era sólo eso, una banderita: PERDÓN, BILARDO, GRACIAS. ¿Perdón, gracias? ¡Las pelotas! No sé, sería una marca registrada, o una mancha de ésas que no salen, pero lo cierto es que aquél siguió siendo un equipo perseguido... Campeón del mundo indiscutible, sí, pero perseguido igual.

Con el Napoli me iba bien, marchábamos hacia el segundo *scudetto* y también apuntábamos a la Copa Italia. El tema era... el Seleccionado. A los seis meses de la vuelta olímpica, todavía andábamos dando vueltas, sí, pero con los premios. Que si Ríos Seoane, que era presidente del Deportivo Español, cumplía o no cumplía, que era poco, que era mucho, un disparate. Entonces me planté y mandé mensajes muy fuertes desde Italia. Armaban partidos amistosos, supuestamente para pagarnos, y a mí nadie me informaba ni me consultaba... Yo quería jugar en todos los partidos del Seleccionado, como siempre, pero también quería hacer respetar mi capitanía y que respetaran a los jugadores que habían ganado el Mundial. Eran detalles, pero yo les daba mucha importancia: Bilardo, por ejemplo, me preguntó si quería jugar la Copa América del '87, en la Argentina, con seis meses de anticipación, y yo le dije que sí, me comprometí aunque sabía que iba a ser al final de una temporada agotadora; Grondona, en cambio, me debía una charla, porque parecía que para él, con ganar la Copa ya estaba todo listo. Y yo quería ser absolutamente honesto: cuando mis compañeros necesitaron una respuesta de Maradona, la tuvieron, siempre, aun cuando nos acusaran de peseteros, como dicen en España a los que sólo piensan en el dinero. Nosotros queríamos hacer valer nuestros derechos, nada más, y aparecían los moralistas de siempre, tan argentinos: *¿Cómo puede ser? Con el país como está, ¡éstos quieren ganar la plata fácil!* No, no, nada que ver, nada que ver: yo jugué en México sin pensar en ningún momento en la plata, pero hubo un arreglo que, a mi entender, no fue respetado... Y también estaba muy caliente, en ese momento, con Bochini, que había declarado por ahí que no se sentía campeón del mundo, pero bien que se había presentado a cobrar el cheque, por chiquito que fuera, y primero que nadie, ¿no? Por lo menos, que hubiera ido quinto...

De todo eso hablé con Grondona en una reunión que tuvimos en Roma, en marzo del '87. Con Julio éramos así, calentones los dos, pero nos terminábamos entendiendo. Aparte, me dio todas las respuestas que necesitaba. Aquella noche, el Seleccionado jugó un amistoso contra la Roma y perdió. Ya empezaba la lucha otra vez, había que levantar el edificio de nuevo.

A mitad de año, fin de la temporada en Europa, estaba fusilado pero con todos los títulos en el bolsillo: era campeón del mundo, campeón de Italia, con *scudetto* y Copa para el Napoli, algo que no se daba en el *Calcio* desde hacía quince años. Estaba fusilado y me sentía ganador, pero no podía decir que era feliz, futbolísticamente hablando. No lo niego: pensaba en los que me atacaban diciendo que no había ganado nada, ¿dónde se estarían metiendo las palabras en ese momento? Pero me dolía que, como equipo y ante todos, ante los periodistas y la gente, tuviéramos que empezar todo de nuevo.

¿Qué había pasado? Nada, que jugamos un partido contra Italia, en Zurich, a un año del Mundial, el 10 de junio de 1987, y perdimos 3 a 1, nada más que eso... Pero volvieron las críticas, las dudas, todo, calcado, calcado... Me acuerdo, como si fuera hoy, que ahí me encontré con Pelé: nada de polémicas, cada uno en lo suyo. "Yo nunca quise ser más grande que él", declaré, y nos sacaron una foto dándonos la mano, también con Altobelli, que era el capitán de Italia. Lo único positivo de aquel partido fue que lo conocí al Cani, a Claudio Paul Caniggia. Mi hermano el Turco había compartido algunos entrenamientos con él, y me había hablado maravillas, así que apenas lo vi, le dije: "Yo a vos te conozco bien, nos vamos a entender". Pero Bilardo lo hizo entrar por Siviski recién faltando cinco minutos. Ya me veía venir que empezaba otra pelea por ese tema: Cani es, para mí, como... como un amigo del alma, eso es.

La cosa fue que, más allá de todo, los periodistas nos pegaron sin piedad y a mí me dolió mucho, siento todavía ese dolor: volvían los fantasmas, éramos otra vez los que no le podíamos ganar a nadie. Nadie aceptaba que estábamos empezando de nuevo, con chicos debutantes. Yo mismo quería y no podía. Dije entonces: "Quería comunicarme con Funes y no me salía, acababa de conocerlo. Había leído algunas notas de Funes, pero nada más. Yo no podía decirle Juan, ¿me entendés? Lo mismo con Goycochea, yo le decía Goycochea en lugar de Goyco o Sergio. ¿Y con Siviski? Jamás lo había visto jugar, no sabía nada de él o de ese atrevido de Hernán Díaz... ¿Viste lo audaz que es ese tipo? Pero, claro, me los presentaron en Zurich. Ahora, cuando nos encerremos todos en Ezeiza para la Copa América, pensé que iba a ser distinto, y ojo que ésta no es una excusa por la derrota. A mí las excusas no me interesan. Digo y repito que en el primer tiempo contra Italia fuimos un desastre...". Así estábamos, así llegamos a la Copa América.

Yo estaba saturado, cansado, sí, pero cansado mentalmente.

Desde mis vacaciones en la Polinesia, después del Mundial yo no había parado. Hubo un amistoso contra Paraguay, antes del inicio de la Copa, para recaudar fondos para el gremio. Para Futbolistas Argentinos Agremiados. Y yo no lo jugué porque no daba más... ¡Me mataron! Y yo había comprado las entradas, había querido colaborar de alguna manera. Pero no podía entender, no podía aceptar, que a la Selección campeona del mundo, con o sin Maradona, fueran a verla solamente diez mil personas, no lo podía creer. Muerto y todo, quería jugar la Copa América, quería ganar algo para mi país en mi país, para que nos aceptaran de una vez por todas... Bueno, está claro que nada salió como yo soñaba.

Yo, físicamente, no estaba para jugar. Tenía tendinitis de aductores y el doctor Madero me había dicho que, para recuperarme medianamente bien, tenía que hacer reposo absoluto durante dos semanas... ¡Dos semanas! El partido contra Perú estaba ahí nomás, así que jugué igual. Anduvimos, pero empatamos 1 a 1; aquella vez, Reyna no me persiguió por toda la cancha, pero se turnaron entre varios para cagarme a patadas. Terminé muy golpeado y encima me atacó una gripe tremenda, y el frío que hacía en Ezeiza, donde estábamos concentrados, en el Sindicato de Empleados de Comercio, no me ayudaba para nada... Ni siquiera pude ir al festejo por el aniversario del título del '86. No me entrenaba, pero contra Ecuador, en el segundo partido, igual estuve. Ganamos 3 a 0 y por fin Bilardo se decidió a ponerlo a Caniggia, en el segundo tiempo: un gol de él, dos míos y los liquidamos. Cani era una cosa terrible y Bilardo, no sé, tenía como una negación con él. La gente lo pedía, habían colgado una bandera en la tribuna que decía: BILARDO, NO HAGAS COMO MENOTTI CON MARADONA Y PONÉLO A CANIGGIA. Lo bueno era que ya estábamos en las semifinales y lo malo era que mi gripe se había convertido en una terrible bronquitis, con fiebre y todo. No me faltaba nada.

Así salí a jugar contra Uruguay, con la tranquilidad de tenerlo a Cani al lado. Pero Francescoli y los suyos nos ganaron, nos ganaron bien. Perdimos 1 a 0 y nada, listo, afuera. Nos quedaba el partido por el tercer puesto, pero a mí nunca me gustó jugar por eso, ¿para qué? Lo hicimos sólo por respeto hacia la gente, pero se nos había roto el alma... Colombia nos ganó 2 a 1 en un Monumental raro, que nadie podrá olvidar: era tanta la niebla que había, tanta, que yo ni vi el gol de Cani, el del descuento. No sé, pero me parece que en esa niebla quedó envuelta la imagen del equipo en aquella Copa América: una sensación de frustración, de fracaso, aunque tan mal no hubiéramos jugado.

No tardé demasiado en ponerme a punto otra vez, en desear la camiseta del Seleccionado de nuevo. Me tomé unas vacaciones, volví a Italia y acepté una invitación distinta: los ingleses me pagaron una fortuna, 160.000 dólares, para que jugara en Wembley, en la celebración del centenario de la Liga Inglesa. Me mandaron un avión privado a Verona y me depositaron en un hotel que estaba más cerca de Escocia que de Londres, pero que era lindísimo. Cada vez que tocaba la pelota, me gritaban como a los negros, "¡Uuuhhh!", pero enseguida, si tocaba bien, me aplaudían, como señoritos ingleses que eran. Claro, por aquellos tiempos, yo todavía hablaba de la mano de Dios. Mi anfitrión fue Osvaldo Ardiles, que en Inglaterra es Gardel, y es uno de los tipos, junto con Valdano, a los que yo más escuchaba. Pensando en aquello y con el paso del tiempo, hoy valoro más lo que viví en Alemania, en otro festejo, la despedida de Lothar Matthäus. En el 2000, con casi 40 años, los alemanes me recibieron como si estuviera en plena actividad. Me divertí yo y se divirtieron ellos; en definitiva, eso fue siempre el fútbol para mí. Qué cosa, casi siempre me queda la misma sensación: que afuera me quieren más que adentro, que en Alemania o en la China soy más respetado que en la Argentina. No importa. Ese partido que yo jugué en Munich, me sirvió para demostrar —y para demostrarme— que estaba vivo, ¡vivo! La verdad, jugué con un nudo en la garganta los 45 minutos. Y también pensando en los argentinos, todo el tiempo: porque soy y seré El Diego de ellos, de los que me quieren y también de los que no me quieren. Y jugar contra Lothar fue un placer: fue y será el mejor rival que tuve en toda mi carrera. Invitándome, me hizo sentir importante. Cinco meses después de estar muerto... estaba vivo. Y jugando a la pelota.

Pero, bueno, en aquellos tiempos, 1987, hice una pasada por la clínica del doctor Henri Chenot, en Merano y a la cancha... Con todo. Ya le había pedido a Bilardo que me reservara un lugar entre los dieciséis, por lo menos, para jugar contra Alemania, la revancha en Buenos Aires. Fue otro de esos viajes míos: partido en Italia el domingo 13 de diciembre (contra Juventus, 2 a 1), vuelo a Buenos Aires, partido el miércoles ante Alemania, y regreso inmediato para ponerme otra vez la camiseta del Napoli, el domingo 20 (contra Verona, 4 a 1). Valió la pena, una vez más: me sentía en deuda con el hincha argentino y aquel triunfo contra Alemania por 1 a 0, en la cancha de Vélez, cubrió un vacío grande. El país estaba mal, muy mal, y lo nuestro fue darle un cachito de felicidad, mi objetivo de siempre en una cancha. No que se olviden de lo que sufren o de lo que les pasa, no... Pero entregarles algo, una sonrisa, diversión. Aparte, le gané una pulseada a Grondona: yo le había pedido jugar en la cancha de Vélez, para sentir el calor del pueblo. En la de River no sabés si te están puteando o te están alentando, porque lo ven desde dos mil kilómetros; en Liniers, todo lo contrario, y metimos cincuenta mil personas: siempre digo que nos hubiera ido mejor en aquella Copa América si jugábamos de locales ahí. La cosa es que Burruchaga hizo el gol del triunfo y volvimos a sentirnos los campeones, los mejores... Eso sí: Bilardo me rompió tanto las pelotas que me asusté; no sé, estaba como pasado de vueltas, obsesionado, metiéndome presión como loco, cargando mucho sobre mí. Tuve ganas de decirle: "Carlos, pare un poco la mano", pero me lo guardé, me lo guardé. Lo dije en una nota, sí, y se armó un quilombo infernal, pero mi amor por la Selección podía con todo.

Tanto quería a la Selección que, ya en el '88, en abril, me arriesgué a jugar en una copa imposible, una cuatro naciones o algo así, en Berlín. Primero nos humilló Unión Soviética, 4 a 2, y después nos ganó Alemania, 1 a 0. A mí me daban una amargura tremenda esos resultados, por más que fuera en partidos amistosos... Me dolían como fanático de la camiseta argentina. Aparte.. en Nápoles ¡me querían matar!: claro, yo jugaba todos los partidos y aquella vez me quedé en Alemania para estar presente cuando jugábamos por el cuarto puesto, por nada. Encima, se nos empezaban a lesionar los grandes, Valdano, Batista, Burruchaga, Enrique, y Bilardo probaba con los pibes. Además, armar el equipo era una lucha: no le cedían los jugadores, vendían a los pibes a Europa apenas tenían un par de minutos en primera... Sentía que la Selección era traicionada todo el tiempo. Por eso quería estar siempre, aunque arriesgara mucho, aunque no pudiera con mi físico por la maratón de partidos. Lesionado y todo, volví a jugar contra España, en Sevilla, en un buen empate, 1 a 1: estaba muerto, desgarrado hasta en la lengua, pero no podía fallar, de ninguna manera, era demasiado importante. Se habían dicho muchas pavadas, como siempre, y yo sabía que si nos juntábamos todos íbamos a taparle la boca a todo el mundo. Y se dio: jugamos un tiempo de campeones. Pero como teníamos que rendir examen todos los días, y de treinta partidos jugar bien en treinta y uno, la lucha continuaba. Quería meterles a los pibes nuevos la vieja idea de una Selección luchadora, porque no quería que nos pasara algo así en el Mundial de Italia, que ya se nos venía encima.

Había un escalón previo, sí, otra Copa América que yo buscaba con ansias de revancha, esta vez en Brasil. Otra vez le había prometido con anticipación mi presencia a Bilardo: fue después de aquel 4 a 1 espectacular contra el Milan, casi medio año antes, el 27 de noviembre del '88; se lo dediqué y le aseguré que mi próximo objetivo era ése... Estar allí con lo mejor de lo mejor, con la camiseta del Seleccionado.

Como si fuera un foul del destino, una vez más no pudo ser. En el anteúltimo partido del campeonato italiano '88/'89, contra el Pisa, que ya había descendido, sentí un tirón en el muslo de la pierna derecha, cuando apenas se había jugado un cuarto de hora, y tuve que salir. Fue aquel partido en el que algunos imbéciles me silbaron... Desesperado, lo llamé al doctor Oliva: tenía por delante la final de la Copa Italia, con el Napoli, y el viaje a Brasil, para sumarme al Seleccionado. El músculo me dolía una barbaridad y Oliva estaba convencido de que era un consecuencia de mi problema crónico en la cintura. Esos me putearon, pero el tordo me dijo que, si hubiera seguido, me mandaba la cagada del siglo: ahí sí que chau Copa América.

157

En esos tiempos yo decía, en joda, que me lesionaba tanto porque estaba viejo. Pero la verdad es que tenía una seguidilla de partidos terribles: a esa altura del año, en junio, entre una cosa y otra ya cargaba con 57. Y encima, ya sabía que el pobre Bilardo tenía que volver a bailar con la más fea: recién nos iba a poder juntar a todos en Goiania, tres días antes del debut, contra Chile. Y en mi caso, había jugadores a los que ni siquiera conocía, como el Pepe, José Horacio Basualdo. Eso sí: sentía una satisfacción enorme porque el Narigón había convocado a mi hermano, el Turco, que estaba en el Rayo Vallecano y había sido elegido por los periodistas españoles como el mejor jugador de la segunda división. También, cierta tranquilidad porque Brasil vivía problemas parecidos a los nuestros: lo veía de cerca a Careca y el pobre estaba tan golpeado como yo.

Igual, no veía la hora de estar con todos los muchachos, conocer a los que para mí eran nuevos, como Balbo o Alfaro Moreno, por ejemplo, y tirarme de cabeza a la Copa. Era un sueño. Como volver a Boca y jugar y ganar una Libertadores: la Copa América era un sueño. Además, era importante porque yo estaba convencido de que ahí se iba a definir el equipo que jugaría de arranque en Italia '90. Bilardo me hablaba de Basualdo, de los pibes que pintaban. Y yo confiaba en Caniggia, que ya se había recuperado de la fractura sufrida en Verona y que yo mismo había pronosticado, lamentablemente. Era un pibe y lo maltrataban, adentro y afuera de la cancha: como yo, era un chivo expiatorio, le tiraron por la cabeza que vendía droga, cuando él lo único que vendía, y muy bien, era fútbol. Como yo decía en aquellos tiempos y podría repetir ahora: "¿Por qué es chic que los jugadores de rugby vayan y se pongan en pedo en una disco como New York City? Un futbolista toma una Coca-Cola y ya es un borracho... Entonces, vamos a parar con esto, con Claudio se ensañaron todos y a mí me puso muy loco". ¡Qué loco, justamente, lo dije hace más de diez años y podría repetirlo ahora! Tan incoherente no soy, parece.

Incoherente pudo haber sido, sí, soñar con la Copa América cuando sabía, sinceramente, que no estaba ni para asomarme a la cancha. Me agarró a contramano, tanto que llegué a sentirme ridículo estando ahí. Tenía razones, ¿eh?: aquello de armar el grupo para la Copa del Mundo, el reencuentro y el encuentro con todos los muchachos, no fallarle al Narigón, que era un verdadero hijo de puta a la hora de presionar, pero hijo de puta en el sentido en que lo digo yo, como un elogio. Me las rebuscaba, sobre todo gracias a la magia del doctor Oliva, que me había despedido de Europa casi en muletas, pero entre la cintura y los tirones, no daba más. Estaba lejos de mi nivel, y como dije en pleno torneo: "No como vidrio, no estoy... ni voy a estar". Por un lado, eso me daba cierta tranquilidad: si finalmente ganábamos la Copa, no iba a decir que era por mí, le iban a dar al equipo el elogio que se merecía. A mí me daba bronca cuando se decía que el Mundial se había ganado por mí, cuando todo el grupo había trabajado como loco, adentro y afuera de la cancha.

No la ganamos, claro, pero no fue culpa mía ni de los muchachos. Arrancamos bien, le ganamos 1 a 0 a Chile, el 2 de julio, con un gol de Caniggia. Después, fuimos una lágrima contra Ecuador, Bilardo nos quería matar y con razón: nos habló durante dos horas, no volaba ni una mosca... Dábamos pena.

Nos ilusionamos un poquito cuando le ganamos a Uruguay, el 8 de julio. Pero fue sólo eso, una ilusión. La realidad nos pegó bien duro: nos bailó Brasil, aunque si se metía el pelotazo que les mandé desde la mitad de la cancha y rebotó en el travesaño la historia pudo haber cambiado; nos bailó Uruguay, que se tomó su buena revancha, y chau Copa América. Para mí, lamentablemente, para siempre.

Al final, dije lo que sentía, que un tercer puesto para un campeón del mundo era poca cosa, nada. También que nos faltaron tiempo, estado físico y suerte. Fundamentalmente, suerte, porque si entraba aquel tiro que pegó en el travesaño, la historia podría haber cambiado... Insólitamente, en la intimidad, cuando todo terminó, volví a sentir algo parecido a lo de la Copa América anterior, en la Argentina. No la habíamos ganado, la imagen que había quedado era mala... pero otra vez se había armado un grupo. Otra vez estábamos los odiados, los desplazados, los elegidos de Carlos Bilardo, unidos contra todo. Así pensábamos afrontar Italia '90.

Si hubiera soñado un superclásico,
no hubiera sido mejor que éste: abril
del '81, bajo la lluvia, 3 a 0 en La
Bombonera. Amo este gol, ahí ya
le amagué a Tarantini, Fillol ya había
quedado atrás y estoy definiendo.
Mi viejo estaba en la platea y yo
estaba feliz por él: en el único
superclásico que había visto antes
de ése, había ganado River.

Debuté en Boca en febrero del '81 y metí dos goles, contra Talleres de Córdoba. Mi romance con la gente de Boca había empezado mucho antes, así que cuando festejé el gol sentí que me abrazaba con cada uno de ellos. Por eso lo grité así.

Cuando pasé a Boca, teníamos un amistoso por semana. Y no acá a la vuelta, ¿eh? Ibamos a todas partes. Y así llegamos a Costa de Marfil, en Africa. Yo no lo podía creer: salieron a recibirme como cien mil pibitos y alguno de ellos me decía... ¡Pelusa! Mi apodo de Fiorito, pero en Africa. Después, en el partido, me cagaron a patadas, eso sí.

En el Napoli hice cualquier cosa... como esta jugada. No, en serio, mis años en Italia fueron espectaculares. Y logramos llevar al Napoli desde el descenso hasta la punta.

¿Alguna vez vieron bailar un tango arriba de una pelota? Acá lo tienen.

Cuando llegué a Italia, me enteré de que en la temporada anterior el Napoli se había salvado del descenso por un punto. Tal vez por eso nadie me creía cuando yo decía que íbamos a salir campeones. Lo logré en la temporada '86/'87, dos años después de haber llegado... La fiesta del San Paolo fue ésta, inolvidable.

Italia nos quedaba chica, por eso apuntamos a Europa. En el '89 le ganamos esta hermosa Copa UEFA al Stuttgart, de Alemania. El presidente Ferlaino me había prometido que, si conseguíamos ese título, me iba a vender al Marsella. No cumplió, como tantas otras veces. Igual, yo estaba feliz por los napolitanos, que ahora podían decir que también ganaban en el contintente. ¿Africanos? ¡Las pelotas!

Mi último título con el Napoli, la Supercopa italiana del 90. ¡5 a 1 le ganamos a la Juventus! Pero a mí ya me habían hecho la cruz en Italia, después de eliminarlos de su Mundial... Me la tenían jurada y se vengaron.

¡Uy, que lindo festejo! Con Antonio Careca nos entendíamos de memoria y tuvimos muchas oportunidades de gritar goles así. Goles importantes, ¿eh?, no cualquier gol.

La mano de Dios, je... Ni los fotógrafos pudieron ver qué pasó.
Y Shilton, que ahí salta con los ojos cerrados, se ofendió, no me invitó a su
partido de despedida. ¡Mirá como tiemblo, el partido despedida de un
arquero! Me gustó este gol, me gustó casi tanto como el otro. Sentí que le
estaba robando la billetera a los ingleses, justo después de Malvinas.

¡Cómo estaba en ese Mundial de Estados Unidos, por Dios!
Menos mal que hice este gol, menos mal. Por lo menos, dejé
un recuerdo: fue el último mío en una Copa del Mundo,
después de una pared espectacular con Redondo.

¿Qué más puedo decir
de este gol? Simplemente
esto: lo soñé, lo soñé
en Fiorito, lo soñé en
los potreros, cuando no
tenía ni zapatillas para
jugar... Y lo hice en
un Mundial, contra
los ingleses.
Arranqué allá atrás, en
la mitad de la cancha.
Y después encaré, encaré,
encaré. Y la metí.

El momento más sublime de mi carrera, el más sublime. Cuando estaba ahí, con la Copa del Mundo en las manos, sentía que tocaba el cielo. Que todos mis sueños se habían hecho realidad. Y también pensaba en lo felices que estarían todos los argentinos. Pese a todo lo digo, ¿eh? Porque aquélla fue una selección perseguida. Pero fue una selección mía, mía en todo sentido.

LA VENDETTA
Italia '90

*Eramos carne de cañón, éramos carne de cañón
porque habíamos sacado a Italia.*

Podía presentirlo, por todo lo que había sucedido en el '89, pero nunca imaginé que mi vida futbolística pasaría por todo lo que pasó en Italia durante 1990.

No había sido fácil mi regreso a Nápoles, después de la Copa América de Brasil y de mis vacaciones, prolongadas por una rebeldía anunciada. No había sido fácil: yo les había pedido que me vendieran, para cambiar de vida, y no lo habían hecho. Cuando hablo de cambiar de vida, quiero decir que necesitaba un respiro: un fútbol que no me exigiera tanto, una ciudad que no me agobiara. Yo siempre hablaba de una villa, de una villa... No me refería a Fiorito, claro, sino a una casa de esas con parque, con pileta, que en Nápoles no podía conseguir y en otros clubes de otros países, sí. No era tan difícil de entender, me parece, y los que no lo entendían, bueno, que le devuelvan la cara al perro.

No me quedaba otra que ponerme en marcha y, una vez más, sacaba fuerzas desde donde no tenía y también de la bronca —que sí tenía— para empezar de nuevo. A mi manera... Primero, tomándome mi tiempo, esos últimos meses del '89. Después, sí, lanzándome con todo, como si lo hiciera desde un tobogán, con esa fuerza, pero al revés, para arriba. Con Fernando Signorini al lado y un ritmo de entrenamiento que me permitió dos cosas: primero, conseguir el

161

segundo *scudetto* con el Napoli; segundo, llegar a Italia '90 en unas condiciones físicas que no tenía ni siquiera en México '86, con cuatro años menos. Obvio, ahora tenía cuatro años más y eso no era nada malo, sobre todo si la suma daba 29, ni viejo ni joven: experto.

Quizás por eso, porque no era uno más, me animé a llamarles la atención a todos por algo que había pasado en el sorteo del Mundial. No era que quisiera buscar roña, pero yo quería que me explicaran y que también les explicaran a todos lo que había pasado. Resulta que antes del sorteo habían dicho que, para evitar que Colombia y Uruguay cayeran en las zonas de la Argentina y de Brasil, que eran cabezas de serie, el primer europeo le tocaba a la Argentina y el primer sudamericano a Italia, ¿está claro? Bueno, la cosa es que salió Checoslovaquia y, en vez de caer con nosotros, terminó con los tanos. Y a nosotros nos enchufaron a la Unión Soviética. Pedí que me explicaran, nada más, y se armó un quilombo gigantesco... Eso lo dije antes del último amistoso del '89, que jugamos el 21 de diciembre contra Italia, en Cagliari. Empatamos 0 a 0, pero no fue lo más importante del viaje. Ni siquiera lo fueron mis declaraciones explosivas... Lo que más me sacudió —a mí y a todos los que fuimos del grupo, que se volvía a reunir después de la Copa América de Brasil— fue una visita que organizó el tordo Madero a un hospital (el Regional Microsisténico), donde había internados cuarenta pibitos enfermos de cáncer y leucemia. "Dios mío, qué chiquitos que somos ante tanto dolor", fue lo único que se me ocurrió decir.

La cosa es que en el arranque de aquel '90 inolvidable por muchas cosas, me invitaron, como tantas otras veces, a un programa de televisión. Al conductor se le ocurrió decirme: "Diego, faltan 106 días para el Mundial". Y yo le contesté: "¿106 días? Cuando falten 90, empezamos...".

La verdad es que a tres meses y tres días de la inauguración de la Copa del Mundo yo me arrastraba por culpa de mi problema en la cintura, al punto de que llegué a decir, después de un entrenamiento en Soccavo, el sábado 3 de marzo: "Sí, puedo correr, las infiltraciones en la cadera me hicieron bien; pero puedo correr como lo haría mi papá y en esas condiciones perjudicaría al equipo".

Me refería al Napoli, por supuesto. No jugué durante dos fechas y después, sí, arranqué con todo. A partir del domingo 11, cuando estuve contra el Lecce, no paré más, no paré más... Por culpa de las lesiones que no me dejaban entrenar, tenía de seis a ocho kilos por encima de mi peso ideal. Entonces empecé una dieta que me envió el doctor Herni Chenot, desde Merano. En pocos días, bajé entre cuatro y cinco kilos. Viajé a Roma para ver al profesor Antonio Dal Monte, director del Instituto de Ciencia Deportiva del CONI, que ya me había atendido antes de México '86 y que también había trabajado con el ciclista italiano Francesco Moser, que batió el record de velocidad en México. Durante un día entero me hizo todos los tests imaginables, usé todas sus máquinas, que eran espectaculares, y recién a la noche me subí a mi Mercedes Benz plateado y me volví a Nápoles, cansadísimo pero contento... A partir de ese momento, todos los lunes repetía el viaje.

En medio de esa preparación, jugué tres amistosos: contra Austria, contra Suiza y contra Israel, un clásico nuestro antes de cada Mundial: empatamos los dos primeros (1 a 1) y ganamos el segundo (2 a 1). El encuentro con los israelíes ya era nuestra cábala: había sido el último amistoso antes del Mundial que habíamos ganado y debía ser el último antes del que queríamos ganar.

De ese viaje tengo un recuerdo imborrable, más allá del fútbol y de las broncas: visité el Muro de los Lamentos, me arrodillé como uno más ante esa pared, pero terriblemente impresionado por los soldados armados que había alrededor... Terriblemente impresionado: no podía entender que en un lugar como ese se respirara tanto odio. Y, sí, también ahí me pidieron autógrafos: los firmé todos, con una kipá en la cabeza, que no me quedaba nada mal.

Si algo malo sentía, era una sensación interna: yo todavía no me sentía a punto, aunque seguía dándole duro al plan de Dal Monte y de Chenot. Pero lo peor era que no sentía bien al equipo, que nos faltaba algo... Para mí, nos faltaba un definidor y estaba convencido de que era Ramón Díaz. Pero no estaba en mis manos decidirlo. ¡Si Bilardo ni siquiera lo quería poner a Caniggia, que era mi pollo! Aunque en ese caso, sí, le di un ultimátum al Narigón: si lo sacaba a Caniggia, yo no jugaba en Italia '90.

163

Y otra cosa, todavía más grave, había pasado: Bilardo, al fin, lo había dejado afuera a Valdano. Entonces me descargué con todo: "Estoy triste porque lo de Jorge me llega en un momento muy especial, en el que estaba saliendo de un montón de cosas y procuraba alcanzar una serie de objetivos que me había propuesto y que solamente conocían Valdano, mi señora y muy poca gente más.

"Esto que hace Bilardo lo acepto, pero no lo comparto... Tuvo muchas oportunidades para decirle que se fuera de la Selección, pero de una mejor manera. Pudo hacerlo cuando se lesionó del tendón en Suiza, por ejemplo. Hasta le podía haber dicho que lo sacaba por viejo y que nosotros nos habíamos equivocado al pedirle que volviera al fútbol.

"No quiero contradecir a nadie, pero yo conocía a la perfección el estado físico de Jorge. Eso no lo pueden discutir ni Bilardo, ni Madero, ni el profesor Echevarría. Yo lo llevé a la clínica del doctor Dal Monte en Roma, donde pasó todos los controles del mundo ¿Que podía correr algún riesgo? ¿Y quién no? Nosotros arriesgamos siempre. Si me dicen que Valdano estaba un poco más predispuesto que otros por su larga inactividad, puede ser. Pero de haber estado mal no se hubiera recuperado desde Suiza hasta el día que lo dejaron afuera, en la forma que lo hizo. En la práctica del día anterior corrió más que todo el mundo; más que Sensini y Basualdo, lo que ya es mucho decir.

"Para mí no es un problema físico el motivo de la desafectación, sino que Carlos encontró otras variantes tácticas y eligió el peor momento para excluirlo. Con esta decisión no sólo mató a un jugador de fútbol, sino a una persona que le hacía muy bien al grupo. Y además, mató a otra persona que soy yo, por mi amistad con Valdano y porque junto con él, el Tata Brown y Giusti éramos los que manteníamos al grupo. Ahora, si me quedo solo, no sé qué podré hacer.

"Las pasé muy mal cuando me enteré de la decisión. Hasta estuve a punto de pedirle permiso para volverme a Nápoles... Por eso decidí hacer venir a mi señora con las nenas y mi suegra, para que me acompañen.

"Esto sirve para que los argentinos que dicen que yo traigo a mis amigos a la Selección se den cuenta de que mienten. Valdano es mi amigo... Yo fui y le dije que volviera, Carlos fue y lo sacó de la casa y hoy lo excluye.

"No hablé con Carlos ¿Para qué? Hubiera sido discutir sin sentido ¿Qué podía pasar? Si lo hacía volver iban a decir que yo lo había impuesto y la verdad es que yo jamás impuse nada. Además hubiera significado minimizar el valor de Valdano. Y eso sería imperdonable... Esto me hizo tan mal que no sé si voy a volver a ser el de siempre".

Eso lo dije de un tirón cuando volvíamos desde Tel Aviv a Roma, a instalarnos de una vez por todas en el centro de entrenamiento de la Roma, en Trigoria. Esa sería nuestra casa en el mes siguiente y, como en México, yo pretendía que lo fuera hasta el final, hasta la final. En mi habitación, que tenía un balcón lleno de flores que daba a las canchas de entrenamiento, yo tenía música siempre al mango: eran tiempos de la lambada, y mi amigo Antonio Careca me había regalado un cassette espectacular.

Trigoria era un lugar hermoso, la verdad. Ubicado en las afueras de Roma, para llegar había que recorrer un camino muy lindo, con curvas y contracurvas, subidas y bajadas, rodeado de árboles... Ideal para usar mis dos Ferrari, por ejemplo. Yo las había llevado a la concentración por aquello de que me quería sentir como en mi casa. Las tenía en el estacionamiento y, cuando Bilardo me daba permiso, salía a dar una vueltas: iba hasta el Grande Raccordo Annullare, una especie de autopista que rodea toda la ciudad, como si fuera la General Paz de Buenos Aires, y volvía... Era un placer: el de la velocidad y también el de sentirme dueño de disfrutar de algo que me había ganado. Eso le molestaba a alguna gente, decían que tenía privilegios, que era un indisciplinado... ¿Y qué? ¿El objetivo no era llegar bien? Bueno, eso, ese pequeño placer, a mí me ayudaba para llegar mejor: no jodía a nadie. Más importante que tener o no mis Ferrari en la concentración era que una gripe me había obligado a tomar antibióticos, y todo el trabajo de desintoxicación que había hecho, se pudrió un poco, pero de eso no hablaba nadie.

Además, todos decían: "La Selección depende de Maradona" o

"La Argentina va a ganar sólo si Diego está bien"; bueno, yo sentía eso como una responsabilidad hermosa y también que no tenía alternativas; por eso quería estar bien, para ganar... Porque a los 15 años yo era el pibe que tenía que demostrar si valía; a los 20, si era cierto; a los 25, si me podía mantener como el mejor del mundo; a los 29 —ahí, en Italia '90— a ver si fracaso o no... Para todo el mundo, para los demás, para muchos periodistas, para varios caretas, para otros que lo único que deberían hacer es devolverle la cara al perro, yo vivía rindiendo examen; para mí y para los míos, no... Así de sencillo: yo sabía muy bien lo que valía y por aquellos días decía, como si fuera el slogan de una propaganda para la tele: "La Copa del Mundo me la van a tener que arrancar de las manos".

Para que así fuera, me había comprado una máquina impresionante de entrenamiento en 60.000 dólares. Con Fernando instalamos el "ergómetro isocinético" en el fondo de uno de los gimnasios de Trigoria. Servía para evaluar mis condiciones físicas, en detalle, y controlarlas. A esa altura, ya concentrados, en los primeros días de junio, la usábamos para trabajos de elasticidad, estiramiento. Y la cinta, que desde aquella época me volvía loco, me encantaba. Además, el doctor Dal Monte me había mandado especialmente a una masajista, Mónica, que todos los días me dejaba como nuevo. Para el primer partido tenía previsto llegar en mi peso ideal: 75 kilos y medio. Eso sí: dentro de la dieta sí incluí un asado organizado por mi viejo, ahí en Trigoria. Una carne asada por don Diego no podía hacer mal, todo lo contrario. ¡Qué grande, el viejo! Ese día del asado le hicieron una nota, creo que para la Cadena Caracol, de Colombia. Y cuando le preguntaron por mí, contestó: *Yo le deseo que siga siendo como es. Y que sea feliz...* ¡Qué grande, don Diego!

Lo único que no me dejaba ser feliz del todo, en realidad, era un tontería: mi dedo gordo del pie derecho... Me han pasado cosas en el fútbol, pero ¡estar mal por un dedo gordo! ¡La única vez! Pasó que en los partidos previos contra Israel y contra Valencia, sobre todo me habían dado, casualmente, varios pisotones ahí, justo ahí... Y la uña me había quedado a la miseria. En los entrenamien-

166

tos sufría como un condenado: probé con infiltraciones, probé con algodones, probé con botines más grandes, pero no había forma.

En la práctica del jueves, cuando ya era 31 de mayo, no aguantaba más el dolor: era insoportable y tuve que salir. No podía entrenarme como yo quería. Al día siguiente volví a practicar y después de hacer un par de jugadas con Burru y meterle un gol a Goyco, me saqué los botines porque no aguantaba más del dolor. Enseguida se me vinieron los periodistas encima, un montón, y los paré en seco: "¡Por favor, ni se arrimen, no me toquen! Si alguno me roza el pie, ¡hago un desastre!". Tenía una calentura que volaba, tenía.... tenía miedo de perderme el Mundial, ésa era la verdad. El Loco Bilardo no dormía a la noche pensando en mi uña.

El domingo 3 de junio a la mañana me fui con el tordo Raúl Madero hasta Roma, al Instituto de Dal Monte. Ahí me pusieron la famosa férula para cuidarme la uña. Era como un caparazón. Estaba hecha de fibra de carbono, con un material duro y liviano, que se usaba en aeronáutica; por eso yo decía que estaba hecho un avión, *je, je...* A la tarde volví a practicar media hora. El invento funcionó bastante bien, el problema era que se me salía del lugar. Faltaba hacerle unos retoquecitos.

El lunes 4 volví a viajar a Roma con Signorini para poner a punto la uña. Me volvieron a colocar la férula que tenía como seis centímetros y me la sellaron con un plástico que después de un rato de fricción se adhería a la piel. A la tarde jugué sin problemas. Valdano, que tenía que estar jugando y no trabajando como periodista en ese Mundial, escribió en el diario *El País*, de España: *"No hay que preocuparse, el talento futbolístico más grande del mundo está guardado en un sitio perfecto: el cuerpo de Diego Armando Maradona. El depositario del tesoro —ese cofre de huesos, músculos y tendones que encierra incontables malicias futbolísticas— es en sí mismo una maravilla".*

El martes 5 volví a correr en la cinta para unos estudios que me hacía Signorini. El miércoles 6 a la tarde jugamos un picado a muerte, como me gusta a mí. Después, Bilardo nos llevó para el medio de la cancha y ahí dio la formación: Cani iba de suplente... Todos lo sabían, yo quería que él jugara de entrada, pero no dije una palabra ni tampoco me molestó; sabía que si entraba en el segundo tiempo, podía hacer un desastre. Le tenía una fe bárbara.

Igual, jugar con Balbo me daba placer: para mí, cualquiera que se pusiera la camiseta argentina tenía que responder con todo.

Yo sabía que iba a recibir muchos silbidos en Milán, eran mis archienemigos. Pero también había recibido una llamada desde Nápoles y ellos me pedían que no me preocupara, que los aplausos que iba a recibir en San Paolo, cuando nos tocara jugar allá, iban a tapar todo... Eso me emocionó mucho, porque yo sabía algo, mirando el cuadro de competencia: para una Italia ganadora, no había nada mejor que una Argentina eliminada.

El único problema nuestro es que, más que una concentración de un plantel, Trigoria parecía un hospital... Estábamos todos a la miseria: ya había quedado afuera Valdano, a último momento lo perdimos al Tata Brown, Giusti apenas si se podía mantener en pie, Ruggeri no podía más con una pubialgia, Burruchaga estaba entre algodones, el Vasco Olarticoechea lo mismo... Basta repasar los nombres para darse cuenta de que la columna vertebral estaba rota. No sé por qué, entonces, yo me tenía fe igual: tal vez porque creía que éramos un equipo y un grupo más potente que el del último Mundial. Otra vez, nadie confiaba en nosotros: los holandeses y los italianos hablaban demasiado, estaban convencidos de que ganaban ellos... Hasta los camerunenses decían que no les preocupaba Argentina.

El jueves 7, por fin, viajamos hasta Milán, para hacer el reconocimiento del campo en el Giuseppe Meazza. Entré, caminé hasta el centro de la cancha y me persigné. Después, fui hasta uno de los arcos y otro de los napolitanos de mi equipo, Tommasso Starace, me dio los botines que iba a estrenar al día siguiente... Yo ya tenía puesta la camiseta argentina, y no me la sacaría más. La combinaba con un jogging celeste, arremangado casi hasta las rodillas, como si fuera un pescador. Sabía que ahí la cosa no iba a pasar de putearme, aunque más que de hinchas, el lugar estaba lleno de una minas infernales: eran todas las modelos que al día siguiente iban a participar de la fiesta inaugural... ¡Parecía un desfile! Ahí, en la cancha, me encontré con Gianna Nannini, que era la hermana del piloto de Fórmula Uno, amigo mío. Ella también iba a participar de la fiesta, tenía que cantar el himno del Mundial, "Un estate italiana". Pero lo que a mí me llamó más la atención, en serio, era lo blando que estaba el piso. Enseguida me vino a la cabeza el recuerdo de Mar del Plata, en el Mundial '78, cuando los jugadores pateaban y junto con la pelota volaban los panes de césped.

A la nochecita bajé a la sala de conferencias. Ahí me esperaban todos los periodistas y Carlos Menem, que era el presidente argentino. El estaba de corbata y yo seguía con la camiseta argentina; a mí me parecía fenómeno, eso... Dejaba más claro todavía de qué se trataba eso de que el gobierno me nombrara "embajador deportivo itinerante": yo seguía siendo un jugador de fútbol y si mi país se hacía conocido era por la forma en que yo jugaba, nada más, nada de poder. Por eso dije, con el pasaporte diplomático y el diploma en la mano: "Quiero decirle gracias al señor presidente por este pasaporte. No tanto por mí, sino por mi mamá y mi papá, que deben estar muy orgullosos por esto. Gracias. Voy a representar y a defender a la Argentina... en la cancha". A algún periodista amigo se le ocurrió preguntarme, medio en joda...

—Diego, ¿ahora habrá que decirte Su Excelencia?

—¡No!, si yo soy siempre el mismo.

Llegaba la hora de la verdad, la hora de salir a la cancha. Al día siguiente, viernes 8 de junio, en el vestuario, en las entrañas del Meazza, mientras afuera todos vivían la fiesta y se volvían locos con las mujeres que desfilaban, yo sentí un ambiente raro. En la piel, en el alma. No sé, un silencio demasiado grande, demasiado frío... Miré algunas caras y las vi pálidas, como si estuvieran cansados antes de salir a jugar. Me planté en el centro del vestuario, tomé aire y pegué el grito, bien fuerte, desde las vísceras: "¡Vamos, arriba! ¡Vamos, carajo! Que esto es un Mundial y nosotros somos los campeones del mundo...". Tuve la sensación de que no había conmovido a todos y, como capitán, me sentí frustrado. Yo mismo, yo mismo les había dicho a todos que quien quisiera la Copa iba a tener que arrancarla de nuestras manos... Pero ahora sentía que no la teníamos tan agarrada.

Cuando salimos para la cancha, conmigo al frente, sentí una silbatina como pocas veces en mi carrera. Nos reventaban los oídos, pero a mí no me movía un pelo, al contrario: me daba más fuerza... Se sabe, jugar contra todo y contra todos era mi especialidad. Caminé unos pasos y busqué con la mirada el sector de la platea donde estaba mi familia y les tiré un beso.

Durante el himno, que casi no se escuchó por el abucheo de los italianos, traté de mantener la frente bien arriba y recorría la gente con la mirada. Después, cuando terminó, me volví a parar delante de la fila, delante de todos los jugadores, y volví a gritarles: "¡Vaaamos, carajo, vaaamos, ¿eh?". Pero más de uno clavó la mirada en el piso.

Desde que arrancó el partido se me plantó al lado un negro grandote, el número cuatro, Massing. Primero me saludó, me palmeó y después... ¡me cagó a patadas! A los dos minutos, le metí un pase a Balbo, pero Abel no pudo definir; después tuvimos una llegada de Ruggeri, otra de Burruchaga, una más de Balbo... pero no vacunábamos, no vacunábamos, teníamos menos definición que los televisores de Villa Fiorito. Mientras tanto, a mí, Massing me había saludado de una manera muy particular: ¡con una patada en el hombro!

Pero faltando poco menos de media hora, el partido se acabó para mí: cuando vi que Camerún nos hacía el gol, me fui de la cancha, estaba pero no estaba... No podía creer que se diera una derrota tan tonta, tan injusta, esa derrota por culpa nuestra. Y no lo decía por Pumpido, ¿eh?, que no había podido parar el cabezazo de Oman Biyik. Lo decía por todos los que habíamos jugado: Camerún no nos había ganado, habíamos perdido nosotros.

Estaba acostumbrado a que pasaran muchas cosas en el fútbol, pero aquella derrota me sorprendió y me dolió, de verdad. Camerún nos había pegado mucho, pero hablar de eso era poner excusas: en todo caso, era un problema de los árbitros, que seguían sin defender a los habilidosos. En el Mundial del Fair Play, empezaban cagándonos a patadas... Sigo pensando, hoy, que si hubiéramos acertado en la definición, ese partido terminaba en goleada para nosotros. Y también que si Caniggia hubiera estado desde el principio, la historia era otra, muy diferente.

Me tocó el control antidoping, por supuesto, ¿¡cómo no me iba a tocar el control antidoping a mí!? Después marché a la conferencia de prensa, a poner la caripela. Fui irónico, es cierto, pero creo que dije una gran verdad: "El único placer de esta tarde fue descubrir que, gracias a mí, los italianos de Milán dejaron de ser racistas: hoy, por primera vez, apoyaron a los africanos...". Fui el último en subirme al micro, media hora más tarde que los demás, y marchamos hacia el aeropuerto, para volar hasta Roma. En aquel pequeño trayecto no escuché nada, una sola voz, no volaba una mosca... Creo que estábamos todos muertos, muertos de vergüenza.

Nada nos salía bien, porque en el aeropuerto nos avisaron que teníamos que esperar: había tantos aviones privados en la pista, con presidentes, dirigentes y capos que habían presenciado el partido inaugural, que nuestro vuelo se retrasaba más de dos horas. Las aproveché para charlar con Claudia y, también, para recargar las pilas. En esas dos horas me cambió el ánimo, recuperé la motivación. Y cuando subí al avión, ya era otro.

Tan cambiado estaba, que lo paré en seco a Bilardo cuando vino con una historia increíble: *Muchachos, acá hay dos soluciones, después de esto... O llegamos a la final, o que se caiga el avión cuando volvemos para la Argentina.* ¡Bilardo y la concha de tu madre! ¡Que no se caiga el avión un carajo! Mejor... lleguemos hasta la final.

Todos nos veían afuera del Mundial, pero yo no. Se venía Unión Soviética, nuestro primer partido en Nápoles, donde íbamos a ser locales, ahí sí. Ahí no nos silbaron el himno, nos aplaudieron todos... Me acuerdo que viajamos desde Trigoria, el día anterior al partido, el miércoles 13, en nuestro bus oficial. Conocía muy bien ese trayecto, lo había hecho mil veces, para viajar hasta Fiumicino, o hasta la clínica de Dal Monte, o a tantas otras cosas. En el San Paolo, hasta un cartel de bienvenida había: "Bueno, llegamos a casa", les dije a los muchachos. Me sentí local, local, local... Escuchaba el *¡Die-có, Die-có!* de siempre, pero también, enseguida, el *¡Ar-yen-tina, Ar-yen-ti-na!* que me hacía sentir orgulloso, orgulloso de verdad. Igual, les mandé un mensaje: "Si mañana vienen todos los napolitanos a alentarme, a gritar por Argentina, me

171

verán realmente feliz... Pero quiero decirles que ya me han dado todo, no tengo derecho a exigirles nada".

La exigencia, en todo caso, era para nosotros mismos. Sin excusas, teníamos que levantar la puntería. No podíamos perder, con dos derrotas sí que nos quedábamos afuera, no teníamos salvación. El de ese jueves 14 era un partido de vida o muerte. Pero parece que en ese Mundial, el destino nos mataba de contraataque: a los 12 minutos, nada, cuando parecía que estábamos mejor plantados en la cancha, más tranquilos, la tragedia: chocaron el Vasco Olarticoechea y Pumpido y la pierna de Nery se quebró como si fuera de madera. ¡Que ruido, que dolor! Yo no lo podía creer: primero, mi dedo —que al lado de lo de Nery era una boludez—, después lo de Camerún, ahora esa desgracia. Entró el Vasco Goycochea y tratamos de seguir, shockeados como estábamos. Por suerte, Pedrito Troglio metió un cabezazo espectacular y pasamos a ganar.

Fue después de eso que tuve que jugar de arquero... No, en serio, quiero decir que ahí pegué otro manotazo histórico. Los rusos nos estaban apretando, nosotros estábamos todos metidos en el área nuestra, como le gustaba al Narigón cuando los otros tenían la pelota... Yo vi un ruso grandote que esperaba el centro y pegué el grito: "¡Agarren al seis, agarren al seis!". ¡Bum!, el tipo metió un cabezazo impresionante. "¡No llego, es gol!", pensé yo, y el palo me quedaba ahí nomás, y el referí me miraba, y... ¡tac! le metí el manotazo. Enseguida salí a apretar a buscar el rebote, y la revolié afuera.

Los rusos se le fueron encima al árbitro, pero yo lo había hipnotizado, ¡lo había hipnotizado! "¡Siga, siga!", dijo el tipo. Había sido todo un gran quilombo, porque yo no tenía que estar en ese palo... Después, Burruchaga aseguró el triunfo, con otro gol, y terminamos como pudimos, todos con la imagen de Pumpido llorando. El Tata Brown, que se había quedado con el equipo, lo acompañó hasta el hospital y después nos llamó para tranquilizarnos y nos hacía chistes, el pelotudo... Está bien, él nos quería aflojar, si ya no podíamos hacer nada por Nery, pobre; por eso el Tata nos decía: *Lo logré, muchachos. Me costó, pero lo logré. Al final no lo*

sacrifican... Los tanos ya tenían el bufoso en la mano para matar-
lo, pero lo discutí a muerte y gané. Y claro, cuando los tipos se en-
teraron de que había un camello (ése era el apodo de Pumpido)
con la pata quebrada, lo querían pasar a mejor vida, como a un
caballo. De algún lado teníamos que sacar una sonrisa, porque las
desgracias no paraban.

En el último entrenamiento antes del partido contra Rumania,
me golpié feo la rodilla izquierda. Cuando aparecí otra vez por Nápoles para ese partido, era otro tipo... Tengo una imagen grabada:
sentado en un sillón del hotel Paradiso, que era nuestro lugar de
concentración cuando viajábamos a Nápoles, abrazando a Claudia
con una mano y a mi rodilla con la otra, apretando una bolsa de
hielo... Me reía, sí, pero por no llorar: más que un Mundial, aquello parecía una carrera de obstáculos. Que jugáramos bien, con ese
panorama, era pedirnos demasiado; la cuestión era ganar, como
fuera. Mucho no pudimos hacer durante los primeros cuarenta y
cinco minutos de aquel partido, que se jugó el lunes 18 de junio.
Caminamos al vestuario como derrotados, no podíamos romper la
defensa de Rumania. Ahí, en ese lugar que tanto conocía, en las
entrañas del San Paolo, escuché de rebote que el tordo Madero le
decía a Bilardo que sería mejor sacarme: además de lo de la rodilla, me habían pegado un patadón tremendo en el tobillo izquierdo, que se me empezaba a hinchar. Salté como si no me doliera
nada, absolutamente nada: "¡¿Qué!? ¡¿Me quieren sacar!? Ni muerto,
ni muerto salgo de la cancha... Yo sigo, ¡yo-si-go!". Menos mal, en
el segundo tiempo metí un centro, por lo menos eso, y el Negro
Monzón, Pedro Damián Monzón, lindo pibe, la mandó adentro...
1 a 0 y a aguantar, a aguantar, hasta que no aguantamos más: nos
cabecearon dos veces en el área, cosa que no puede pasar nunca,
y Balint nos empató. Estábamos clasificados, sí, pero entrábamos
en los octavos de final por la ventana. Como mejores terceros,
apenas.

Me duché a los pedos y salí del vestuario con la camiseta de
siempre. No tenía ganas de hablar con nadie... Afuera nos esperaban siempre, era un rito, nuestros familiares, junto con algunos periodistas. Yo caminé por el playón de salida del San Paolo, por el

mismo por donde tenía que salir el micro, y me senté en el cordón. No quería hablar con nadie, ni con Claudia. Estaba recaliente. El Profe Echevarría me vio, se acercó y me tocó la cabeza, cariñoso como era. Yo le dije: "Tengo una bronca bárbara. Mejor no hablo, porque va a ser peor". Y él entendió todo. El entendió, como los demás debían entender, que no podíamos ser tan pichis, que no podíamos regalar el prestigio como si nada... Si hablaba en ese momento, tenía que hacer mierda a medio equipo. Y no era mi estilo. Como tampoco lo era decir: "Estoy conforme", porque era una hipocresía. ¡No estaba conforme un carajo! Mejor era que mi bronca fuera por dentro y que empezara a pensar, después, cuando ya hubiera digerido toda la amargura, en Brasil. Sí, en Brasil... Por salir terceros nos tocaba Brasil en los octavos de final. Además, empezábamos un baile de vuelos que yo conocía muy bien, porque si algo he hecho por la Selección en mi historia, eso es volar: ya teníamos que dejar Nápoles, nuestra casa, mi casa... Ahora empezábamos un recorrido por Italia que de turístico no tenía nada: para jugar contra Brasil, teníamos que viajar a Turín.

Al día siguiente, martes 19, lo llamé por teléfono a Guillermo Cóppola, que por cábala se había quedado en Buenos Aires. Lo llamé y le dije: "¡Que cábala ni cábala! Venite que no doy más". No daba más realmente y el clima en Trigoria se cortaba con una tijera... Yo me encerré en mi habitación, me acosté en la cama y, mirando el techo, me puse a repasar todo los que nos había sucedido. La gripe, primero, que volvió a intoxicar mi cuerpo con antibióticos. La salida de Valdano, que era el único hombre capaz de levantarme el ánimo con una sola palabra. La maldita uña de mi dedo gordo, insólita lesión que me quitó horas de entrenamiento. La derrota contra Camerún, increíble. Los golpes de los contrarios, que dejaban al descubierto la mentira del Fair Play. El capricho de Bilardo de no ponerlo a Caniggia de entrada. Y, al final, lo peor de todo: no podía creer ni quería aceptar que hubiera gente que se alegraba con mis derrotas, que las gozaba, que las... deseaba.

Entonces no aguanté más y me fui de la concentración. Agarré la Ferrari y desaparecí por unas horas, me fui al centro de Roma, salí a comer, salí... Necesitaba aire. Necesitaba vivir a mi manera:

si había hecho todo como me habían indicado y había perdido, ¿por qué no jugarme por la mía, por qué no? Ganar o perder, pero con mi estilo, sin traicionarme.

Por eso salí: me mandé a un restaurante del centro, acompañado por Guillermo, y me saqué el gusto de comerme tres *bruschettas* como entrada y un plato de *spaghetti*. Apenas me vio entrar, el dueño del restaurante mandó a cerrar la puerta, para que no pasara nadie más. Al ratito, empecé a ver un pibito, rubio, de ojos celestes, que se asomaba al vidrio. El guardia lo sacaba, y él volvía... Entonces lo mandé a Guillermo para preguntarle qué quería, porque me daba pena, aunque ya me lo imaginaba. Volvió Guillermo con un billete en la mano y el pedido: *Quiere que le firmes un autógrafo acá... Y que, como el domingo que viene es su cumpleaños, le regales un gol... Se llama Ariel, como el detergente, dijo, para que no te equivoques.* Le firmé el autógrafo, saqué un billete de 100.000 liras y se lo mandé, con un mensaje: "Además del gol, te voy a regalar el partido...". Un rato después, cuando terminamos de cenar, me despedí del dueño —*Sos un grande, pero lo serías más si jugaras en la Roma,* me dijo— y al salir me encontré con Ariel: "Auguri per il tuo compleanno y buena suerte", le dije.

El jueves 21 regresé a Trigoria unas horas antes de que se abrieran las puertas a la prensa. Ya no estaba el Tata Brown con el grupo, porque había regresado a Buenos Aires para acompañar a Pumpido y entonces el Profe Echevarría y Ruggeri trataban de hacer chistes, para levantar el ánimo... Ahora creo que hasta el más boludo se daba cuenta de que la cosa era forzada: estábamos golpeados, ¡estaba golpeado! Mi tobillo izquierdo era una pelota, eso era, una pelota de fútbol.

Signorini se acercó y me dijo: *Salí descalzo, así ven todos que no mentís.* Salí así, vestido con un buzo Adidas azul, un pantalón corto blanco y chancletas Puma. Me paré en un costado de la cancha a ver la práctica del resto y sentía los ojos de todos clavados en mi tobillo como puñales: todos parecían examinármelo. Cuando terminó el entrenamiento eran casi las ocho de la noche y me fui, rengueando, hasta la mitad de la cancha. Me tiré en el piso y empecé a hacer jueguito con la pelota sin usar la zurda para nada. Al ratito, estaba rodeado de periodistas. Yo sabía que iban a venir, los esperaba, en realidad: quería mandar un par de mensajes. Lo primero que me preguntaron fue si así iba a jugar contra Brasil y yo les contesté: "Así o enyesado, pero juego". Y después largué el discurso...

"Yo creo en los milagros, y nuestra victoria sería exactamente eso. Esto no debe sorprender a nadie. Pero ojo: muchos favoritos están muriendo en la cancha. Los soviéticos deberían estar en la segunda ronda, Brasil debió haberle hecho diez goles a Costa Rica. Italia veinte a Estados Unidos. Nada de eso pasó.

"Los que más me gustaron hasta ahora fueron Italia, Alemania y Brasil en ese orden...

"Los brasileños están mucho mejor que nosotros, eso lo saben también, pero si piensan que les regalaremos el partido, están muy equivocados. Y no es cierto que hayan dejado de jugar como saben, sólo se cubren un poco más.

"Será una sensación extraña, distinta, tener enfrente de mí a Careca y Alemão. Siempre estuvieron de mi lado. Voy a entrar a la cancha y le voy a dar un gran abrazo a Antonio, pero apenas suene el silbato trataré de ganarle con todo... No, no creo que el estilo de Lazzaroni lo perjudique algo; Careca es demasiado grande como para ser disminuido por un técnico.

"No encuentro respuesta a lo que nos pasa, aunque hace tiempo que me lo pregunto. Mi experiencia me dice que no podemos ser éstos, que nos tenemos que despertar de una vez por todas de este sueño profundo, de esta pesadilla en la que estamos todos. Todos, ¿eh?, no me excluyo ni quiero que me excluyan. Todavía no justificamos por qué estamos en Italia. Sí, sé que es fácil decirlo, pero hace falta cumplirlo. Ahora, lo único que veo como solución es correr, correr y correr. Y no olvidarse de jugar. Porque ahora, con esta moda del fútbol físico parece que nos olvidamos de que lo principal es la pelota. Si tengo que decir la verdad, Argentina no me ha gustado. Pero en ningún momento del Mundial, nunca. Si un partido con Brasil, que siempre debe ser una final, llega ya en octavos de final, es exclusivamente por culpa nuestra. Porque cometimos errores terribles contra Camerún, porque no fuimos capaces de presionar para ganarles a Rumania, porque no supimos mantener la ventaja que teníamos.

"Estoy preparado para los silbidos de Turín y para cualquier cosa. Ya hemos llegado al límite de la mala educación, se puso en duda mi lesión. Acá está, la pueden ver todos. Pero claro, prefieren hablar de que saqué una pelota con la mano contra la Unión Soviética y no del codazo de Murray, y de que mi lesión es inventada y no de que en el Mundial del Fair Play los camerunenses nos mataron a patadas todo el tiempo... A veces pienso que me buscan como culpable a toda costa".

El ambiente estaba denso. Troglio, en una actitud que todavía hoy admiro, porque habla de su personalidad, salió a defender a los pibes: *Basta de decir que Maradona está solo, que es un náufrago, que está abandonado en medio del desierto. Acá hay más jugadores, algo hemos hecho. Vamos a demostrar contra Brasil que nosotros existimos.* Me pareció bárbaro, en serio. Todos teníamos que poner algo, porque si no nos hundíamos. Yo, por ejemplo, me puse a practicar con la derecha: le daba y le daba a la pelota contra la pared, como cuando era pibe.

El sábado volamos a Torino. Nos instalamos en el hotel Jet, que estaba muy cerca del aeropuerto, y de allí mismo partimos hacia el estadio Delle Alpi. Yo, firme con mi camiseta argentina y mi vincha rosa y negra. La verdad, tan mal no me trataron. Aproveché, hice jueguito, y le empecé a pegar a la pelota: con derecha, con derecha, con derecha... hasta que le pegué con zurda y me dolió el alma.

Me quedé sentado en el área, charlando con Signorini: estaba preocupado, muy dolorido, pero igual iba a jugar; infiltrado hasta los huesos, pero iba a jugar. El diagnóstico médico me dolía también, sobre todo porque no lo entendía del todo: "Traumatismo directo muy fuerte que interesó el hueso peroné y afectó un tendón". Qué sé yo, para mí era un patadón con el que intentaron dejarme afuera: no pudieron, no podrían.

Esa misma noche lo llamé por teléfono a Careca; él era mi amigo, no tenía nada que ocultarle: le conté que mi tobillo era un desastre y que iba a jugar gracias a las inyecciones. ¡El era un cagón para eso! Y después le anuncié: "Antonio, mañana te saludo a la entrada, pero después... a muerte, ¿eh?". Y él, un fenómeno, me contestó: *Tudo bem, Diego. Ahora descansa, descansa...* Tenía razón el brasileño: el tobillo me dolía hasta para caminar desde la cama hasta el baño. El Negro Galíndez intentó hacerme un masaje y apenas me tocó, pegué semejante grito que casi volteo las paredes. Lo único que se me escuchaba decir era: "Me duele, me duele". Por suerte, había llegado Cóppola: aquello de la cábala estaba roto ya, me importaba más tenerlo a él bien cerca. El ambiente se había distendido un poco, no sé si porque la mayoría estaba resignada o por qué. En la noche previa al partido, hubo un casamiento en el hotel y la novia me regaló el ramo... No sé por qué, insisto, pero las risas habían reaparecido. Ni siquiera fueron borradas por una noticia: yo me enteré de que había 26 pasajes reservados para el día siguiente al partido, pero me juraron que eso no era una cuestión de falta de confianza, me dijeron que eso era un trámite de rutina en esta etapa del campeonato, donde el que perdía quedaba eliminado. Les creí, pero no era una sensación agradable: parecía que estábamos condenados de antemano.

En realidad, más de la mitad de aquel partido que se jugó el sábado 23 de junio... no fue un partido. Durante terribles 55 minutos nos cagaron a pelotazos: tiros en los palos, goles increíbles que se perdió Muller, atajadas de Goyco... Todo ese tiempo nos llevó hacernos fuertes atrás: eso lo había aprendido de los italianos, aguantar, aguantar y no perdonar apenas uno tiene la posibilidad del contraataque. Y aquella jugada fue un modelito de contraataque. Arrastré las marcas de Ricardo Rocha y Alemão, corriendo en diagonal hacia la derecha, mientras Caniggia se me mostraba por la izquierda. Le metí el pase con un derechazo, con Rocha colgado del cuello y antes de que me cerraran Mauro Galvão y Branco. Cani encaró a Taffarel y dio una lección de cómo se debe definir: lo gambeteó por afuera y tocó de zurda... ¡Un golazo! ¡Una alegría enorme! Y una sola tristeza: que los periodistas brasileños acusaran a Alemão por no haberme bajado, porque era compañero mío en el Napoli... ¡Un disparate! Yo lo sorprendí con el pique corto a Alemão, por eso no me agarró; si no, me hubiera bajado, sólo eso, bajado, sin tirarme a matar, porque es un buen tipo como para intentar algo así. Ese gol maravilloso destruyó anímicamente a Brasil, era imposible que nos dieran vuelta el partido.

En el vestuario fue tanta la alegría que hasta me olvidé del dolor en el tobillo. Me olvidé de todos los dolores. Y se demostró, también, que el equipo argentino no era yo solo: habíamos tenido una gran defensa, un medio campo que metió con todo y un Caniggia extraordinario para definir en el gol... Conmigo solo no le podíamos ganar a un equipazo como Brasil.

Después de eso, lo único que le pedía a Dios era que recuperara a todos los lesionados. Y ya queríamos todo: nos quedábamos conformes únicamente si ganábamos el título. Y tampoco queríamos ser favoritos, de golpe: ¿para qué, si siempre habíamos ganado peleando desde abajo? Le dedicamos el triunfo a Nery Pumpido y disfrutamos, después de mucho tiempo, disfrutamos. ·

Yo gocé, yo gocé muchísimo la eliminación de Brasil en el '90. Por Brasil, no por Careca y por Alemão, que eran dos tipos que convivían conmigo en el Napoli, que yo quería mucho y sabía que iban a sufrir... ¡No, por Brasil! Prefería que sufrieran ellos, mis amigos, y no mi país... Mi país, que goza ganarle a Brasil como no goza ningún otro triunfo futbolístico. ¡Y ojo que a ellos les pasa lo mismo, ¿eh?! Ellos disfrutan por ganarnos a nosotros más que a Holanda, a Alemania, a Italia, a cualquiera. Igual, igual que nosotros. Igual que yo. ¡Qué lindo es ganarle a Brasil!

No sé, ellos le vendieron al mundo que sólo Brasil puede hacer el jogo bonito, el juego bonito... ¡Las pelotas! El jogo bonito también lo podemos hacer nosotros, nada más que no lo sabemos vender. Para los brasileños todo está siempre tudo bem, tudo legal, y para nosotros cuando no es tudo bem, no es todo bien, y a la mierda. Frenamos a la gente y los vamos descartando, así somos, y no me parece mal. ¡Ojo! A mí me gusta la forma de ser del brasileño, me gusta... Pero al fútbol, ¡le quiero ganar, le quiero ganar a morir! Es Mi Rival, así, con mayúsculas.

En la cancha son jodidos, son jodidos, porque ellos no se traicionaron nunca. A pesar de que estuvieron veinte años sin ganar nada, no se traicionaron, nunca. Jamás. Eso sí: Brasil vuelve a salir campeón, en el '94, con el equipo más feo, ¡más feo!, ¡más feo para ver!, de toda su historia. El del '82, a ése, le hacía cinco goles, por lo menos... Pero el del '82 pecó de soberbio contra Italia, mientras Italia fue a los papeles, como siempre. Los tanos eran los maestros del contragolpe, gracias a ellos yo aprendí cuando jugué allá: dejarlos venir, dejarlos venir, dejarlos venir, hasta que la defensa se pusiera firme. Y ya sabíamos que cuando la defensa del Napoli se ponía firme, era la hora del contragolpe, estuviéramos en Alemania, en Holanda, en Rusia, donde carajo fuera: cuando salíamos, ¡era gol! Salíamos, dos toques, Careca, yo, ¡pum!, a cobrar... Y Brasil no se dio cuenta de eso en el '90, no se dio cuenta como no se había dado cuenta en el '82. En España lo cagó Italia, en Italia los cagamos nosotros, con esa jugada que armamos Caniggia y yo, que hoy está entre mis mejores recuerdos.

Nuestro viaje por Italia seguía, pero ahora con otro ánimo. De Turín fuimos a Roma y de Roma volamos a Florencia. El otro escalón era Yugoslavia, que jugaba bien: tenían a Prosinecki, a Stojkovic. La verdad, fue uno de nuestros mejores partidos en toda la copa del mundo, pero no la pudimos meter. Por suerte, ellos tampoco. Y fuimos a los penales, y empezó la historia de Goyco, de Sergio Goycochea. Arrancamos arriba nosotros, porque justamente Stojkovic erró su penal. Cuando me tocó a mí, teníamos la posibilidad de ponernos 3 a 1 en la serie; es decir, casi definirla, si lo metía, ya estábamos...

El arquero de ellos era Ivkovic y yo lo conocía muy bien: jugando con el Napoli, contra el Sporting de Lisboa, por la Copa UEFA, él me había jugado 100 dólares a que me atajaba el penal en la definición. "Trato hecho", le había contestado yo como un pelotudo, ¡y me lo atajó! Pero la serie siguió y al fin ganamos nosotros. Ahora lo tenía otra vez ahí, frente a mí. Le pegué, me salió una masita, ¡y me lo atajó! Alguna vez dije que lo había errado a propósito, por cábala, para que la historia terminara como aquella noche con el Napoli, pero... ¡las pelotas! Cuando me di vuelta, para volver hasta la mitad de la cancha y juntarme con el resto de los muchachos, muerto, ya venía caminando hacia el arco Goyco; chocamos las palmas arriba y él me dijo: *Quedate tranquilo, Diego, que yo voy a atajar dos*. Me lo dijo en serio, el Vasco, pero Savicevic se lo metió y, enseguida, para colmo, Troglio lo erró... Estábamos iguales cuando Goyco le atajó el primero a Brnovic y el segundo a Hadzibegic, tal como me lo había prometido. ¡Me le colgué del cuello, corrimos hasta el costado de la cancha, donde estaban nuestras mujeres, no lo podíamos creer! ¡Estábamos en las semifinales!

Y no era una semifinal más; nos tocaba Italia, ¡y en Nápoles! Cuando llegué a la conferencia de prensa, feliz, dije aquello que nunca me perdonarían, pero que era verdad: "Me disgusta que ahora todos les pidan a los napolitanos que sean italianos y que alienten a la Selección... Nápoles fue marginada por el resto de Italia. La han condenado al racismo más injusto". Yo no quería sublevar a los napolitanos contra Italia, para nada, pero estaba diciendo una verdad. Me acuerdo que Palumbella, Gennaro Montuori, el capo de la Curva B, salió públicamente a definir la posición de los hinchas y dijo: *Haremos fuerza para que gane Italia, pero respetando y aplaudiendo a los argentinos.* Para mí estaba todo bien, ¡si yo no pedía nada! Después de todo lo que habíamos vivido, que no nos silbaran ya era sentirnos locales.

Los que aprovecharon bien la historia fueron los diarios italianos: *"Ahora, Italia contra Maradona"*, decían. O: *"Querido Diego, nos vemos en tu casa"*. Querido, las pelotas, y lo de mi casa, en parte, era muy cierto...

De hecho, cuando salí a la cancha, el día del partido, el 3 de julio, lo primero que recibí fue un aplauso y pude leer todas las banderas: DIEGO EN LOS CORAZONES, ITALIA EN LOS CANTOS O MARADONA, NÁPOLES TE AMA, PERO ITALIA ES NUESTRA PATRIA. El Himno Nacional Argentino, por primera vez en toda la Copa del Mundo, fue aplaudido desde el principio hasta el fin; para mí, eso ya era una victoria... Sonreí, me emocioné, los saludé: era mi gente, los que me decían Diecó, los que me decían El Diego. Mi gente.

La verdad, pocas veces habíamos salido tan tranquilos a jugar un partido en todo el torneo. Tal vez porque acá sí que nadie nos daba como candidatos o quizás porque Italia era muy clarita tácticamente: sabíamos por dónde entrarle. Por eso no me preocupé cuando Totó Schillaci nos metió el primer gol. No me preocupé

181

nada, en serio. Me acerqué a Caniggia y le dije: "Tranquilo, Cani, seguimos igual".

Seguimos igual, pero empatamos cuando ellos mejor estaban jugando. Qué se le va a hacer, así éramos nosotros... Centro de Olarticoechea, peinada espectacular de Caniggia y a cobrar, a cobrar, viejo. Yo creo que, a esa altura, nada le daba más terror a un rival nuestro que llegar a los penales. Y como a nosotros no nos sobraba nada para seguir apretando —encima, lo habían rajado al Gringo Giusti—, trabajamos el resto del partido y el alargue para llegar a la definición, a esa definición en la que nosotros contábamos con el as de espadas, con el Vasco Goycochea.

Esta vez, yo no erré mi penal. Lo patié suave, como siempre, y fue gol. Gritos, ¿eh?, y no eran sólo de mi viejo, o de Claudia. Escuché gritos con cierto acento... napolitano, pero mejor dejarlo ahí. Mejor dejarlo todo en las manos del Vasco, que le sacó el primero a Donadoni, el segundo a Serena, y el... el milagro era una realidad. Corríamos como locos, nos abrazábamos. Camino al vestuario, metiéndome en el túnel que tanto conocía, levanté el brazo y saludé a la tribuna: me despidieron con un aplauso. Ya en la escalera, me apoyé en la pared y en el Profe Echevarría y me besé la camiseta: "¡Te quiero! ¡Te quiero!", le grité a mi camiseta, estrujándola con el puño.

Era tanta la felicidad en el vestuario, que no nos dábamos cuenta de nada. Ni siquiera de que por suspensiones nos quedábamos sin Olarticoechea, sin Batista, sin Giusti, ¡y sin Caniggia!, para la final. A Cani lo habían amonestado por una pelotudez, por una mano en la mitad de la cancha; es el día de hoy que pienso que no teníamos rival con él entre los once. El Gringo Giusti también estaba destrozado: sabía que nunca más se pondría la camiseta del Seleccionado.

Pero allí estábamos, felices como nadie, pese a todo. Nosotros, los zaparrastrosos, la banda, los lesionados, los perseguidos, habíamos llegado a la final, estábamos en el partido decisivo de un Mundial por segunda vez consecutiva... El equipo desastroso había conseguido lo que pocos, peleando desde abajo, como siempre. Como éramos nosotros. Y afuera quedaba, nada menos, Italia.

A partir de ese momento, Trigoria dejó de ser el paraíso y se convirtió en un infierno. El primer síntoma de que estábamos en guerra se dio el jueves 5, apenas dos días después del partido contra Italia: mi hermano Lalo salió a dar una vuelta con una de mis Ferrari por los alrededores de Trigoria, con Dalma y con Gianinna... Mi hermano tarado no es y no era capaz de andar a mil por hora con sus dos sobrinas en el auto, pero la policía los paró. Yo lo conozco a Lalo y puedo imaginarme en qué tono les dijo a los policías que no tenía los documentos encima, que el auto era mío, y que si volvían hasta la concentración, todo se aclararía. Volvieron a la concentración, sí, pero de mala manera... Y se armó el quilombo: Mario, el jefe de vigilancia, ya nos tenía ganas de hacía rato y se sumaron los custodios. Se les escapó la tortuga, la verdad, porque no imaginaron que iba a aparecer mi cuñado Gabriel, el Morsa Espósito: revolió un par de trompadas y desparramó a unos cuantos, pero sólo lo pudieron contener entre cuatro. Claro, ninguno de los tanos estaba al tanto de lo que yo decía siempre: "Por mí, el Morsa es capaz de matar o de... morir".

Al día siguiente de eso, viernes 6, me levanté de la cama, me asomé al balcón y... ¡me quería matar! ¡Lo que vi me puso loco, me sacó de las casillas! Bajé corriendo, fui hasta la puerta y les pedí a los custodios que abrieran el portón, que dejaran pasar a todos los periodistas que hacían guardia ahí: "Vengan, vengan a ver", les dije, y los tipos me seguían sin entender nada. Dimos la vuelta por detrás del edificio y entonces les señalé los tres mástiles... Todos levantaron la vista y pudieron observar lo que yo había descubierto cuando me asomé al balcón: en uno, flameaba la bandera de la Roma; en otro, la de Italia; y en el tercero... un retazo de la bandera argentina, todo deshilachado. Entonces, la conferencia de prensa la armé yo, a mi manera:

—¿¡Dónde está!? ¡Y después dicen que acá nos tratan bien! Desde el primer día que estamos luchando contra esta campaña absurda. Ayer a la tarde, la historia de mi hermano, hoy la bandera arrancada. Esto es algo que va más allá del fútbol, creo que tienen que intervenir las embajadas...

Los periodistas italianos me preguntaron enseguida:

—¿Y vos quién creés que la arrancó?

Me la dejaron picando:

—Aquí hay un montón de policías, es imposible que haya venido alguien de afuera. No, no... Tiene que haber sido alguno de acá adentro, de la Roma. Desde que llegamos que hay un clima hostil, en contra nuestra. Y yo se lo dije a Bilardo: "Nos equivocamos al elegir Trigoria como lugar de concentración". El presidente del club, Dino Viola nos tenía entre ceja y ceja; nos había prometido hacernos la vida imposible... y lo hizo: él había dado signos precisos de esa campaña contra nosotros, contra mí, con sus controles periódicos. Venía siempre a ver si estaban las sillas, si no habíamos roto los vasos, si el pasto estaba pisoteado o no. Nos ha tratado como a gitanos... Nosotros somos como todos los demás. Tenemos una casa y en nuestra casa hay platos y vasos. Si creen que somos indios, están equivocados... Están equivocados.

Lo peor es que todo aquello y lo que aún faltaba, nunca me lo perdonaron, nunca.

Eramos carne de cañón, éramos carne de cañón porque habíamos sacado a Italia. No nos iban a perdonar eso, les habíamos arruinado el negocio de la final contra Alemania. ¡Y para colmo antes habíamos volteado a Brasil! Sí, éramos carne de cañón...

Por el otro lado llegaba Alemania, que había hecho una campaña parejita, bien en su estilo. En la semifinal, ellos habían eliminado a Inglaterra, en Nápoles. Me acuerdo que el día que fuimos a reconocer el estadio, el Olímpico de Roma, el sábado 7 de julio, apareció Grondona y me comentó que tenía un mal presentimiento, que ya estábamos afuera. Yo me recalenté con Julio, no podía creer que me estuviera diciendo eso. Y después del partido la hizo peor, porque vino y me dijo: *Bueno, está bien, hicimos lo que pudimos.*

Nos habían robado el partido, el partido estaba digitado, ya. Y no era sólo eso: yo también había hablado de mis sospechas por el sorteo, me había peleado con Havelange, había reclamado que repartieran el dinero de los premios para las federaciones entre los jugadores. Demasiadas, demasiadas cosas para los poderosos.

Aquel partido contra Alemania fue una farsa. Desde el principio, ya. Desde el insulto irrespetuoso al Himno y más fuerte todavía cuando apareció mi imagen en la pantalla gigante. Yo sabía que todos me estaban viendo, sabía... Por eso les dije, bien clarito, para que me entendieran en cualquier idioma: "Hijos de puta, hijos de puta". Pero no lo grité, lo dije así, despacito, como si se lo estuviera diciendo a cada uno en el oído, dispuesto a pelearme a trompadas con todos, con el que viniera... Hijos de puta... Eso eran.

Allí estábamos plantados contra Alemania, otra vez, como cuatro años antes. De los campeones del mundo, en la cancha estábamos sólo Burruchaga, con el poco resto que le quedaba, Ruggeri arrastrándose y yo, igual. Habíamos perdido un montón de soldados en la guerra.

Ellos fueron superiores, sí, pero lo nuestro fue muy digno. Muy digno. De arranque nomás, Buchwald me pegó un patadón, como para hacerme sentir lo que iba a ser el partido. Y el árbitro no lo cobró, como no cobró ningún foul a nuestro favor durante veinticinco minutos. Cuando terminó el primer tiempo, me acerqué al mexicano y le rogué: "Cobre algo, por favor". Sí, cobró, lo echó al Negro Monzón después de un foul contra Jürgen Klinsmann. Y así se nos fue el partido, se nos fue: de los campeones del mundo, en la cancha quedé sólo yo. Ya éramos retazos de lo que había sido un equipo.

Le había prometido a mi hija Dalma que volvería con la Copa del Mundo, pero ahora tenía que explicarle algo mucho más difícil, feo y doloroso; que en el fútbol, en nuestro fútbol, había mafia... Pero no una mafia que mata, sino una mafia que es capaz de cobrar un penal que no existe y no dar uno que sí fue. Eso pasó con Alemania y con la Argentina, para que quede claro: ese señor Edgardo Codesal, árbitro mexicano, mandado vaya uno a saber por quién, creyó ver cómo Sensini volteaba a Völler pero jamás vio cómo Matthäus lo bajaba a Calderón, justo en la jugada anterior... Eso le tuve que explicar a mi hija, aunque era imposible que lo entendiera.

Y al final del partido lloré, sí, sin vergüenza. ¿Por qué tenía que ocultar mis lágrimas si era lo que sentía? Bilardo lo mandó a Goycochea para que me cubriera, para que no me vieran llorar, ¡¿por qué?! Me dio mucha tristeza que la gente no las entendiera, que las siguiera silbando cuando mi imagen aparecía en la pantalla gigante. ¿Qué pretendían? ¿Pisarme en el suelo, patearme? Ya me habían ganado, ya estaba. Pero no me sorprendió tampoco: así me trataron siempre en Roma y en Milán. Después, no lo quise saludar a Havelange porque me sentía robado y sentía que él tenía algo que ver con eso. Y no quise festejar tampoco el segundo puesto porque, para mí, no servía para nada.

Sabía, estaba convencido, que mi vida cambiaría después de todo aquello. Debía volver a Italia, necesitaba hacerlo para buscar una revancha y para demostrar quién era, pero nunca imaginé que iba a vivir todo lo que viví a partir del Mundial '90.

Fueron meses terribles, que incluyeron mi separación de Guillermo Cóppola, encima. Volví a Buenos Aires en octubre y firmé todos los papeles. Mi nuevo representante pasaba a ser otro hombre del grupo, Juan Marcos Franchi. Entonces, además de esa noticia, di otra: "Sí, no voy a jugar más en la Selección, es una decisión tomada y pensada. Me duele en el alma, dejo la capitanía de un equipo que amo, pero me obligaron a esto. Me mintieron, me dejaron mal parado. Resulta que vino João Havelange a la Argentina y lo recibieron como al mejor, como si no hubiera pasado nada. Pero, ¿se olvidaron todos ya del Mundial? ¿Se olvidaron de la gente que nos recibió en la Argentina gritándonos 'Héroes' y que habíamos sido robados? ¡Por favor! Me parece que se les escapó la tortuga... Encima, Julio Grondona le mandó una carta al presidente de la Roma, Viola, agradeciéndole el trato recibido y qué sé yo. O sea que yo, Ruggeri, Giusti, Brown, somos boludos, idiotas, ni registraron lo mal que nos trataron allá. Aparte, Grondona es vicepresidente de la FIFA, nos robaron la final y no fue capaz de mover un dedo... No, con todo el dolor del alma, porque amo ser capitán de la Selección Argentina, la dejo". Eso lo dije el jueves 11 de octubre de 1990 y me salió del corazón.

Pero, la verdad, con un dolor tremendo. Por eso empezaron unas idas y vueltas terribles para mí y, creo, para la gente. Pero peor para mí. Porque muchos decían —y dicen, todavía—: *Uy, mi-*

rá a este incoherente de mierda. Y yo puedo ser incoherente, sí, pero pasa que digo lo que siento... Y en cuestiones como éstas, con el Seleccionado de por medio, había mucho sentimiento en juego. Por eso en aquella Navidad declaré que yo no quería perder la capitanía del Seleccionado por nada del mundo, y menos de quince días después repetí que, para mí, la Selección era sólo un recuerdo hermoso. Así estaba, iba y venía, hasta que llegó una semana decisiva, terrible para mi carrera y para mi vida.

Todo empezó el martes 12 de marzo de 1991. El Coco Basile, nuevo entrenador del Seleccionado en el lugar de Bilardo, se había portado como un señor en toda esta historia. Siempre decía, públicamente: "La camiseta número diez es de él, lo está esperando, pero yo quiero darle tiempo, es un hombre con muchas presiones". Lo llamó a mi representante, a Marcos, para tener una reunión en Ezeiza y allí, en el nuevo centro de concentración que se había armado para los Seleccionados nacionales —algo por lo que habíamos peleado durante tantos años—, se dio el encuentro. Marcos me contó lo que le dijo Basile y para mí fueron palabras mágicas, las que yo quería escuchar: *Me gustaría encontrarme con Diego, charlar con él... Pero antes que nada y sobre todas las cosas, estar junto con él como ser humano, ayudarlo en este momento que está viviendo.* Para mí, que por aquellos tiempos estaba agobiado por juicios varios, por agravios permanentes de los italianos, aquello fue como una mano en la espalda, como un abrazo. Y le prometió una respuesta a la altura de él; si es que podía, porque el Coco mide como dos metros...

El domingo 17, con el Napoli, recibimos al Bari en el San Paolo: un partido más en un campeonato en el que veníamos peleando desde más abajo. Ganamos 1 a 0, con gol de Zolita, Gianfranco Zola. El era mi reemplazante, habitualmente, y aquel domingo jugamos juntos... Ni nos imaginábamos, ni nosotros dos ni nadie, que sería una de las últimas oportunidades. Me tocó el control antidoping y... la vendetta se cumplió. La venganza estaba escrita y al fin llegó. Yo le llamo el doping de Antonio Matarrese.

Gracias a Dios, hoy estamos al borde de descubrir a los farsantes, a los que nunca patearon una pelota y siempre engañaron a la gente. Porque el laboratorio donde se hicieron los análisis está bajo sospecha, y no precisamente por mi caso. Por mi caso, los italianos no lo hubieran investigado jamás... Ese doping era la venganza, la vendetta contra mí, porque la Argentina había eliminado a Italia y ellos habían perdido muchos millones.

Después de aquel partido en Nápoles, Matarrese, que era presidente de la Federcalcio y es un dirigente nacido en Bari, no me miró con bronca, ni con amargura; me miró como miran los mafiosos... Y yo pensé, en ese mismo momento: "Qué difícil va a ser seguir viviendo acá".

Solamente los ignorantes eran capaces de denunciar que yo sacaba ventajas con lo que tomaba. Si yo me dañaba, era a nivel personal, y eso no me servía para hacer goles o tirar caños. Pero por suerte, el Barba (Dios) está ahí arriba, mirando todo, y empujó a alguien a decir la verdad, a alguien que trabajaba en aquel laboratorio, para que se sepa que detrás de todo esto hay una mano negra... Mi abogado en Italia está llevando adelante una causa y ya se sabrá la verdad.

Mientras tanto, aquel domingo 24 de marzo de 1991, sin saberlo todavía que lo era, jugué mi último partido en el Napoli: en Génova, perdimos 4 a 1 con la Sampdoria, que sería el campeón... Yo hice el único gol, de penal. El gol más triste de mi vida.

Mi regreso al Seleccionado se postergaba, entonces. Me perdía regresar contra Brasil, pero el destino también me tendría preparada una sorpresa en cuanto a eso. El reencuentro sería de la mano del Coco Basile, una vez más, pero sólo ¡dos años y medio después! La Federcalcio me había tirado por la cabeza con quince meses de suspensión, quince meses duros e inolvidables, en los que pensé de todo. De todo, menos que volvería como volví.

EL DOLOR
Estados Unidos '94

Insisto, hoy:
me cortaron las piernas.

La verdad, la única verdad del Mundial '94, es que se equivoca Daniel Cerrini pero lo asumo yo, ésa es la única verdad... Nadie me había prometido nada, como se dijo por ahí, que la FIFA me había dejado el camino libre para hacer lo que quisiera y después me engañaron con el control antidoping, ¡no, eso es una mentira enorme!

Lo único que le pedí a Grondona, después, cuando todo pasó, fue que tuvieran en cuenta de que no había intentado sacar ventajas, que me dejaran seguir, que me dejaran terminar mi último Mundial. Que hicieran lo mismo que habían hecho con el español Calderé en México, por favor se lo pedí... No hubo forma: me dieron un año y medio por la cabeza, un año y medio por tomar —sin saberlo— efedrina, lo mismo que toman los beisbolistas, los basquetbolistas, los jugadores de fútbol americano en Estados Unidos, justo ahí donde estábamos... Y lo peor es que yo ni me había enterado de que usé efedrina: yo jugué con mi alma, con mi corazón. Todo el mundo futbolístico sabía que para correr no hacía falta la efedrina, ¡todo el mundo!

Yo llegué al Mundial limpio como nunca, como nunca... Porque sabía que era la última oportunidad de decirle a mis hijas: "Soy un jugador de fútbol, y si ustedes no me vieron, me van a ver acá". Por eso, por eso y no por otra cosa, no por alguna gilada que se dijo por ahí, grité el gol contra Grecia como lo grité. ¡No necesitaba droga para tomarme revancha y para gritarle al mundo mi felicidad! Y por eso

189

lloré, y voy a seguir llorando: porque éramos campeones mundiales y nos quitaron el sueño.

En realidad, esta historia mía en el Mundial de los Estados Unidos, que termina como termina, había empezado para mí mucho antes.

En febrero nos reencontramos, al fin, con el Coco Basile. El me había convocado un mes antes, el 13 de enero, y por supuesto, me tuve que pelear con el presidente de turno para que me dejaran viajar: en este caso era Luis Cuervas, del Sevilla, que de golpe se había puesto en no sé qué, en importante, el cabeza de termo. Yo la corté muy fácil: "Lo que este hombre quiere hacer es joder", le dije que le devolviera la cara al perro, y me subí al avión. Se venían dos partidos amistosos, pero por algo: primero, contra Brasil, para festejar el centenario de la AFA; después, contra Dinamarca, por la Copa Artemio Franchi, que enfrenta al campeón de América y al campeón de Europa. Yo había visto de afuera la del '91, que se jugó en Chile, por la sanción. Lo digo: pocas cosas son tan dolorosas como ésas, uno se siente preso; otra cosa es que te elijan o no, pero no poder ni siquiera estar en carrera, no se compara con nada.

La cosa es que yo llegué a Buenos Aires, fui por primera vez en mi vida al nuevo complejo de concentración de la AFA, en Ezeiza, y se armó un revuelo bárbaro. Se suponía que yo tenía que dar un montón de explicaciones. Fui muy concretito, para que no quedaran dudas: "Primero y principal quiero agradecerle a Basile por la convocatoria. Es la vuelta a mi casa. Aunque estuve dos años y medio sin vestir la celeste y blanca siempre me sentí jugador de la Selección. Sé que me quedan pocos años de fútbol y no desaprovecharé esta oportunidad".

La cosa es que había muchos temas... espinosos, dando vueltas por ahí. Por ejemplo, la capitanía. Ya habíamos tenido un par de cruces con el Cabezón Ruggeri, así que le pasé la pelota a él y dije que, cuando nos encontráramos, que él decidiera qué hacer... A mí, la verdad, lo que me fascinaba era volver a ponerme la diez después del maldito partido contra Alemania en Roma, dos años y medio atrás, y me ilusionaba jugar con esos monstruitos que empezaban a explotar, Caniggia y Batistuta adelante mío, Simeone atrás. Ese equipo llevaba ya 22 partidos invicto, desde que el Coco había asumido, y la gente lo quería, lo seguía. Para mí, después de tantos sufrimientos con Bilardo, era una experiencia totalmente nueva. Quería salir a ganar, a ganar todo, hasta los entrenamientos.

Lo que me gané, y eso es uno de los más grandes orgullos de mi vida como futbolista, es el reconocimiento de la AFA, que me eligió como el mejor futbolista argentino de todos los tiempos. Estaba fascinado, ¿cómo no? Pero al mismo tiempo me daba vergüenza dejar atrás a nombres como Moreno, Di Stéfano, Pedernera, Kempes, Bochini. Que sé yo, lo deseaba tanto y al mismo tiempo me daba tanta vergüenza... Después, muchos años después, en el 2000, me eligieron el deportista del siglo en la Argentina, algo enorme también... Difícil comparar una cosa con otra, mejor decir gracias, gracias por hacer felices a los míos, más que a mí, y nada más.

Al día siguiente, por fin, llegó el momento de salir a la cancha.

Aquel jueves 18 de febrero de 1993, con la cinta de capitán que Ruggeri me había devuelto, volví a pisar el césped del Monumental repleto, con la camiseta del Seleccionado. Empatamos 1 a 1, al fin, la rompieron Simeone y Mancuso, que hizo el gol, y yo terminé pegándole una patada al aire, al final, porque noté que a la gente —y a mí— nos faltaba algo... No sé, no habíamos dado todo.

Encima, al otro día, salió a la calle una de las tantas estupideces que se generaban alrededor mío. En este caso era ¡la Diegodependencia! ¿¡Qué carajo era la Diegodependencia!? Que el equipo había alterado su juego por mí, que me necesitaba demasiado, que me buscaban mucho... Pero, ¿¡qué carajo querían!? Que hubiera nacido en Río de Janeiro o en Berlín, así no tenían este... problema. ¡Por favor! Eran cosas que me sacaban de quicio.

Me volví a Sevilla para jugar contra el Logroñés y encontré un clima denso, pesado. Todo me hacía acordar a mis tiempos de viajes Nápoles-Buenos Aires para jugar allá, para jugar acá, con el club una vez, con la Selección otra. Con 32 pirulos, de más está decir que mi prioridad a esa altura era el Seleccionado. Así que salí a la cancha, perdimos con el Logroñés y me preparé para volver a la Argentina... Ahí sí que los dirigentes no querían saber nada. Nos anunciaron al Cholo y a mí que, si volvíamos a viajar, nos iban a sancionar. Y Bilardo, que era el técnico, no sabía dónde meterse. Sólo se animó a decirme: "Estás para noventa minutos, no más". El 27 de febrero, cuando terminó el partido contra Dinamarca, en Mar del Plata, después de los noventa, el alargue y los penales, yo festejaba con la Copa Artemio Franchi en la mano y nadie entendía lo que yo quería decir: "¡El Narigón se equivocó, el Narigón se equivocó!", cantaba. Habíamos ganado por penales, otra vez había escuchado al Vasco Goycochea decirme: *Quedate tranquilo, que atajo dos*, como en Italia '90, yo metí el mío y festejamos, ¡cómo festejamos!

Para mí, no era una Copa más. Por eso declaré: "Saco una cosa en limpio de todo esto: con 32 años, todavía puedo jugar tres partidos en diez días. Coco me da libertad para moverme por toda la cancha y por todo el frente de ataque. Me siento cómodo lanzando pelotazos a Caniggia y Batistuta, es divertido ver cómo corren y se cruzan. Me encanta poner pelotitas ahí, para que definan. Yo siempre creí en mí: lo que pasa es que en el fútbol hay que demostrar algo todos los días; superé un buen examen y voy a seguir, no me quedo con estos dos partidos, nada más".

¡Cómo iba a imaginar yo que, por mucho tiempo, serían esos dos partidos, nada más! Debí de habérmelo imaginado cuando volví a Sevilla y el quilombo era infernal: nos sancionaron, nos hicieron firmar un papel donde decía que le pedíamos disculpas al club y... ya todo cambió. Me lesioné, me pelié, de todo. El Coco me puso igual en la lista de buena fe para la Copa América, pero él y yo sabíamos que, si llegaba, era por un milagro... Los andaluces me volvían loco. La cosa se fue degenerando, empiojando, hasta estallar en mi pelea con Bilardo. Eso fue el domingo 13 de junio y ahí mismo se acabó mi historia con el Sevilla.

Cinco días después la Selección debutaba contra Bolivia, en Guayaquil, por la Copa América. Sin mí, por supuesto. La ganaron y, como era lógico, el mismo grupo tuvo continuidad en las eliminatorias para el Mundial de Estados Unidos '94. Yo había vuelto a la Argentina, seguía todos los partidos, pero más los de Uruguay. Igual, como amante de la Selección que era, opinaba. Fue entonces que dije aquello que armó tanto quilombo: "Basile se emborrachó con dos Copas América, defraudó a una persona que dio la vida por el Seleccionado y él es el que mejor lo sabe... Si me llama, no voy ni a palos". Eso lo dije, recaliente, el martes 3 de agosto, dos días después del triunfo argentino contra Perú, en Lima, justo cuando arrancaron las eliminatorias. Yo no tenía problemas con el Coco Basile, ¿eh? Él creía en su bloque, en el que le había dado una punta de partidos invicto, y se la jugó por ellos... Lo que a mí me jodía, era que sentía que me habían usado con aquellos dos partidos, contra Brasil y contra Dinamarca. La vuelta de Maradona, toda esa historia, y después no volvieron a salir al balcón. Se le escapó la tortuga al Coco, en aquellos días, tuvo que reconocerlo. Por ahí parecía caprichoso lo mío, pero resulta que cuando me meten a la Selección en el medio... me pongo loco.

Poco tiempo después de eso, empezaron las negociaciones para que yo volviera a jugar en la Argentina: podía ser Boca, podía ser San Lorenzo, podía ser Belgrano de Córdoba, podía ser Argentinos, casi nadie pensaba en Newell's. Mientras tanto, yo era un hincha más del Seleccionado, eso era y nada más.

Exactamente el 5 de septiembre de 1993 yo fui a la cancha, al gallinero, al Monumental, como un hincha más. Con mi camiseta número diez, sí, pero a ver Argentina-Colombia desde la platea. Me fui caminando desde mi casa, en Correa y Libertador, con mi viejo, con mi cuñado el Morsa, con la Claudia, con Marcos Franchi. Era un paseo más: Argentina le llevaba un punto a Colombia, ganando uno a cero nomás, la cosa estaba, la cosa estaba, no se nos podía escapar la tortuga. Pero empezaron a llegar los goles de ellos, uno atrás del otro, hasta llegar a cinco, y yo no lo podía creer, ¡no lo podía creer! Me dolía mucho, me dolía en el alma... Y cuando la gente empezó a gritar ¡*Colombia, Colombia!*, los mismos argentinos, me quise matar. ¡Me jodió, me dolió muchísimo! Y me volví a mi casa llorando, esas diez cuadras llorando... Yo lloraba y la gente me decía: ¡*Volvé, Diego; volvé, Diego!* ¡Y yo no había ido a la cancha para que me pidieran que volviera, viejo!

El estadio gritaba ¡*Maradooó, Maradooó!*, pero para mí era como si me estuvieran insultando. Yo lloraba porque el fútbol argentino, ¡el fútbol argentino!, había perdido 5 a 0 y eso era un retroceso muy grande, y casi nos dejaba afuera del Mundial. Porque lo que valía ahí era el resultado, la estadística: no era una Colombia irresistible, no lo era hasta el punto que ese resultado fue su certificado de defunción: pensaron que con ese triunfo estaban en la historia y lo cierto es que nunca más repitieron nada parecido, al contrario.

Yo me fui muerto de la cancha, ¡muerto!, porque esa del Coco Alfio Basile era una Selección creíble, una Selección querible. Por algo la gente había llenado la cancha: había ido, como yo, a una fiesta, a un nuevo galardón, a festejar que estábamos en el Mundial... Y nos quedamos ahí, colgaditos de un hilo.

Ese hilo que yo digo era la chance que todavía quedaba para clasificarse, jugar contra Australia. Yo no sabía, de verdad, si quería aprovechar esa chance; lo que quería, seguro, era que la tuvieran los muchachos, que tuvieran la revancha. Pero, ¿qué pasó? Que me pidieron que volviera el mismo Basile y hasta los muchachos. De la gente ni hablar, ellos me ponían con los ojos cerrados... Por eso acepté: porque era un desafío para todo el fútbol argentino, pegar un salto hacia delante después de semejante paso atrás como había sido la goleada colombiana. Me puse entre ceja y ceja que tenía que volver... y volví. Encima, cuatro días después de aquella goleada, el 9 de septiembre, me convertí oficialmente en jugador de Newell's. Para mí, eso fue como volver a vivir.

Yo ya había empezado otra de mis clásicas recuperaciones. Esta vez, con un método chino, que me había permitido adelgazar 11 kilos en una semana. Había contratado a Daniel Cerrini como preparador físico personal y nos habíamos puesto como meta superar mi nivel físico de México '86. El también manejaba mi dieta, para darle continuidad a todo lo que nos había preparado el chino y le pedía, cada tanto, un poquito de calma. ¡Llegamos a entrenarnos en triple turno! Claro, él era pura polenta, una bestia: y tomaba confianza porque me veía muy enchufado... Yo la tenía clara, ¿eh?: eran mis últimos años de carrera y los quería hacer de la mejor manera.

Yo sabía que el Coco me quería, pero no se animaba a dar el paso. Estaban los que le llenaban la cabeza, también; que yo le iba a desarmar el grupo, que esto, que lo otro... Entonces le mandé un mensaje, a través de los medios: "Con el Coco nunca nos distanciamos, somos calentones y ya aclaramos las cosas que no nos gustan de cada uno. Ahora debo mejorar futbolísticamente para volver al Seleccionado", declaré el 23 de septiembre. Dos días después, nos encontramos.

El Coco me pidió oficialmente que volviera al Seleccionado en una reunión en la oficina de su representante, Norberto Recassens, que duró dos horas. Estaba el Profe Echevarría también, que ya había hablado varias veces conmigo y sabía mejor que nadie que yo estaba dispuesto a cualquier sacrificio. Coco me lo oficializó, me lo pidió como técnico, y yo le dije que sí.

La idea me entusiasmaba, fundamentalmente, por el hecho de que mi país no se quedara afuera del Mundial. Pero me entusiasmaba que la Selección fuera a Estados Unidos nomás, no necesariamente conmigo. Después se fueron dando las cosas, sí, porque los muchachos me empezaron a entender, a darse cuenta de cómo era yo... ¡Eran todos nuevitos! Habían ganado dos Copas América, pero no era, ¡no era la gran, gran Selección!

El grupo que yo encontré, apenas entré, estaba roto, quebrado. Mi primer trabajo fue dejar las cosas en claro con el Cabezón Ruggeri. Yo había dicho aquello del equipo, alguna vez, y él había salido a decir que yo no tenía que hablar, que había roto códigos. Yo le contesté... livianito: "Oscar Ruggeri ni siquiera me da bronca, me da pena, porque dice algunas pavadas y me parece tonto que entre hombres grandes se digan esas cosas". Bueno, nos encerramos en una pieza, entonces, y nos dijimos de todo. Nos peleamos, sí, no a las piñas pero nos peleamos. Ya todos saben que yo tengo la mano prohibida, *je*... Pero le hice entender que por más capitán momentáneo que fuera, él no podía impedirme a mí, por mi historia, por todo lo que yo había hecho, opinar del Seleccionado. Lo entendió.

Después de eso, me reuní con Redondo. El, cuando había renunciado la primera vez al Seleccionado por... ¡razones de estudio!, había aparecido en una foto de *El Gráfico* con los libros debajo del brazo, delante de la facultad. Le dije, le grité: "¡Mirá, para mí, los que se meten los libros abajo del brazo y me hacen quedar como un ignorante, son unos hijos de puta, ¿entendés?!". Y él me contestó: *Yo no lo hice con ese sentido, disculpame, Diego, no lo tomes a mal...* Y yo seguía: "A mí, la única que puede decirme que soy un ignorante es mi hija, no vos... Vos sos caca para mí". Le dije de todo. Y el pibe reaccionó bien, porque tiene su personalidad, tiene sus cosas. El me relató, uno por uno, sus porqués. "A mí me podés dar todos los porqués del mundo, pero a mí nadie me deja como un ignorante. Porque después agarraste la plata y te fuiste a jugar a España, ¿no?, con esa historia de que a vos y a Rudman se olvidaron de mandarles los telegramas de renovación de contrato con Argentinos".

Yo estaba dispuesto a pelearlo y él también, igual que con Ruggeri... Pero a la hora de defender a la Selección, ninguno de los dos, ni Ruggeri ni Redondo, tenían los huevos suficientes como para hacerme frente.

La cosa era que la gran preocupación del equipo era si hablaban con Víctor Hugo Morales o no, si le daban notas a *El Gráfico* o no... Yo les dije: "¡Déjense de joder, vamos a hablar con todo el mundo y también vamos a jugar, que tenemos que clasificar al Seleccionado para el Mundial de Estados Unidos!". Y lo clasificamos, cagando pero lo clasificamos.

Fue en Australia, donde, por esas cosas de los poderosos del fútbol, no hubo control antidoping. ¿Por qué no hubo? Y qué sé yo, eso deberían responderlo Havelange, Blatter, Grondona, ellos. Por ahí se asustaron, se imaginaron que no era negocio que Argentina se quedara afuera del Mundial y habrán querido dejar el camino libre para que usáramos la efedrina, o lo que sea que nos hiciera volar... ¡Por favor, por favor! Estoy convencido, sí, de que no pusieron control antidoping porque tenían miedo, por eso.

En Sydney festejé mi cumpleaños número 33, un día antes... Sí, un día antes, porque por la diferencia horaria, cuando allá ya era 30 de octubre, acá todavía era 29. Me regalaron una torta con forma de Copa del Mundo y mi mayor felicidad fue compartirlo con la Claudia, con mi viejo, con mis amigos. La Claudia me despertó tempranito, me dio su regalo —un slip Versace espectacular— y el de mis hijas —dos ositos de peluche blancos y negros—. Enseguida, apretó play, *tic*, y del grabador empezó a salir la voz de Dalma y de Gianinna: *¡Vení, vení, cantá conmigo / que un amigo, vas a encontrar / Y de la mano, de Maradona / todos la vuelta vamos a dar!* ¡Impresionante! Se me caían los lagrimones. Me acuerdo que Juan Pablo

Varsky, enviado por Canal 13, montó un camión de exteriores en la puerta del hotel, transmitió mi fiesta desde ahí y me puso al teléfono a Fito Páez, un grande. Yo sentía que aquello de "Dale alegría, alegría a mi corazón" se estaba cumpliendo conmigo. Estaba feliz. Vivía cosas nuevas, ésas que los caretas de siempre podían considerar privilegios y para mí no eran más que reconocimiento, reconocimiento a mis años de trayectoria: por ejemplo, mi mujer me ordenó mi habitación del hotel donde estábamos, el Holiday Inn Cogee Beach. Me acuerdo que lo declaré públicamente, como para que le quedara claro a todo el mundo: "Muchachos, si a los 33 años, después de jugar y ganar todo lo que jugué y gané, no puedo pedirle a mi esposa que viaje y venga al hotel donde yo estoy concentrado, bueno, qué quieren que les diga... ¡Ya estoy graaande!". Creo que me entendieron, y el que no me entendió, que se joda, se le escapó la tortuga.

Todos se sorprendían por mi nuevo aspecto, estaba realmente flaco, pesaba 72 kilos. ¡Qué pinta tenía el guacho. Richard Gere me miraba de reojo! Cerrini se volvió loco, pero me consiguió la harina de avena que tenía que desayunar cada mañana. Allá, además inauguré la moda de las remeras y las gorritas con homenajes. Homenajes a los argentinos que para mí los merecían y nos los recibían: Olmedo, te extraño; Fito, dale alegría a mi corazón; Vilas, ídolo; Aguante, Charly; Monzón, un grande. Yo les quería agradecer mientras estuvieran vivos, ¡no quería esperar a que se murieran para hacerlo, viejo!

Allá, en Sydney, el 31 de octubre, un día después de mi cumpleaños, empatamos 1 a 1, con gol de Balbo, después de un centro mío. Me hizo bien, muy bien, volver a sentirme capitán del Seleccionado: estrené una cinta nueva, azul y con la foto de las caras de mis dos hijas. Y después de todas aquellas aclaraciones y charlas, sentí que volvíamos a armar un grupo como la gente. Yo terminé rengueando, pero el Coco me pidió que siguiera hasta el final: *¡Quedate, quedate! Que suba Redondo unos metros más y vos bajá, pero quedate... ¡Quedate!* Me sentía importante, de nuevo... pero no estaba nada conforme con el rendimiento del equipo. Le echaba la culpa de mi mala cara al dolor ese que sentía, pero en realidad estaba desilusionado. La única declaración que hice fue bastante gráfica: "Debí haberles metido más pelotas de gol a Abel y a Bati, debí haber aguantado mejor, debimos haber ganado... No sé, pero a mí, este empate me sabe a poco. Me sabe a nada".

Acá también sufrimos como locos, después. Dos semanas más tarde, el 17 de noviembre, en el Monumental, empatamos 1 a 1 y pasamos, ¡pasamos cagando! Ese era el objetivo, había que ver cómo seguía todo.

Cuando volví, quería jugar todos los partidos posibles con Newell's, porque gracias a ellos había vuelto a la Selección. Claro, el hecho de volver a tener un equipo me había transformado de nuevo en jugador: eso era decisivo para demostrar lo que podía hacer, lo que podía dar. Enfrentamos a Belgrano, en Córdoba, y había tufillo a complot, se lo querían cargar al Coco, había algunos que no digerían el 5 a 0 y no les alcanzaba con la clasificación. Salí con los tapones de punta, una vez más: "Si se va Basile, me voy yo. El complot contra Coco sigue, hay gente que lo quiere echar como sea".

Pero no aguantó, la máquina no aguantó. Mi máquina, digo, mi cuerpo. En un partido contra Huracán, en Parque Patricios, el 2 de diciembre, de noche, sentí el ruido inconfundible del desgarro: como un cierre que se abre detrás de tu pierna. Por culpa de eso, me perdí un partido del Seleccionado que hubiera querido jugar, sí o sí, contra Alemania, en Miami. ¿Por Alemania? No, qué va... Porque algunos cubanos anticastristas habían dicho que si yo pisaba Miami, ellos me iban a matar, nada más que por ser amigo del Comandante Fidel Castro. Me hubiera gustado verlos de cerca, cara a cara, pero me lo perdí.

Cuando quise volver, ya en enero, para jugar unos amistosos contra Vasco da Gama, volví a caer, en el más exacto sentido de la palabra. Por delante, me quedaban cinco meses y medio para saber si iba a jugar el cuarto Mundial de mi carrera. Otra vez las dudas.

El 1º de febrero terminó mi relación con Newell's y ese mismo día viví una de las experiencias más tristes de toda mi vida: un grupo de periodistas violó mi intimidad, metieron las cámaras dentro de mi quinta de Moreno, no se contentaron con mis explicaciones de por qué nadie me había visto públicamente en el último mes, y yo reaccioné... Reaccioné como puede reaccionar cualquiera. Fue aquel episodio de los balines, sí, que no hace a esta historia futbolística, creo, como no debería ser noticia para nadie mi vida privada.

Me tomé las vacaciones que merecía, me fui a Oriente, al balneario Marisol, cerca de Tres Arroyos y me dediqué a disfrutar de mi familia y a pescar tiburones. Necesitaba ese respiro: el placer de un pescado a la parrilla; una buena afeitada como corresponde, al sol, como en Villa Fiorito; la convivencia con gente humilde, de trabajo... Porque, ojo, ¿eh?, no me iba a Saint Tropez, mi casita tenía dos ambientes y un garaje con parrilla y no era un palacio. ¡Me fui a Oriente, donde sabía que me iban a tratar como a uno de ellos! Donde iba a ser El Diego y nada más.

Me quedé allá un par de semanas y, cuando volví, fui a la cancha, a ver Boca y Racing, el domingo 13 de marzo. Ahí me preguntaron y yo dije lo que sentía: "Quiero jugar el Mundial". Al día siguiente ya me estaba entrenando con el equipo, en Ezeiza.

Había un amistoso contra Brasil, previsto para el 23 de marzo, y yo ya sabía que a ése no llegaba, aunque las ganas me hicieron pedirle al Coco que me pusiera. Me convenció de que no lo hiciera, que prefería tenerme bien para el Mundial y no para estos amistosos. Igual viajé a Recife, entonces, para estar con los muchachos, para compartir horas con ellos. Y para sentarme en el banco del Seleccionado mayor por segunda vez en toda mi vida: la primera había sido en el debut; ésta, por una gentileza del Coco, para no dejarme en la tribuna.

Apenas regresamos, me puse un ultimátum a mí mismo: exactamente a fin de mes, el 31 de marzo, le dije a Basile: "Coco, el martes le digo si sigo o le digo muchas gracias, buenas tardes... En una de ésas, sigo en Newell's, pero no en la Selección; y si no, sigo con todo. No le quiero mentir". Otra vez las críticas de los cabeza de termo, otra vez el contradictorio: viejo, yo no quería engañar a nadie; a robar no iba a ir a Estados Unidos.

Para los que dicen que yo soy un irresponsable, cumplí con el plazo: el martes 5 de abril, gracias a la ayuda de Marcos Franchi, empezamos a llamar a todos los que teníamos que llamar. Primero, a Basile: "Lo voy a intentar, Coco, pero por un tiempo me voy a preparar por las mías, para alcanzar a los muchachos". Después, a Fernando Signorini: "Te quiero conmigo, vamos a desarrollar uno de tus planes". También al profesor Antonio Dal Monte, el mismo que me había preparado para México '86 y para Italia '90 y al doctor Néstor Lentini, que ocuparía su lugar para Estados Unidos '94. A Lentini lo contactó Signorini cuando él era director en el Cenard, y es el día de hoy que le estoy agradecido por todo lo que hizo: siempre fue un ejemplo de discreción y siempre me dio todo lo que necesité... Hasta que Hugo Porta, cuando llegó a la Secretaría de Deportes, le pegó una patada en el culo, una patada que no se merecía.

Al final, llamamos también a don Angel Rosa... ¡Aaahhh, los maté con esa, ¿eh?! A don Angel lo había conocido en mis vacaciones en Oriente. Un tipo bárbaro, de ésos de campo. En medio de uno de los tantos partidos de truco que habíamos jugado allá, él me ofreció: *Diego, cuando quiera se viene por mi campo, pasando Santa Rosa en La Pampa... Ahí puede cazar tranquilo.* Yo no me había olvidado y ahora necesitaba un lugar así, aislado, tranquilo... El problema fue que cuando Franchi lo llamó de parte mía, don Angel no le creía.

—*En serio, don Angel. Le hablo de parte de Maradona. Queremos aceptar el ofrecimiento que nos hizo aquella vez y pasar unos días en su campo...*

—*Sí, claro, je, je, je...*

—*Don Angel, ¿no me cree? Yo soy el que le ganó al truco con 33 de mano...*

—*¡Marcos!*

Allá fuimos, entonces. Con Fernando y con Marcos, y también con Germán Pérez y Rodolfo González, el mudito, un amigo de' la familia, de Esquina, que está con nosotros desde hace veinte años, siempre listo para darle una mano a mis viejos. Llegamos el domingo 10 de abril y nos quedamos hasta el domingo 17. En una semana, hicimos de todo: en el trabajo aeróbico con Fernando, llegamos a correr 16 kilómetros diarios; también hacía box con Miguel Angel Campanino, un ex campeón argentino, y después iba al gimnasio. Todo, bajo las recomendaciones y el control del doctor Lentini, desde Buenos Aires.

El campo, que se llamaba "Marito", estaba a 61 kilómetros de Santa Rosa. Tenía una casa sencillita, como todo allí, pero muy confortable: dos plantas, techo de tejas, seis habitaciones, televisor blanco y negro, energía propia por un generador y una galería fresca, espectacular, ideal para jugar al truco.

Hasta allá se llegaron el Coco Basile y el Profe Echevarría para charlar conmigo y arreglar todo, tomándonos unos mates. El Coco me había convocado para jugar el partido contra Marruecos, en Salta, y quería saber cómo estaba. ¡Hecho un avión, así estaba! Y el Coco me cazó al vuelo, porque él es de rioba, como yo: *Cuanto menos tiempo, mejor; cuanto más cerca la meta, mejor.* El Profe Echevarría, igual: se llevó abajo del brazo todos los informes que le dio Fernando y me tocó la cabeza, con el afecto de siempre. El sabía que si me dejaba tranquilo, yo llegaba, sin problemas.

Aquel partido contra Marruecos fue el 20 de abril, en la cancha de Gimnasia y Tiro. Ganamos 3 a 1 y volví a hacer un gol, de penal: ¡desde el 22 de mayo del '90 que no la metía! Después leí, por ahí, que hacía 1255 minutos que no hacía un gol. Eso también fue una satisfacción, me sentí útil. Me divertí, me divertí tanto que hasta hice jueguito con una naranja que me tiraron desde la tribuna. Tenía programado jugar sesenta minutos, nada más, pero cuando el Coco Basile me hizo la seña del cambio le pedí que me dejara un ratito más. Me sentía fenómeno. Ni yo lo podía creer: tres meses antes, me arrastraba por el piso; ahora, sentía que podía marcar diferencias. Y otra cosa sabía: todo dependía de mí. Para quienes les gusta cuando hablo en tercera persona: Maradona dependía de Maradona. Faltando quince minutos, el Coco ordenó igual el cambio. Y lo bien que hizo, porque el que entraba por mí era Ortega, Ariel Ortega. Corrí hasta él, chocamos las palmas y le grité: "¡Rompela, ¿eh?!".

A Orteguita todos lo creen un boludito, pero yo creo que es muy inteligente. Y no es porque él hable bien de mí... A mí me lo sacaron de la habitación, en aquel grupo, porque en River decían que yo le podía meter en la cabeza algo de... algo de lo que tenía yo, y Orteguita me dijo: *Yo me quiero quedar en la pieza con vos.* Pero le contesté: "No, no, nene, no... Porque yo me voy mañana y vos tenés que seguir". Lo sacó el tartamudo ese de Alfredo Dávicce, que era el presidente de River, por eso fui y le dije a Basile que estaba todo bien, que lo cambiaran de pieza. El Burrito, a mí, me habló como un hombre, sabía todos los problemas que tiene Jujuy con la droga, me habló de todo lo profesional que era y también de todo lo profesional que no era porque se le cantaba el culo: un fenómeno, Ortega.

Después vino aquella historieta de los japoneses, que no me dieron la visa por mis antecedentes con la droga, y se tuvo que suspender la gira del Seleccionado por allá. Sentí la bronca de la discriminación, pero también la satisfacción de la solidaridad: mis compañeros se negaban a viajar y la AFA canceló la gira... Hubo que armar otra de apuro, por Ecuador, Israel (por supuesto, la cábala se mantenía) y Croacia. Perdimos el primero, 1 a 0; goleamos en el segundo, 3 a 0 y empatamos en el tercero, 0 a 0.

No fue de lo mejor, la verdad. Me hizo acordar a las peores épocas de Bilardo, por el rendimiento del equipo y por los quilombos para movernos de un lado a otro. Desde Croacia amenacé con volverme a la Argentina, derecho viejo. No sé, por ahí la culpa había sido mía por aquello de Japón y todo se armó de apuro, pero al final me planté y les dije: "O mejoramos esto, o me vuelvo".

No mejoró mucho, la verdad, pero tampoco me volví. Mejor, apuntamos para Estados Unidos, a instalarnos en las afueras de Boston. Primero, en un Sheraton, en Needham, sobre una autopista; después, en el Babson College, que era el lugar que la AFA había reservado para nosotros. La verdad, el lugar era espectacular y yo vivía todo de una manera distinta, más intensa. Es que estaba convencido de que sería mi último Mundial, por ahí era el broche de mi carrera: terminaba y no jugaba más, me retiraba. En ese momento ni equipo tenía.

Además, quería que Dalma y Gianinna vieran al papá en una concentración, en un entrenamiento, en un partido. No sé, sentía todo como una despedida. Con ilusión, ¿eh?, con ilusión. Con la misma de siempre en un Mundial. Tenía tres sobre las espaldas, ya, pero sentía la misma responsabilidad del que debutaba, qué sé yo... Y me gustaba la idea de no llegar como favorito: porque así había sido en México '86 y habíamos terminado campeones; porque nos habían dado por muertos en Italia '90 y llegamos a la final. Y repetí lo que había dicho cuatro años antes, aunque no la tenía en las manos: "El que quiera la Copa, me la tendrá que arrancar".

Mi cálculo era llegar a Grecia en unos siete puntos. Siete puntos cumpliendo los planes del doctor Lentini y marcados por Signorini y por el profe Echevarría. Trabajaba el doble o el triple que mis compañeros, porque hacía lo de ellos y además lo propio. Fernando decía que iba a llegar más fuerte al partido contra Grecia que al partido contra Camerún, en el '90.

Cuando ya estábamos allá, sumé al grupo a Daniel Cerrini; él llegó el jueves 9 de junio por expreso y exclusivo pedido mío. Yo quería que estuviera, sí o sí. El me había ayudado en mi acondicionamiento físico para volver en Newell's y también en el Seleccionado, contra Australia, y ahora lo quería de nuevo. Podía ayudarme con la dieta y también con el tema del peso, aunque esa vez no era mi preocupación: quería jugar con 76 kilos y no con 72, como en Newell's. Aquella vez, Signorini había dicho, con razón: *Lo tocan y se vuela.* Yo sabía que a Marcos y a Fernando no les gustaba mucho la idea de que Cerrini se sumara al grupo, pero a mí sí. Y esto que quede bien claro, porque sirve para que la gente acepte de una vez muchas cosas: en mi vida, las decisiones las tomo yo, ningún entorno ni clan las toma por mí. Si me equivoco, me equivoco yo. Y a Cerrini lo llamé a Estados Unidos yo. Con él también llegó, pero desde Italia, otro gran amigo que yo quería en mi equipo físico y humano: Salvatore Carmando, el masajista del Napoli que también me había acompañado a México y no había estado conmigo en el '90 porque se lo llevó Italia.

Yo seguía con mi manía de las remeras; en los primeros días, usaba una que decía: Si JUGANDO LES ROBO UNA SONRISA... QUISIERA JUGAR TODA MI VIDA. Era cierto, era cierto.

En el arranque, éramos el mejor equipo, lejos. Nosotros nos habíamos recontrajurado que nos teníamos que tomar revancha por todo lo que habíamos vivido y lo estábamos consiguiendo. Nosotros teníamos al mejor delantero, que era Batistuta, que estaba en su mejor momento; la metía Caniggia, que estaba motivado por mí; se había insertado fenómeno Balbo en una posición diferente.

También habíamos definido el tema del arquero, y en eso tuve que ver yo. Al principio, la decisión de Basile era que jugaran un partido cada uno, pero después Islas no arregló con Basile. El quilombo entonces era: ¿quién le dice a Goyco que no va a jugar? Nadie quería. Entonces lo encaré yo y le dije: "Mirá, Goyco, acá las cosas tienen que ser claritas... Va a atajar Islas por los méritos que hizo en la cancha, en los entrenamientos". Yo no lo quería engañar a Goyco, porque ¡Goyco es un tipo sensacional! Entonces, ahí tuve que poner las pelotas como capitán para decirle a un amigo, a un amigo muy querido, que no iba a atajar, ¡cuando yo quería que atajara él!, que se quedaba afuera del Mundial cuando había peleado por todo conmigo, codo a codo. Era una decisión de Basile, yo no puse ni saqué a nadie, pero fui el primero, junto con Ruggeri, en apoyarlo al Vasco, en hacerlo sentir parte de ese equipo que ya pintaba como una orquesta.

Nosotros no necesitábamos defender, ¡nos defendíamos con la pelota! Porque ésa era la propuesta de Basile. El nos dijo: *Miren, si nosotros queremos jugar como yo los paro, con Maradona, Caniggia, Balbo, Batistuta, Simeone y Redondo, perdemos cinco a cero... Ahora, si nosotros tenemos la pelota y nos adaptamos a ser la sombra uno del otro, a bajar y a dar nada más que una manito, una vez uno, otra vez el otro, la cosa va a funcionar.* ¡Y cómo funcionaba! Llegábamos todos y así le hice el gol a Grecia: tocando, *tac, tac, tac,* una ametralladora, pared, Redondo, yo, golazo, golazo... Pero también llegaba el Cholo Simeone, y llegaba el Flaco Chamot... Teníamos un equipazo, por eso arrasamos a Grecia, el 21 de junio, 4 a 1, y los dimos vuelta a los nigerianos, el 25 de junio, 2 a 1. Teníamos un equipazo y ésa es la gran amargura mía, una amargura que me va a acompañar toda la vida.

Hablando con Bebeto, con Romario, ellos me decían: *Cuando nosotros vimos que ustedes remontaron a Nigeria, a esos negritos que parecían orangutanes, dijimos "epa", acá está el equipo, no es sólo Maradona... Es un equipo con fortaleza mental, con fortaleza física, con presencia.* Eso no lo dijo cualquiera, ¿eh? Me lo dijeron Bebeto y Romario, a mí, en persona. Querían decir que para los brasileños, en dos partidos, nosotros ya éramos los rivales a vencer. Para todos, éramos los rivales. Habíamos goleado a Grecia, los habíamos dado vuelta a los nigerianos y... pasó lo que pasó.

Nunca me voy a olvidar de aquella tarde del 25 de junio de 1994. Nunca. Sentía que había jugado un partidazo, estaba feliz. Vino esa enfermera a buscarme hasta el costado de la cancha, porque yo estaba festejando con la tribuna, y no sospeché nada. ¿Qué iba a sospechar si yo estaba limpio, limpio? Lo único que hice, me acuerdo, fue mirarla a la Claudia, que estaba en la tribuna, y le hice un gesto como diciéndole: "¿Y ésta quién es?". Pero era más un gesto entre nosotros, porque era una mina, y no porque fuera algo raro. Yo estaba tranquilo porque me había hecho controles antidoping antes y durante el Mundial, y todos daban bien. ¡No tomé nada, nada de nada! ¡Abstinencia total hasta de lo otro, de lo que te tira para atrás! Por eso me fui con la gordita y festejando, ¿de qué me iba a reír, si no?

Cualquiera de los periodistas que me haya visto después del control puede decirlo: yo estaba feliz, feliz de la vida... Tan feliz como no podía estar alguien consciente de haberse mandado una macana. Me acuerdo, en serio, que un periodista me preguntó:

—*Diego, contra Grecia te calificaste con un 6,50. Hoy anduviste mejor, ¿cuánto te das?*

—Y... Seis cincuenta... y cinco, fiera.

Tres días después, el martes 28 de junio, estaba tomando mate en el parking de la concentración, ahí en el Babson College, disfrutando de un par de esas horas libres que nos daba el Coco, cada tanto. Hacía calor, como todos los días. Pero a nosotros no nos importaba nada. Estábamos felices como chicos. Charlábamos de cualquier boludez con la Claudia, con Goycochea y con su mujer, Ana Laura. Estaba mi viejo, también. En eso apareció Marcos, con una cara terrible, desencajado. "¿Quién se murió?", pensé yo.

—*Diego, tengo que hablar un minuto con vos* —me dijo y me apartó un poco del grupo. Me pasó la mano por el hombro y me largó la noticia, así nomás—: *Mirá, Diego, tu control antidoping contra Nigeria dio positivo. Pero no te preocupes, los dirigentes lo están manejando bi...* —Lo último casi no lo escuché, ya había pegado media vuelta, buscándola a Clau... Casi no la distinguía, ya tenía los ojos nublados, llenos de lágrimas. Se me quebró la voz cuando le dije:

—Má, nos vamos del Mundial. —Y me largué a llorar como un chico.

Nos fuimos juntos, abrazados, hasta la habitación mía, la 127 y ahí sí estallé... Le pegaba piñas a las paredes y gritaba, gritaba, ¡gritaba! "¡Me rompí el culo, ¿me entendés?, me rompí el culo! ¡Me rompí el culo como nunca y ahora me viene a pasar esto!"

Nadie de quienes estaban conmigo atinaba a decirme nada: ni Claudia, ni Marcos, ni el querido Carmando, pobre... Eso de que los dirigentes estaban haciendo algo, yo no creía en nada ni en nadie. Sabía... sabía muy bien que había llegado el final.

Daniel Bolotnicoff viajó a Los Angeles, donde se iba a hacer la contraprueba, junto con Cerrini y uno de los dirigentes de la AFA, David Pintado. Cerrini no tenía nada que hacer, en realidad, porque ni siquiera figuraba en la lista oficial de la delegación. También viajó el doctor Carlos Peidró, que era el cardiólogo del plantel y ayudante del médico, del cabeza de termo de Ugalde.

A mí se me había caído el mundo encima. No sabía qué hacer, para dónde salir. Tenía que dar la cara, sí, pero no quería destrozar al resto de los muchachos. Teníamos que viajar a Dallas, para jugar contra Bulgaria, y me destrozaba el alma saber que el clima sería otro y que... yo no estaría allí, en la cancha. No me animé a decirle nada a nadie, los que sabían, sabían, y listo. No sé, por ahí, en el fondo me quedaba alguna esperanza de que los dirigentes hicieran algo, que me creyeran, que se dieran cuenta de que yo me había roto el culo, me había entrenado tres veces por día... ¡Si ellos me habían visto, carajo!

El miércoles 29 aterrizamos en Dallas. Cuando entramos al hotel, yo encabezaba el grupo. Llevaba puesto el uniforme del plantel, anteojos negros y un gorrito azul de Mickey que me habían regalado mis hijas. Las cámaras me apuntaban a mí, pero no por nada en especial, siempre pasaba eso. Nadie sabía nada, todavía, y para mí era una sensación rara, espantosa: veía las caras de los periodistas amigos, sonrientes, ilusionados... Muchos de ellos se habían peleado por mí, por defenderme, y ahora estaban disfrutando de su revancha, igual que yo. ¡Cómo me dolía, cómo me dolía llevar adentro lo que sabía!

Esa misma tarde fuimos a reconocer el estadio, el Cotton Bowl, como se hace siempre en los Mundiales. Un día antes del partido, a pisar el césped. Yo entré y lo pisé, pero estaba en otra parte. Sabía muy bien que al día siguiente no estaría allí, no me dejarían estar allí. No todos mis compañeros sabían la verdad, y por eso a algunos les extrañó que yo estaba más callado que de costumbre. Ni siquiera toqué una pelota, para hacer jueguito: me fui contra un arco y me quedé ahí, agarrado de la red, como preso.

Recién cuando nos empezamos a ir, noté un alboroto en la tribuna donde estaban los periodistas. ¡Se habían enterado! Vi que Julio Grondona caminaba hacia ese lugar, desde el campo de juego, y apuré el paso. Escuché que me gritaban: *¡Diego, vení, una pregunta!, ¡Maradona, acá, acercate, por favor!* Ni miré; sólo levanté el brazo y saludé. Me despedí. Eso hice: me despedí. Cuando ya había dejado el césped atrás y estaba a punto de perderme por el portón que llevaba afuera del estadio, giré la cabeza y lo vi a Grondona gesticulando, con dos mil micrófonos y cámaras apuntándolo: *Los dirigentes lo están manejando bien,* me había dicho Franchi. Y un escalofrío me recorrió la espalda y me sacudió.

A la noche, el lobby del hotel era un infierno. Ya todo el mundo conocía la noticia. Primero habían pensado en el Negro Vázquez, Sergio Vázquez, que había ido al control antidoping conmigo y estaba lesionado, medicado. Pero después todos supieron que el nombre era el mío.

Teóricamente, seguían las gestiones de los dirigentes, pero a última hora, cuando intentaba dormir, Marcos golpeó la puerta y me trajo la noticia: *Diego, se acabó todo, la contraprueba también dio positivo.* Con ese dato en las manos, la AFA había decidido sacar mi nombre de la planilla. Ya no pertenecía a la Selección Nacional.

Estaba solo, solo... Entonces grité, grité: "¡Ayúdenme, por favor, ayúdenme! ¡Tengo miedo de hacer una cagada, ayúdenme, por favor!".

Vinieron a la habitación algunos de los muchachos, pero no había nada que hacer, nada que decir. Yo lo único que quería era llorar, porque sabía que al día siguiente tenía que dar la cara y ahí sí que no iba a llorar. Se lo había prometido a Claudia y lo iba a cumplir.

Se hizo de día, por fin, y yo no había pegado ni un ojo. Marcos se había quedado toda la noche conmigo, también Fernando.

Cuando llegó la hora, todo el plantel se fue para el estadio. Yo no, yo me quedé. Quería explicarle todo a los argentinos. Estaba el periodista Adrián Paenza, con las cámaras de Canal 13. Nos fuimos hasta la habitación de Marcos y me senté en una cama, la que estaba más cerca de la ventana, mientras Adrián y el camarógrafo, el Cordobés, preparaban todo. A Marcos, Fernando y Salvatore, les pedí que se sentaran atrás mío, si querían. Tomé aire, carraspié un poco y anuncié que estaba listo. Entonces dije todo lo que se resumió en una frase que puedo repetir, tranquilamente: insisto, hoy, me cortaron las piernas.

¿La verdad? No tenía ganas de hablar una mierda, pero pensé que la gente se merecía por lo menos eso... Si me escuchaban, por ahí podían entender. Además, no quería que estuvieran pendientes sólo de una campana, la de los hijos de puta. Yo me senté en el borde de la cama y decidí enfrentar la cámara. Antes había hablado por teléfono con Claudia y le había prometido que no iba a llorar, que no les iba a dar el gusto como en el '90. Pero, la verdad, me costaba un huevo no quebrarme...

Arranqué con lo que le venía comentando a Marcos por el pasillo, antes de enfrentar la cámara: que quería correr, que quería ir a entrenarme, que quería volar, ¡que no sabía qué hacer! Me había preparado tan bien para ese Mundial, tan bien, ¡como nunca! Y me estaban dando por la cabeza justo en el momento en el que empezaba a resurgir. Y le dije, también, me acuerdo porque fue tal cual: "Yo, el día que me drogué, fui y le dije a la jueza: me drogué, cuánto hay que pagar. Y lo pagué, y fueron dos años durísimos, de ir cada dos o tres meses o cuando me llamaba la jueza para hacer una rinoscopía o hacer pis. Pero así no la entiendo. No entiendo porque no tienen argumento. Yo creí que la justicia iba a ser buena, pero conmigo se equivocaron".

Yo lo que juraba y recontrajuraba y pretendía que quedara bien claro, era que no me había drogado para jugar, para correr más, ¡por mis hijas lo juraba y por mis hijas lo juro! Si yo me había entrenado como me había entrenado, ¿¡qué necesidad tenía de drogarme!? Soñaba que los hinchas entendieran eso, que les quedara clarísimo que no había corrido por la droga, que había corrido con el corazón y por la camiseta. Nada más. Me acuerdo que cuando dije eso, me quebré, me quebré... Le había prometido a Claudia que no iba a llorar, pero no podía más.

En ese momento sentía que ya no quería más revanchas en el fútbol: me habían cortado las piernas, sí, pero también tenía los brazos caídos y el alma destrozada. Yo estaba convencido de que ya había pagado con lo de Italia, con el penal aquél, con mi derrota. Pero parece que la FIFA quería más sangre mía, no les alcanzaba con mi dolor... ¡Querían más!

Sé que después se vio mi testimonio encima de la imagen de mis compañeros, mientras ellos cantaban el himno, antes de jugar el partido contra Bulgaria. No sé, yo no lo vi y no me animaría a verlo jamás, jamás, creo que no lo soportaría... Demasiado lo soporté aquella vez, todavía no sé cómo.

De la habitación de Marcos nos fuimos a otra, a ver el partido. Invité a un pequeño grupo de periodistas amigos, que no habían ido a la cancha, que se habían quedado allí para ver qué hacía yo. También estaban Fernando y Salvatore. Marcos andaba por ahí, viendo si se podía hacer algo, todavía. ¡Qué mierda iba a hacer, qué mierda iba a hacer!

Yo me senté en el piso, con la espalda apoyada contra la cama. Tenía el televisor a menos de medio metro. Empezó el partido, no grité ni una sola vez, no me paré, no me moví. No era yo, era otro el que estaba mirando ese partido: ahí estaba mi camiseta, ahí tendría que haber estado yo. Ahí estaba mi bandera, también, una que me habían regalado mis hijas y yo le pasé a Cani, se la ofrecía de corazón.

De aquel partido contra Bulgaria me queda una frase de Redondo. Una frase que, cuando yo se la conté a Dalmita, porque Dalmita me preguntaba mucho, nos pusimos a llorar los dos juntos. Fernando me dijo, así, con lágrimas en los ojos: *Yo te buscaba, te buscaba en la cancha y no te podía encontrar... Todo el partido te busqué.* Claro, ¿qué pasa? Nos habíamos convertido en un equipo ya, que jugaba de memoria. De memoria: dásela a Diego, redonda, que él también te la va a dar redonda; a Balbo, a Bati, a Redondo, al Cholo, todos sentíamos el juego de la misma manera... Eso, eso era ese equipo: sentir el fútbol como si jugáramos a la pelota.

Aguanté veinticinco minutos, no más. Les pedí disculpas a todos y me fui a mi habitación. Allí me quedé, solo, hasta que volvió Marcos, hasta que volvieron los muchachos. Lo único que quería era volar de ese lugar y a las cinco de la mañana tenía un vuelo para llegar a Boston, a reencontrarme con Claudia, con las chicas. Ellas no entendían nada, todavía. La llamé por teléfono a Claudia y le pregunté cómo estaban. Me contestó que ya habían preguntado algo y que les había dicho que me habían dado un remedio, y por eso no había podido jugar. Se me hizo un nudo en la garganta y corté. Las venas me quería cortar, las venas... Me sentía más solo que nunca.

La actitud de Julio Grondona, cara a cara, me pareció excelente, pero después no me pareció tanto, creo que no supo defenderme como yo hubiera querido. Primero, porque lo mío ¡no era cocaína, no era reincidencia de cocaína! Después, porque fue una equivocación ¡involuntaria! de Cerrini. Se acabó el frasco de lo que yo venía tomando en la Argentina y compraron otro ahí, en Estados Unidos; era el mismo producto, sólo que el de la marca estadounidense llevaba un mínimo porcentaje de efedrina: en vez del Ripped Fast que yo estaba tomando y se acabó, Cerrini compró Ripped Fuel, que también era de venta libre y similar. Los dos se llamaban Ripped, pero el Fuel tenía una hierbas, unas mierdas, y daba efedrina, un poquito de efedrina. Con el doctor Lentini, en Buenos Aires, se hicieron todas las pruebas y se demostró que, con ese producto, aparecían las sustancias ésas que me encontraron a mí.

Yo también creí mucho en Eduardo De Luca, el dirigente argentino de la Confederación Sudamericana de Fútbol, parecía que él tenía todos los elementos para salvarme, porque eso me había dicho una vez que conversamos. Sólo era cuestión de hacerles entender que yo no había intentado sacar ventajas, ¡que no saqué ventajas! Por eso, le dije: "¡De Luca, por mis hijas...!", por mis hijas se lo pedí, pero, qué va a hacer, pudo más el poder.

Porque eso nunca me lo van a aceptar los poderosos, nunca. ¿Por qué? Porque son sucios, porque están con mierda hasta acá y ganan la plata con sangre... Porque lo que me hicieron a mí es ganar plata con sangre, es sacarle la ilusión a un país y también a un tipo de 34 años que hizo un esfuerzo grandísimo y que estaba a punto, bien. ¿A quién se le ocurre pensar que yo iba a reemplazar la cocaína con efedrina, a quién? Si yo terminé cansado, muerto en ese partido, ¡muerto! Le pedí el cambio al Coco y él me contestó: *¡No, no! Quedate que los negritos se nos están viniendo encima, quedate, por favor.* Yo tomé aire, lo saqué desde donde no tenía y me quedé... ¡Pero yo quería salir, lo juro por mis hijas!

Y si después dije lo que dije, aquello de que me cortaron las piernas, fue porque me había jugado mucho en esa vuelta: yo quería que, de una vez por todas, los argentinos se sintieran orgullosos de su Selección con Maradona. Había hecho un esfuerzo enorme, me había encerrado allá en La Pampa, bajé de 89 kilos a 76. Le pedí tanto a Dios para que todo saliera bien, pero Dios... Dios no tenía nada que ver, o estaba distraído, o muy ocupado, que es lógico, porque si no tendría que haber logrado que Blatter, que Havelange, que Johanson, que todos esos dinosaurios, me perdonaran. Porque, insisto, no era reincidencia en la cocaína, no lo era. Ellos, que se llenaban la boca con el Fair Play, se estaban olvidando de un ser humano. Porque yo no había tomado nada para sacar ventajas, nada. Por eso no lo asumo como la cagada más grande de mi vida ni nada que se le parezca; lo asumo, pero como un error de otro. A nosotros nos sacan del Mundial porque a mí me dan efedrina, y la efedrina es legal, o debería serlo.

Aparte, yo no escondía nada, todo estaba bien claro: el Profe Echevarría sabía cómo trabajaba con Fernando Signorini en lo físico, y todos ellos sabían también que Daniel Cerrini se encargaba de los complementos, todo legal. A Ugalde, al doctor Ernesto Ugalde, preferiría ni nombrarlo, porque ¡es nefasto! Ojalá algún día me lo cruce por la calle, ¡ojalá!... No sabía nada y se quiso hacer el taura. Y salió a hacer una conferencia de prensa, ¿¡para qué!? Para decir que él no tenía nada que ver... yo nunca dije que él me hubiera dado nada. ¡Si yo me había hecho responsable por lo de Cerrini! Cuando me enteré, no lo pude agarrar; si no, lo mato a trompadas a ese *Carabobo y San Martín.*

Nunca nada quedó claro, hay una causa abierta todavía. Pero como el bonito de Ugalde salió a sacarse el problema de encima antes de que nadie le dijera nada, no lo dejaron hablar al doctor Carlos Peidró. Todo lo contrario: a Peidró lo hicieron callar la boca y lo rajaron. El había dicho: *Cuando fuimos a ver la contraprueba, el frasco estaba abierto. Y eso debería haber eliminado directamente el control.* Pero como el otro había hablado, como al otro lo único que le había interesado era salvarse él, no se pudo hacer nada. No se pudo hacer nada por ese cagón.

En Estados Unidos tenía en contra hasta a O. J. Simpson, ¡tenía en contra a todos! De los únicos que recibí apoyo fue del Coco Basile y de los jugadores. Después, de nadie más.

Por ahí, la sigo peleando, porque nunca es tarde, ¡nunca es tarde! Lo del doping en Italia, por ejemplo, eso de que están investigando al laboratorio que hizo todos los análisis en su momento, me hace sentir bien. Me llena de esperanza. Porque por ahí hay gente que todavía no puede dormir porque sabe que alguien le dijo: *Hacele esto a Maradona,* y lo hizo.

Me gustaría agarrar todos los elementos, todas las pruebas —lo voy a hacer—, y después ir a la FIFA. ¡Con 60 años, pero ir y patearles la puerta, y descubrir la verdad!

LOS REGRESOS
Sevilla, Newell's Old Boys

Por favor, ¿qué número uno?

"Por favor, ¿qué número uno? Hoy por hoy, soy el futbolista número diez mil, considérenme así." Le dije eso a los periodistas, cuando más de uno se entusiasmó de más con mi nuevo regreso, esta vez al Sevilla, después de negociaciones que, más que eso, parecieron una telenovela. Un culebrón, como dicen en España.

Es que me sentía el número diez mil, en serio, fiera, ¿cómo no me iba a sentir así? Recién el 1º de julio de 1992 había cumplido con la injusta sanción de los italianos; habían pasado, por fin, aquellos quince meses terribles, de los más terribles de toda mi vida.

Yo me volví de Italia el 1º de abril de 1991. No me escapé: me volví porque quise, porque ya no podía más. La tengo grabada esa fecha. Porque no me merecía irme así, como un delincuente, y porque marcó un antes y un después en mi carrera, muy muy clarito. A la semana, nomás, los italianos comunicaron desde allá que me colgaban por quince meses, ¡por quince meses no me dejaban hacer lo que sé hacer, jugar a la pelota! Fue una condena terrible, injusta, que hoy, por suerte, está en duda.

Volvía a Buenos Aires, donde pensé que encontraría, al fin, la paz, y encontré la guerra.

Demasiadas cosas pasaban en el país, demasiado graves... Yo estaba fuera de la escena, no era noticia. Me necesitaban, parece. El 26 de abril armaron la farsa más gigantesca que yo recuerde alrededor mío. Me atraparon, ¡me atraparon! En un departamento de Caballito,

213

en la calle Franklin, donde yo estaba con dos amigos, más buenos que el agua mineral: Germán Pérez y el Soldadito Ayala... Lo más curioso es que la policía no estaba sola en el operativo, ¡parecía una conferencia de prensa después del título del mundo!

Un periodista amigo, a quien yo quiero mucho, me contó una vez que al medio donde él trabajaba llamó la propia policía para anunciar el horario del procedimiento. Y otra cosa más, una perlita: la detención se demoró un poquito ¡porque no llegaban las cámaras de la televisión española! Así fue, sí, señor...

Cuando entraron, volteando todo, yo dormía. Y me desperté preguntando por la Claudia porque era lo más natural, creo. La cosa es que me sacaron de la cama, me vestí, y cuanto estábamos en el pasillo, camino a la calle, ya vi el reflejo de las luces de las cámaras, lo gritos de los periodistas, todo... Entonces, como iba al lado del cana que mandaba el operativo, le dije:

—Maestro, ¿están todos los periodistas afuera, no?

—*Sí, Diego, sí. Hay un montón...*

—Bueno, acomódese la corbata, entonces, porque va a salir en todos los canales. Así lo ven en su casa...

¿¡Y podés creer que el cabeza de termo se la acomodó!?

No es tema de esta parte de la historia, pero por supuesto que marcó lo otro, lo que yo hice adentro de la cancha. Lo marcó, de alguna manera lo marcó.

En aquellos días, mientras me tuvieron encerrado en la celda, mientras me quedé encerrado yo mismo en el séptimo piso del edificio donde vivía, en Correa y Libertador, en Núñez, me propuse volver. Primero, me lo propuse en la celda misma. En la pieza esa donde me tenían detenido había un banquito, como esos que les ponen a los boxeadores entre round y round, y la única luz era una bombita de mierda, colgada del techo. En eso, escuché pasos, alguien que venía... Y, no sé por qué, o sí sé, me di vuelta, me puse mirando a la pared. Era Marcos, el que venía.

—*Diego, vos vas a jugar el Mundial del '94.*

Eso me dijo. Yo le contesté que estaba loco, pero en algún lado, por adentro, me recorría la idea de que no era una locura ni un carajo, que eso era posible. Faltaba mucho para eso, igual. Más de un año para que me dejaran pisar una cancha, por ejemplo. Pero tendría, tendría oportunidades de despuntar el vicio.

El 9 de Julio, me acuerdo, festejé algo más que el día de la patria: volví a jugar al *papi*, nada menos que en la canchita del Club Social y Deportivo Parque, donde nació media historia de Argentinos Juniors y donde bailé por primera vez con la Claudia. No bailé, esta vez; bailaron los contrarios: ganamos 11 a 2 y el equipo nuestro, el Parque, ganó el Campeonato Metropolitano de Fútbol Sala. Ese título hay que agregarlo entre los míos, ¿eh?, aunque jugué un solo partido.

Después me pasaron cosas que me hacen pensar que en un país como la Argentina y en un mundo como en el que vivimos, a veces hasta se vuelve una tortura intentar ser un tipo solidario.

Primero, el sábado 3 de agosto del '91, el día del cumpleaños de la Tota, jugué un partido a beneficio del Hospital Fernández, para que pudieran comprar un tomógrafo más moderno, algo que necesitaban mucho y que había quedado en evidencia después del accidente del actor Adrián Ghío, pobre. Para ese partido, Boca me permitió entrenarme junto con el plantel, que era dirigido por el Maestro Tabárez. ¡Los volvieron locos, pobres! Que yo los desconcentraba, que yo les robaba la atención, que yo no podía... ¡Carajo, si yo le había dado un montón a Boca, ¿por qué Boca no podía darme entonces esa mano?! Y encima estaba el tema del sponsor, peor todavía: los organizadores, y también Ana Ferrer, la esposa de Adrián, se habían roto el alma para conseguir alguien que los apoyara, que les diera unos mangos a cambio de publicidad, y no habían logrado nada. Cuando yo dije que jugaba, *pum,* aparecieron un montón. Entonces les dije, a Ana y a los organizadores: "Ustedes acepten, está bien, pero yo no voy a llevar publicidad en mi camiseta. No les voy a hacer el juego: que donen la plata, si la tienen conmigo en la cancha, también la podrían haber tenido sin mí".

Por suerte, lo más importante, una multitud llenó las tribunas y yo pude jugar; fue mi regreso a la cancha de once, en Ferro, un domingo a la mañana. ¡Qué sensación! ¡Espectacular! Aparte, la gente me dio todo, todo. Yo les decía que se olvidaran de mí, que pensaran que eso era sólo para el hospital, pero ellos me daban todo. Para ellos, El Diego había vuelto y estaba todo bien.

Después, ya en el '92, en abril, pasó lo otro, mucho peor: lo del partido de homenaje a Funes, a Juan Gilberto Funes, que había sido un jugador extraordinario, en River, y en ese momento le estaba peleando a la vida. Hoy podría agregar al Búfalo en la lista de mis grandes amigos, de los más íntimos, aunque recién hablamos y nos sentimos juntos en serio, con profundidad, en los últimos quince minutos de su vida. El estaba internado desde hacía un tiempo en el Sanatorio Güemes, con el corazón roto, pobre, con el corazón partido. Ver a ese oso bueno, a ese hombre enorme postrado en la cama, era una imagen tremenda, muy muy dolorosa. Con Claudia seguíamos la cosa bien de cerca, preguntándole a Ivanna, la esposa, si necesitaba algo, que contara con nosotros. Y el último día, el 11 de enero de 1992, por esas cosas del destino, por esas cosas que El Barba (Dios) tiene siempre reservadas para mí, yo estaba ahí, justo ahí, al lado de la cama. Juan me había llamado, que quería verme. Que había soñado con un Mercedes Benz rojo y que se lo iba a comprar. Me acuerdo que le dije: "Quedate tranquilo, Juan, que yo ya hablé con unos amigos de una agencia y ya te lo reservaron. Quedate tranquilo, Juan". Y se murió, ahí, nomás. Casi en mis brazos, así nomás. Por eso digo que es un amigo, porque sentí de verdad que en ese último momento estaba muy, muy cerca de él. Más que nunca. Acompañamos a Ivanna en todos los trámites, esas cosas terribles que hay que hacer, encima, cuando se te muere alguien, y después nos fuimos también a San Luis, donde lo enterraron.

Desde ese mismo momento, empecé a pensar en un homenaje. En hacer algo para recordar a Juan y también para ayudar a la familia, a Ivanna, a Juampi, el hijo, que tenía los ojitos más tristes que yo haya visto. Por ahí, podría haberle dado plata, y listo. Pero yo quería darle algo más, algo que le hubiera gustado a Juan. Entonces se me ocurrió que no había nada mejor que organizar un partido de fútbol. Me acuerdo, estábamos en mi quinta de Moreno, con la Claudia, todavía muy golpeados por todo lo que habíamos vivido, y le dije, de repente: "Má, ¿sabés qué tengo que hacer para Juan? Un partido, un partido de fútbol... Y yo voy a jugar también".

Claro, yo estaba suspendido todavía, pero eso ni se me cruzó por la cabeza. No era un partido más de la FIFA; era un partido de los jugadores por un jugador. Y sabía que, si yo estaba presente, en la cancha, con los cortos, iba a ir más gente, la recaudación iba a ser mayor, y todo eso era para Juan.

Desde la quinta los llamé al Flaco Gareca, al Cabezón Ruggeri y al Mono Navarro Montoya. Ellos tres, Raúl Roque Alfaro y yo, habíamos sido los únicos que viajamos hasta San Luis, para el entierro. Me parecía lógico empezar por ellos, entonces. Esta vez, de la publicidad no me hacía problemas, porque nosotros organizábamos todo y la gente de X-28, una fábrica de alarmas, estaba con nosotros desde el principio.

Cuando ya estaba todo listo, menos de un día antes de la fecha fijada, el miércoles 15 de abril, cuando faltaban horas, llegó el fax, el maldito fax de la FIFA. Juro que, al principio, no lo podía creer, pensé que era un chiste, de mal gusto, pero un chiste al fin. Estaba dirigido a Julio Grondona, decían que se habían enterado que se jugaba el partido y que yo iba a participar. Y terminaba con una amenaza, tremenda, fulera: *"De todas maneras, y en bien de la familia del jugador fallecido* (¡en bien de la familia del jugador fallecido, por Dios!), *la presencia de Maradona sobre el terreno de juego junto con otros jugadores inscriptos en la AFA podría acarrear a estos últimos sanciones por parte de la FIFA, en aplicación de los Estatutos y Reglamentos."* En síntesis, como diría Santo Biasatti, lo de siempre: yo era la manzana podrida, el que arruinaba todo. Decidí dar un paso al costado, con mucha bronca pero con más tristeza. Una vez más, me hacían sentir un delincuente. Le dije a Franchi: "Está bien, Marcos. Avisale a Grondona que se quede tranquilo, que no se cague, porque no voy a jugar. Pero decile que lo hago por los muchachos, para no complicarles la vida; ni por la AFA ni por la FIFA. Dale, andá y decile". Fue y le dijo.

Mientras tanto, los muchachos se enteraron de todo el quilombo y el Cabezón Ruggeri también se comunicó con Grondona, para ver qué pasaba y para pedirle por favor que me dejara jugar, que yo había armado toda esta historia y que conmigo la recaudación iba a ser más alta. Grondona le contestó mal, mal, aunque después quiso dar explicaciones. Le dijo que no me dejaba jugar de ninguna manera, primero; después, que le ofrecía cincuenta mil dólares, ¡cincuenta mil dólares!, para pagar los gastos de Funes en el sanatorio y que el partido se jugara en julio, cuando a mí me levantaran la suspensión; y para terminar, lo despidió así: *Diego no puede jugar. Si lo hace, ustedes pagarán las consecuencias.*

El Cabezón voló hasta el hotel Elevage, donde estábamos todos los jugadores que íbamos a estar en el partido. Eramos 41, en total. Cuando Ruggeri contó el diálogo que había tenido con Grondona, el Mono Navarro Montoya me dijo: *Diego, ahora tenés que jugar, más que nunca.* Yo no había dicho una sola palabra en toda la reunión, lo había estado escuchando así, bien atento, a Ruggeri, pero cuando el Mono me habló, fue como si me hubiera puesto play y me salió la voz, un poco quebrada, la verdad: "Sí, voy a jugar, les vamos a romper el culo".

Algunos, como Diego Latorre, se pusieron pálidos: *¿Y a nosotros qué nos va a pasar?*, preguntaba el pelotudo, asustado.

Nada nos podían hacer, nada: el árbitro, Ricardo Calabria, no pertenecía a la AFA, porque ya estaba retirado, y sus ayudantes lo mismo. Nosotros, Maradona Producciones, habíamos pagado la póliza de seguro que se necesitaba y hasta habíamos mandado a imprimir las entradas. El partido lo estaba organizando yo y no la AFA. Así que salimos del hotel y encaramos todos para la cancha de Vélez. El partido se jugaba y yo iba a estar ahí, en la cancha, con los cortos, con la pelota. Con la gente.

A mí, lo de Grondona me había caído como una patada en los huevos: de alguna manera, ¡había ofrecido cincuenta mil dólares para que yo no jugara! En aquel momento dije cosas muy fuertes; por ahí, vistas ahora, a la distancia, demasiado. Pero las dije, así soy yo: "A Havelange, a Blatter y a ciertos dirigentes, nadie los va a llorar en la Argentina cuando se mueran". Y también: "Mientras Grondona sea el presidente de la AFA, no voy a volver a la Selección Nacional". Muy fuerte, sí, pero me salió del alma.

Al vestuario vinieron todos; también los dirigentes, que estaban más cagados que nadie, porque tenían miedo de quedarse sin jugadores. Ahora que lo pienso, hubiera sido bueno; todos habrían entendido de una vez por todas quiénes son los verdaderos dueños del espectáculo.

Cuando salí a la cancha, me estremecí. Era una noche oscura, cargada de neblina, pero en las tribunas había una multitud: estábamos juntando más de cien mil dólares sólo de recaudación; con la publicidad y todo eso se iban a más de doscientos mil, todo para la familia Funes, para que pagaran el sanatorio y para que siguieran con la obra que Juan había empezado, su escuelita de fútbol.

A mi derecha, apenas pisé el césped, saludé a la hinchada de Boca; no me podían fallar. Y había más, claro, no sólo los de Boca: estaban todos los hinchas del fútbol. Ellos me bancaban a muerte, ellos no se comen ningún gato muerto. Yo estaba muy emocionado, muy emocionado porque no me sacaba ni quería sacarme de la cabeza la imagen de Juan... Juan contento por ese partido que le hacía fruncir el culo a los poderosos, a los que se creen dueños de algo y no son dueños de nada.

Jugué bastante bien, aparte. Hice dos goles, le metí un pase de gol al Beto Acosta y el equipo mío, que usaba la camiseta azul, ganó 5 a 2. Salí unos minutos antes del final del partido, tal vez para tomar aire y decir, como dije: "Hoy, los futbolistas empezamos a crecer". Lo creía, de verdad. Le habíamos puesto la pata encima, como corresponde, a la mano negra. Le habíamos ganado al poder.

Para mí, aquella noche, la copa del mundo que me llevé a mi casa fue el apoyo de los míos, de mis compañeros, de los jugadores. Se jugaron las pelotas para oponerse a la maldad, porque había sido una maldad todo aquello. Al fin, los dueños del poder tuvieron que recular.

Yo había empezado a entrenarme despacito. Primero, con la doctora Patricia Sangenis, que después se sarpó, porque empezó a hacer un conferencia permanente con todo lo mío. Había estado por primera vez en el balneario Marisol, en Oriente, cerca de Tres Arroyos, a 550 kilómetros de Buenos Aires, en enero del '92 y ahí había comenzado todo. Ahí mismo, en febrero, había jugado mi primer partido, de verdad, después de la sanción. Y fue un partido muy especial, en la canchita de El Nacional, de Oriente, a beneficio de los chicos discapacitados: ahí, jugando para los Amigos de Marisol contra el Mercado Los Tigres, delante de cinco mil personas, todas de los pueblos de los alrededores, hice mi primer gol como jugador...

prohibido. Fue el 27 de febrero de 1992 y el premio, un millón... de besos de chiquitos discapacitados pero felices, muy felices. Más felices que nadie.

Después de eso, y también después del famoso encuentro por Funes, volví a ponerme los cortos a beneficio, en Posadas, Misiones, para ayudar a un hospital de allá. Esa era mi vida, esa era la forma de seguir cerca, bien cerquita del fútbol. Ayudando a los demás, que también era una forma de ayudarme a mí mismo.

De donde estaba y me sentía lejos, por supuesto, era de Nápoles y del Napoli. Por aquellos días, ellos mandaron mensajes, como que me esperaban el 1º de julio, cuando terminara mi calvario. Yo empezaba a pensar en otras posibilidades para cuando ese momento llegara, tanto sufrimiento no podía ser eterno.

El sábado 4 de julio, tres días después de mi... liberación de las cadenas de la FIFA, agarré mi equipo y partí hacia la estancia El Sosiego, en 25 de Mayo, una ciudad de la provincia de Buenos Aires, a 300 kilómetros de la Capital. El Sosiego era de don Antonio Alegre, por entonces presidente de Boca, nada menos, pero la historia no tenía nada que ver con eso. Digo que no tenía que ver con Boca, en principio. Allí mismo y justo aquel día, inicié el camino del regreso y también empezó una tremenda telenovela: las negociaciones para cambiar de club, irme del Napoli y llegar a... ¿adónde? Una posibilidad era el Marsella, otra vez. A Bernard Tapie, que en su momento nos había ofrecido la vida, no le estaba yendo muy bien: había perdido Adidas y también estaba afuera del gobierno. Afuera y de mala manera. Pero era una buena posibilidad, porque lo que yo buscaba era tranquilidad, y el fútbol francés seguía ofreciéndomela.

La otra chance, pero muy muy lejana, era la de siempre: Boca. El tema era la plata. Nosotros teníamos que levantar el muerto de un año y pico sin jugar, y Boca no estaba en condiciones. La única manera era con la aparición de algún inversor.

Para terminar, otra puerta podría abrirse por el lado de algún club europeo: Real Madrid, por ejemplo. O Sevilla, sólo porque ahí había aterrizado Bilardo y nos había mandado un mensaje, a través de Marcos: *Fijate si podés hacer algo, porque éste puede ser un buen lugar para Diego. Acá no presionan, no piden campeonatos. Aunque con él, yo pienso que podemos ganar todo. No sé, fijate, estúdienlo, vos sabés que yo quiero lo mejor para él.*

El hijo de puta del Narigón había caído ahí, en el Sevilla, porque en la Argentina lo habían cagado con un negocio, la privatización del KDT, un centro deportivo, y entonces se había calentado y se había rajado. Pero estaba bien, tenía razón, era una linda posibilidad.

Mientras tanto, yo me entrenaba, ahora asistido por el profesor Javier Valdecantos y el doctor Luis Pintos. Y también jugaba, pero en la tele, canchita de cinco y césped sintético: eran aquellos partidos en *Ritmo de la Noche,* el programa de Marcelo Tinelli, por Telefé. Como todos, los jugaba en serio y me divertía como loco.

El tema principal era desvincularme del Napoli. Justamente, eso era lo más complicado. Los guachos me citaron para la presentación, que iba a ser el miércoles 15 de julio, con bombos y platillos, con las nuevas figuras, el uruguayo Fonseca, el sueco Thern, como si nada hubiera pasado, como si fuera un jugador más. Ellos estaban recalientes porque yo había hecho declaraciones muy duras en medios italianos, pero tenía razones muy fuertes para no volver.

En una entrevista con el canal Telemontecarlo, disparé munición bien gruesa. Les dije, bien clarito, que mi ciclo con el Napoli estaba definitivamente clausurado, que no le haría ningún favor a los napolitanos si volviera. Que al único que enriquecería, aún más, sería a Ferlaino, y él ya había ganado bastante plata conmigo. Para mí, el Napoli había aprendido a jugar sin Maradona y podía seguir así: si Maradona se iba, el Napoli no se moría. Después se fue al descenso, es cierto, pero que no me echen la culpa a mí: la culpa, siempre, fue de Ferlaino, que no puede manejar ni un colectivo. Decían que Ferlaino quería venir a visitarme a Buenos Aires. ¡Hijo de puta! Durante un año no se había interesado en lo más mínimo por lo que yo estaba pasando y ahora se prendía. Lo dije y lo repito: si yo hubiera estado en un club donde se preocupaban por el jugador pero también por el hombre, habría regresado al Napoli. Pero no, no, había demasiados antecedentes de jugadores maltratados allí: Bagni, Giordano, Garella. ¿Por qué iba a ser yo una excepción?

Encima Claudio Rainieri, el nuevo técnico, habló antes de conocerme, diciendo que con él al frente, Maradona no estaría en Nápoles de vacaciones. Habló, como decimos los argentinos, gratis. Y Matarrese, Antonio Matarrese, era el que había puesto su mano en mi caso, su mano, su mano negra. Les transmití mi certeza de algo: no merecía la sanción, me habían hecho pagar porque era extranjero y porque impedí que Italia jugara la final del Mundial. En el fútbol hay intereses muy fuertes y aquel año se perdieron muchos millones de dólares. Pero aunque me sancionaran por diez años, el resultado de Argentina-Italia no cambiaría. Y mi suspensión, además, fue una ventaja para Ferlaino, porque en aquel momento no era el Maradona que él quería. Yo llevo el fútbol en la sangre. Y quisieron golpearme por las cosas que dije.

"Non ce la faccio più", así le dije: no lo hago más, no puedo más, ¡basta! Todo eso quería decir en una frase o en mil, en lo que me saliera. Tenía razones para no volver. Y eran tan claras, que hasta Grondona salió a decir que, si no nos poníamos de acuerdo, él iba a recurrir a la FIFA para que resolviera la cuestión y que no tenía dudas de que, en ese caso, el fallo iba a ser a favor mío.

Esas razones estaban escritas en un fax que nosotros le mandamos al Napoli, a la Federación Italiana de Fútbol, a la AFA y a también a la FIFA justo un día antes de que se cumpliera la sanción, es decir, el 29 de junio de 1992. Tratábamos de explicar por qué no servía para un carajo que volviéramos. El riesgo era grande en serio.

El tema es que ellos no estaban de acuerdo y empezó una guerra de cartas y faxes y más cartas. En un momento me parecía que íbamos a quedar tapados por todos los papeles. Yo, por las dudas, fui haciendo lo único que podía hacer: en los Tribunales de Buenos Aires me presenté ante la jueza Amelia Berraz de Vidal, que era la que seguía mi caso desde el quilombo en la calle Franklin, y conseguí, por fin, la autorización para salir de la Argentina: yo quería estar con las valijas listas.

El equipo ya estaba armado: yo, de líbero; Juan Marcos Franchi, representante; Javier Valdecantos, preparador físico; Luis Pintos, médico; Rubén Navedo, psicoanalista; Carlos Handlartz, psiquiatra; Luis Moreno Ocampo, Antonio Gil Lavedra, Hugo Wortman Joffré y Daniel Bolotnicoff, abogados.

A partir de ahí, Franchi voló a Sevilla, después del contacto que

Bilardo le había hecho con el presidente del club, Luis Cuervas. Y Bolotnicoff, al mismo tiempo, partió a Marsella, donde ya se había movido para verse con Bernard Tapie, a través de uno de sus ayudantes, que se llamaba Jean Pierre Bernés. Una movida enorme alrededor mío, todo para definir el club ideal, el club donde volver.

Mientras Marcos y Daniel negociaban, yo pesaba: lo que más me gustaba de Sevilla era que estaba el loco de Bilardo, que no había exigencias de vuelta olímpica y que la ciudad tenía onda, buena onda; pero las dudas de los tipos para decidirse me daban la impresión de que sentían que yo les quedaba grande, y no quería ni imaginar qué podía pasar si nos quedábamos sin respuestas y volvíamos a pelear el descenso. Lo que más me atraía del Olympique era Marsella, la villa soñada que tuve al alcance de las manos y que Ferlaino me quitó, la posibilidad de jugar la Copa de Campeones en un equipo competitivo y, a la vez, la tranquilidad de un campeonato como el francés; lo que miraba de reojo, porque no me gustaba tanto, era el ambiente de la ciudad, que se parecía mucho a Nápoles, y la obligación de enfrentar otro idioma, otra adaptación.

Tenía tiempo de pensar en todo eso aunque mi actividad era grande, ¿eh? En 25 de Mayo, cerca del campo donde había comenzado mi recuperación, jugamos otro partido a beneficio. Me sentía bien, me sentía jugador de fútbol, otra vez, aunque fuera en una canchita de pueblo. Me acuerdo que en ese partido jugaron Juanchi Taverna y Pablito Erbin, que eran de ahí, el Gringo Giusti, Daniel Sperandío, el Tata Brown y Julio Ricardo Villa.

Cuando terminó el partido —ganamos 7 a 0, por si alguien lo quiere anotar por ahí— armé una conferencia de prensa y dije: "Estoy en los primeros doce días de trabajo intenso. El sábado a la mañana hice cuarenta minutos de entrenamiento y en el segundo tiempo ni se notó. Hice cosas buenas en la primera parte, pero en la segunda ya estaba un poco cansado. Estamos por el buen camino, sin renunciar a ninguna práctica, porque esto nos va a servir para cuando venga la historia dura, la de competir oficialmente. Estoy decidido a volver para pagarle a un montón de gente que me brindó cariño en este año y medio en la Argentina. Sé que hay varios dirigentes que están haciendo gestiones, por ejemplo Grondona. Y hasta Pelé quiere que vuelva a jugar; me sorprendió, ¡no lo podía creer! Las primeras conversaciones están encaminadas hacia Sevilla y la otra es Olympique de Marsella. ¿Boca? Va a quedar para más adelante, no quiero que el club ponga un sope, porque en este momento se necesita mucha plata. Y después, sí, darle para adelante hasta que salgamos campeones. Que nadie dude que voy a morir futbolísticamente con la camiseta de Boca. Lo mismo que la Selección, cuando me ponga bien, quiero ganarme un puesto en el equipo. Tengo ganas, aunque en este momento es más un deseo. De jugar al fútbol no me olvidé, no. Y la cinta de capitán me queda bien, ¿no?".

Todo eso dije, de un tirón, el sábado 18 de julio, después de jugar un picadito en 25 de Mayo y con un frío que calaba los huesos. Lo que yo sentía, adentro también, era que la solución estaba al caer.

Pensando en eso volví a Buenos Aires, donde mi vida era de lo más sencilla: me entrenaba en Palermo, con el Profe Valdecantos y Carlitos Fren, ya había bajado 7 kilos; a la noche, un poco de tele y un poco de show: que fútbol en lo de Tinelli, que tango en lo de Antonio Gasalla. Sí, canté "El sueño del pibe" en *La verdá de la milanesa,* que así se llamaba el show de Antonio en un teatro... Algunos se sorprendieron con eso de Maradona cantando tangos, pero la mayoría ya sabía que yo había nacido también para eso. Me gusta mucho el tango: escucharlo y cantarlo. Muero por Julio Sosa, como muero por los rockeros... No sé, será otra de mis contradicciones.

"El sueño del pibe" es uno de mis preferidos, no sé, será porque tiene mucho que ver conmigo. Es más, cuando yo lo canto, le cambio los nombres de las figuras y me incluyo yo. Me gusta tanto que cuento esto y me dan ganas de cantarlo...

Golpearon la puerta de la humilde casa / y la voz del cartero muy clara se oyó / y el pibe corriendo con todas sus ansias / al perrito blanco sin querer pisó.

Mamita, Mamita, se acercó gritando / La madre extrañada, dejó el piletón / Y el pibe le dijo riendo y llorando: / "El club me ha mandado, hoy la citación".

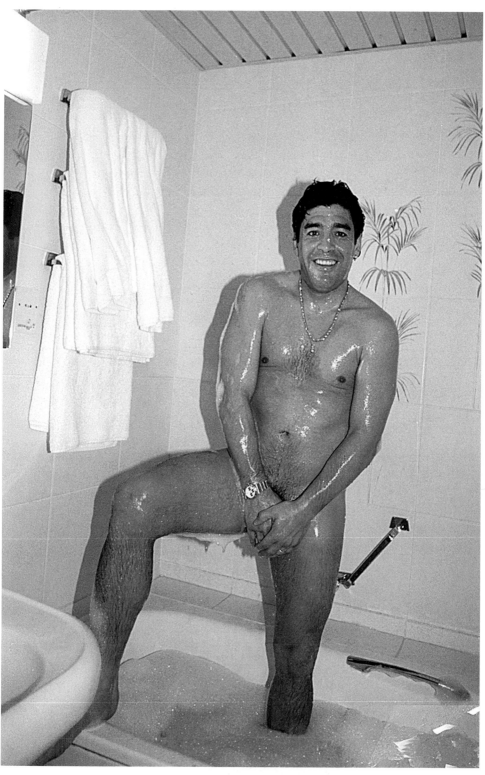

Yo no tengo nada que esconder, nada. Siempre fui de frente, mostrándome tal como soy. Y hoy, a los cuarenta años, puedo mirar de frente a todo el mundo. Por eso soy capaz de mostrarme así. Esto fue en Amsterdam, camino a China. Y me pareció divertido.

Muchos dicen que Barcelona fue mi mejor etapa. Parece mentira, ¿no? Digo, por como terminó todo. Pero creo que algo es cierto: si no me pasaba todo lo que me pasó, hubiera volado... Bueno, algo volé, ¿no?

Con el alemán Schuster nos entendíamos de memoria. Debe ser porque los dos estábamos relocos. Pero me apoyó en varias de mis campañas. Había varios tipos en el Barcelona que nos querían bien lejos.

Núñez fue el culpable de todo lo que me pasó en Barcelona, el único culpable. El tipo jamás se bancó que él no podía ser nunca más importante que un futbolista. Y me persiguió, como a otros. Esta foto es del día de mi presentación: ya nos mirábamos raro.

Por lo menos no me fui del Barcelona con las manos vacías. Ahí está, delante de toda la gente, la Copa del Rey. En esa época nos dirigía el Flaco Menotti, un fenómeno.

¡Mirá las pelotas con las que nos hacía entrenar el alemán Lattek! No se puede creer, viejo. Por eso me pelié con él, porque cuando más importante era el partido, más pesadas eran las pelotas. Y las mías ya estaban llenas.

El momento más doloroso de mi carrera. Ahí estoy, en la camilla, fracturado. Yo ya sabía, ya sabía. Había sentido el ruido, después de la entrada de Goikoetxea: ruido a madera rota. Y el dolor, terrible. De ahí, de la cancha, me llevaron para el sanatorio. Nadie se imaginaba que tres meses después estaba volviendo a una cancha.

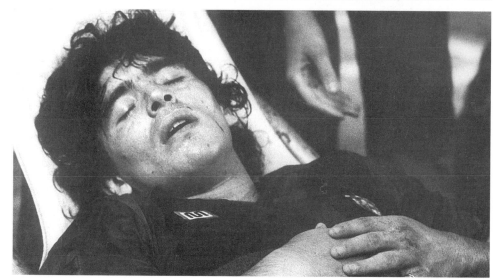

Es buena la imagen, es buena, porque si algo fue Gentile, eso fue: mi sombra. Pero, ¡cómo pegaba esa sombra! Muchos años después, el tano me reconoció que, con un arbitraje serio él no hubiera podido aguantar en la cancha más de veinte minutos. ¡Me cagó a patadas!

Lengüita afuera, pelota al pie... pero no me alcanzó. Los belgas nos ganaron y mi primer Mundial, el de España '82, arrancó mal, mal. Así terminó, también.

¡Qué cara, ¿no?! Partido contra Brasil, nosotros jugábamos y ellos hacían los goles. Me gastaron en la mitad de la cancha y cobró el pobre Dirceu, que no tenía nada que ver. Me echaron, sí, me echaron. Así me fui de España '82, que iba a ser "mi" Mundial.

¿Se nota bien lo que digo, no? "Hijos de puta." Lo hice a propósito, para que todos se dieran cuenta. No podía creer, no podía aceptar, que hubiera gente que se alegrara con mis derrotas. Pero lo que más me jodía era que mezclaran a mi país y a mis compañeros. Por eso dije lo que dije, antes de la final, durante los himnos.

Me jodía mucho que se hablaran giladas porque yo estaba muy bien físicamente, mejor que nunca. Miren qué figura, corriendo en mi vieja y querida cinta. El Ciego Signorini me había hecho un plan de entrenamiento espectacular. Después, todo se fue al carajo.

Mi aplauso para los napolitanos, mi aplauso eterno. Aquella vez yo los escuché alentarme. Cuando dije aquello de que ahora, cuando jugara la Argentina contra Italia, los iban a considerar por fin italianos y no africanos, como siempre, lo dije porque lo sentía. Y porque era verdad. No les pedía nada. Necesitaba el respeto para mi Selección, el respeto que nos tuvieron, al fin.

¿Y cómo no iba a llorar? Me habían arrancado la Copa del Mundo. Me la habían robado. Y la gente me silbaba, me silbaba. ¿Qué más querían? Pisotearme, escupirme. Ellos no se daban cuenta de que mi dolor era haber perdido la Copa. Después, en Argentina, quisieron festejar: ¡los segundos puestos no se festejan, fiera!

Se lo grité a la cámara, sí, pero no por estar sarpado, como dijeron algunos giles. Se lo grité a la cámara para que todos se enteraran de que había vuelto, de que estaba allí. Fue el gol a Grecia, en el '94, fue el último mío en un Mundial.

Ahí está, ahí está la enfermera que me llevó a la ejecución. ¿Ustedes vieron a algún otro jugador al que lo vengan a buscar para llevarlo al control antidoping? Y yo fui, fui como un pelotudo, cagándome de risa. ¡Cómo me voltearon!

Cuando le dimos vuelta el partido a los nigerianos, todo el mundo se dio cuenta de que veníamos en serio. Que Argentina era el mejor equipo del Mundial. Después... Después me echaron y me arruinaron el sueño. Le arruinaron el sueño a un tipo que se había matado por volver.

Uy, que bronca tenía. Bilardo me sacó contra el Burgos y yo me fui de la cancha puteándolo. Después nos cagamos a trompadas... Igual, son muchas las cosas del Narigón que alguna vez me hicieron decir que era como un padre para mí.

Fue una pena que lo del Sevilla no haya podido continuar. Porque tuve buenos, buenos partidos.

Fue muy lindo lo de Newell's, muy lindo. Me gustaría hacer más cosas con ellos, porque tengo los mejores recuerdos. Ahí está la gente, detrás. Me querían mucho.

Debió ser gol, debió ser gol, pero el Loco Islas me la sacó. ¡Qué linda rabona! Fue en mi debut en Newell's, en la cancha de Independiente, el 10 de octubre del '93.

Disfruté mucho aquel regreso a Boca. No sé, entraba a la cancha y me sentía el dueño. Aparte, todos me trataban con un respeto increíble, los compañeros y los rivales. Y volver a gritar un gol de Boca, bueno, así se grita...

A veces me tenía que atar los cordones, sí. Si fuera por mí, jugaría sin cordones. No sé, se siente más la pelota, estás más libre, me encanta.

Uno de los grandes gustos que me di en mi carrera: jugar con Claudio Caniggia. Un monstruo, un verdadero monstruo del fútbol. Yo lo considero mi amigo, además. Esto fue en el '95, cuando se dio el otro sueño, volver a Boca.

Creo que fue el reconocimiento más grande que me pudieron hacer. Invitarme a la Universidad de Oxford y nombrarme Maestro. Fue también cumplir un sueño. Se lo dediqué a mis viejos, que me dieron la educación que pudieron, y a mis hijas. Para mí era muy importante que se supiera, en todo el mundo, que los futbolistas no éramos ningunos ignorantes.

Ser técnico en Mandiyú y en Racing fue una buena experiencia, más allá de los resultados. Aprendí muchísimo y sé que algún día voy a volver a dirigir, pero a pibes. Quiero enseñar, quiero transmitir lo que sé.

Un piquito con Cóppola. Por ahí la gente se queda con eso, nomás, y no se da cuenta de que somos hermanos. Eso somos: hermanos. Y lo repito por milésima vez: todo lo que Guillermo hacer por mí es bueno; si hay cosas malas, es por mi culpa y decisión.

Con Jorge Cyterszpiller, en los primeros tiempos nuestros. Vivimos lo que tuvimos que vivir. Y punto.

Al Narigón siempre le voy a agradecer que se la jugó por mí cuando nadie daba dos pesos, nadie. El me nombró capitán y único titular. Ese día, yo supe que le iba a pagar con el título del mundo. Después, hay otras cosas que no me gustan, como con todos.

Mi primera gira con la Selección, con el Flaco y Passarella. Del Káiser ya voy a hablar. De Menotti digo que lo admiro, lo admiro profundamente, aunque nunca, nunca, le voy a perdonar que me haya dejado fuera del Mundial '78.

Al Coco Basile lo quiero mucho. Y me da mucha bronca que, injustamente, lo hayan acusado a él de los desórdenes de la Selección. Y, encima, que lo hayan llamado a Passarella para reemplazarlo. ¡Por favor! El Coco es un modelo de técnico para mí.

En algún momento lo consideré mi amigo a Passarella. Y después se le escapó la tortuga. Creo que nunca pudo aceptar, nunca, que yo había llegado a ocupar su lugar. Yo era para Bilardo lo que él había sido para Menotti. Pero él también le tomó la leche al gato, se la tomó.

Yo no estoy peleado con Ramón Díaz, nada que ver. Lo que pasa es que él se dejó llevar por giladas, por eso de que yo lo prohibía en el Seleccionado. ¡Y yo jamás prohibí a nadie, chabón! Se lo dije, se lo dije en la cara en Italia, en un partido contra el Inter: "Meté goles y dejate de joder, así te llaman".

Uuuhh, que linda foto. En el vestuario del estadio de Glasgow, el día que hice mi primer gol en el Seleccionado, con el Tolo Gallego. El me protegía cuando yo llegué al grupo. Después eligió a Passarella y está bien, amigos son los amigos.

Dos premios, dos, en esta imagen. Uno, la amistad de un grande, un grande de verdad como Alfredo Di Stéfano. El Viejo no tiene contra, vayan a preguntar en España a ver quién es el número uno: ¡ni Maradona ni Pelé! ¡Di Stéfano! Y el otro, ese Balón hermoso que me dieron los franceses por mi trayectoria. A los dos, gracias.

Yo siempre voy a decir que Dios y el Comandante Fidel Castro me salvaron la vida en el 2000. El Comandante me demostró de verdad lo que es estar cerca de alguien cuando lo necesita. El y el pueblo cubano. Antes de instalarme en La Habana estuve tres veces con él y estaría toda la vida. Es un hombre sabio.

Estuve con él, sí, aquí está el documento. Y si dije lo que dije, lo que cuento en este libro, es porque lo siento. Y sé que mucha gente querría decir lo mismo y no se anima. Nada más. No quiero faltarle el respeto a nadie, al contrario.

Me acerqué al presidente Menem cuando él vivió la tragedia de su hijo. No lo hice por interés ni por nada. Y volví a estar con él cuando perdió las elecciones. Me pareció lo más justo. Tengo un gran aprecio por él.

Sé que pudimos haber hecho muchas cosas juntos, pero somos demasiado distintos. El problema fue que él se asustó con mi aparición y pensó que yo venía a quitarle algo que nunca quise. El número uno, el más grande, que la gente lo diga y que cada uno lo sienta.

Doña Tota y Chitoro, los mejores padres del mundo, los mejores. Le agradezco a la vida tenerlos.
Y lo repito ahora: si me piden el cielo, se los doy.

La Claudia, Dalma Nerea y Gianinna Dinorah. Mi familia. Los amo y sé que me aman. Ellos son los que me importan, de verdad. Y si alguna vez me equivoqué y les hice daño —lo hice— les pido infinitas disculpas.

Dal y Gian, la Princesa y el Tanque, mis gordas. Ellas me mantienen vivo. Aunque aquella vez, eso que se ve en la foto, casi me matan. No, en serio, no sé a quién se le ocurrió hacerlas aparecer, de sorpresa, en el medio de la cancha, el día que volvía a jugar en Boca, en el '95. Casi me muero de un infarto.

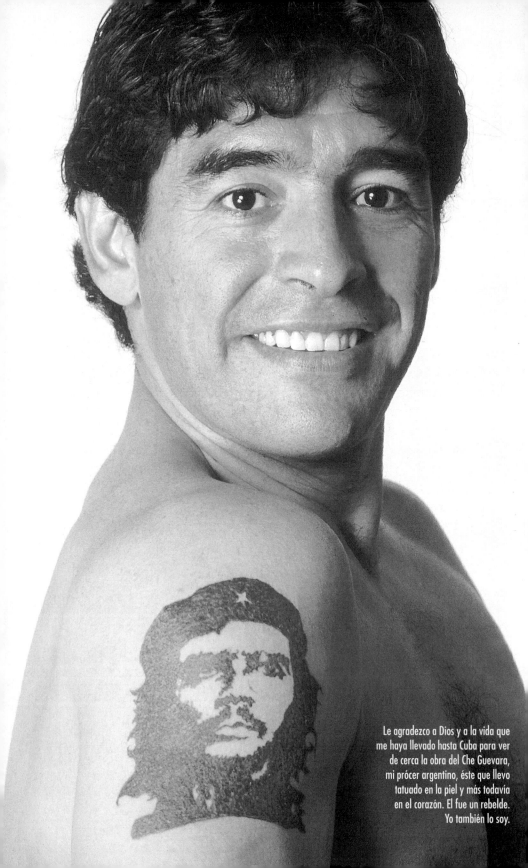

Le agradezco a Dios y a la vida que
me haya llevado hasta Cuba para ver
de cerca la obra del Che Guevara,
mi prócer argentino, éste que llevo
tatuado en la piel y más todavía
en el corazón. El fue un rebelde.
Yo también lo soy.

Mamita querida / ganaré dinero / seré un Maradona / un Kempes, un Boyé / dicen los muchachos / del oeste argentino / que tengo más tiro / que el gran Bernabé.

Vas a ver qué lindo / cuando allá en la cancha / mis goles aplaudan / seré un triunfador / jugaré en la quinta / después en primera / yo sé que me espera / la consagración.

Y sigue, con el sueño del pibe, el que yo cumplí...

Y con el rock, bueno, más que nada es identificación: con Andrés Calamaro, con Charly García, con Fito Páez, con los pibes de Los Piojos o de Attaque 77, con los monstruos de Los Redonditos de Ricota. Es identificación lo que siento con ellos: ellos también le dan alegría a la gente sin meterles la mano en el bolsillo, también hablan de la realidad sin caretaje. Ellos sí que no le toman la leche al gato... Me hicieron muchos temas a mí. Un montón. Yo lo siento como un homenaje, porque esas cosas, como los monumentos, sólo se las hacen a los muertos. ¡Y yo estoy vivo! Calamaro me hizo un tema que se llama... "Maradona", mirá qué original; y me dice, en la letra: *Diego Armando / estamos esperando que vuelvas / siempre te vamos a querer / por las alegrías que le das al pueblo / y por tu arte también.* ¡Un fenómeno! ¿Y Los Piojos? ¡Me hicieron ese que dice: *¡Maradooó, Maradooó!* Los franceses de Mano Negra, también... Un montón. Y no sólo rockeros, ¿eh? También Julio Lacarra, un músico uruguayo, escribió algo para mí*: Quería verte de nuevo / sobre el rectángulo verde / donde mueren las palabras / y tu zurda le habla a la gente...*

Pero el que logró encerrar todo mi sentimiento en letra y música fue un tipo popular, un tipo al que voy a seguir llorando mientras viva porque en el poquito tiempo en que estuvimos juntos me sentí muy muy cerca de él: hablo de Rodrigo, por supuesto. Por ahí le dicen "cuartetero" despectivamente y no se dan cuenta de que están hablando de un tipo con un corazón enorme, tan enorme que fue necesario matarlo. Que sé yo, por ahí Rodrigo era demasiado peligroso para algunos. La cosa es que él me dedicó "Diego", el tema más lindo que me hicieron y me harán. Lo escucho y lloro... Lo sé de memoria.

En una villa nació / fue deseo de Dios, / ese deseo de vivir / una humilde expresión / de enfrentar la adversidad / con afán de ganarse / a cada paso la vida. / En un potrero forjó / una zurda inmortal / con experiencia sedienta / ambición de llegar. / De cebollita soñaba / con jugar un Mundial / y consagrarse en Primera. / Tal vez jugando pudiera / a su familia ayudar. / A poco que debutó / "Maradoóó, Maradoóó" / la Doce fue quien coreó / "Maradoóó, Maradoóó". / El sueño tenía una estrella / llena de gol y gambetas / y todo el pueblo cantó: / "Maradoóó, Maradoóó". / Pegó alegría en el pueblo / regó de gloria este suelo. / Cargó una cruz en los hombros / por ser el mejor, / por no venderse jamás / al poder enfrentó. / Curiosa debilidad, / porque Jesús tropezó, / por qué él no habría de hacerlo. / La fama le presentó / una blanca mujer / de misterioso sabor / y de prohibido placer, / deseo de sanar otra vez / involucrando su vida. / Y es un partido que hoy día / el Diego está por ganar...

En eso estábamos, justamente, tratando de volver al rectángulo verde, a la cancha, cuando se logró algo: que el Napoli aceptara negociar la rescisión del contrato en un lugar neutral y con un árbitro; esas dos cosas iba a ser la FIFA. Yo, a la distancia, entendía muy bien la política de Ferlaino: vivo el tano, no iba a ser él quien me dejara ir del Napoli; estaba llevando las cosas hasta un límite donde pudiera decirle a sus periodistas y a su gente: *Me lo arrancaron de las manos.* Eso estaba haciendo, clarito. Por eso había contestado violentamente a nuestro primer mensaje, para después aparecer como si lo hubiera presionado la FIFA para hacer la reunión. Encima, en el medio de la negociación, ellos mismos me pegaron un bombazo: me multaron en 168.000 dólares y me bajaron un 40 % de mi contrato. Estaba claro, querían guerra. La iban a tener, la iban a tener y se iban a sorprender.

Por esos días, también, el viejo Havelange dijo por enésima vez que me quería como a un hijo, como a un nieto. Que me quería, *bah*...

Lo del Marsella se derrumbaba de a poquito, sobre todo porque lo que vivieron Bolotnicoff y Franchi, que viajó unos días más tarde desde Sevilla para reunirse con Tapie, fue terrible. Un ambiente muy pesado que le hizo sentir a Marcos, cuando finalmente aterrizó en Sevilla en un avión privado, que estaba volviendo a su casa. En realidad, lo hizo: un viaje relámpago, Sevilla-Madrid-Buenos Aires, para ponerme al tanto de todo y para solucionar algunas cosas personales de él. Entonces, se nos ocurrió una nueva estrategia: citar a los dirigentes del Napoli para dialogar, pero en Barcelona, donde se estaban haciendo los Juegos Olímpicos en ese momento, un lugar neutral, con la gente de la FIFA cerca. Les mostrábamos justamente a ellos, a los dirigentes de la FIFA mi intención de dialogar y les poníamos un plazo a los napolitanos. Contestaron, sí, pero parecía que estaban de joda: nos decían que estaban dispuestos a recibirnos, para tener una reunión, y nos daban ¡la dirección de la sede del Napoli! Además, como si nos estuvieran cargando, los guachos metían el horario en el que atendían, fuera de los fines de semana y feriados, como si hablaran de una oficina... ¡Ah! Y también me recordaban que me seguían esperando en el lugar donde el equipo estaba haciendo la pretemporada. ¡Estaban de joda los hijos de puta!

Pero nos vino bien ese tono en el fax, porque la FIFA se vio obligada a armar la reunión en Zurich, en la sede central. Mi teléfono explotaba: me llamaba Bilardo, desesperado porque la cosa no se hacía; me llamaba Marcos, para pedirme que me quedara tranquilo; me llamaba ¡Bernard Tapie! para rogarme que aceptara su oferta; me llamaba Grondona, para decirme que confiara, que todo iba a terminar bien.

El mismo Grondona viajó a Barcelona y ahí se encontró con Marcos. Vieron la final olímpica que España le ganó a Polonia y partieron los dos, cada uno por su lado, creo, a Zurich, donde se iba a hacer la reunión, el 11 de agosto... ¿Cuándo había empezado todo esto? El 1º de julio, cuando me levantaron la sanción: un mes y medio había pasado, ya. Era hora de que fuera terminando. El tema era: ¿cómo?

Apenas llegó a Suiza, un día antes de la bendita reunión, Franchi me llamó por teléfono y casi me mata de un ataque al corazón: *Diego, les voy a decir que volvés al Napoli*. Me volví loco, no lo podía creer, no entendía nada y Marcos me decía: *Pará, pará, pará, dejame que te explique...*

¡Yo no entendía un carajo! Habíamos llegado hasta ese punto sólo para separarnos del Napoli y ahora nos estábamos sirviendo en bandeja.

Cuando logró pararme, Marcos me explicó: *Les vamos a decir que volvés, pero bajo... ciertas condiciones*. Aaahhh, empezaba a entender, pero, ¿y si el Napoli aceptaba? *Bueno, ése es el riesgo, pero quedate tranquilo, van a decir que no*, me contestó Marcos y a mí me temblaron las piernas.

La reunión se hizo y la noticia sacudió al mundo. Me acuerdo que los tanos festejaban, *La Gazzetta dello Sport* mandó en la tapa: *"Diego: sí al Napoli. Ganó Ferlaino"*. Yo no creía que esa euforia se podía dar vuelta... La Claudia lloraba, mis viejos también, yo salí a hablar, como para seguir con la táctica que había elegido Marcos, y dije: "La idea era no regresar al Napoli y tratar de resolver esto con la ayuda de la FIFA. Pero nosotros, viendo la mala predisposición del club, viendo que nos ponen un montón de trabas, viendo que la FIFA no puede resolver, hemos decidido ponerle un montón de cláusulas y volver ahí. Se acortan los tiempos en todos lados y yo lo único que quiero es entrar de nuevo en una cancha. Hace 36 días que estoy entrenándome, necesito un equipo, necesito estar a las órdenes de un técnico. Sería bárbaro que el Napoli acepte las cláusulas que pusimos, sería bárbaro. Pero yo no sé hasta qué punto le convendría a Ferlaino, políticamente o de cara a la gente, que acepte las condiciones que les ponemos nosotros". ¡Las pelotas sería bárbaro! Esperaba con terror la respuesta del Napoli: si decían que sí...

La respuesta llegó, el viernes 14: el Napoli contestó que... ní. Sí, contestó ní, porque aceptó todas nuestras condiciones a nivel humano pero no las que estaban relacionadas con lo económico, las de la guita. Y como en la reunión se había dicho que la respuesta tenía que ser por sí o por no, se consideró que el Napoli le respondía negativamente a nuestra propuesta. ¡Era mi primer paso hacia la libertad!

Faltaba, ahora, que el Sevilla se lanzara a solicitar oficialmente mi pase. Antes no lo había podido hacer por miedo, sí, por miedo: si a la UEFA no le gustaba que en mi conflicto con el Napoli se metiera un tercer club, y encima uno chico de España, por ahí les metían una patada en el culo a la primera de cambio. Pero ahora ya no había razones para tener miedo: sólo tenían que comprarme.

¿Y? ¿Qué pasó? Pasó que el Sevilla se tomó su tiempo. Franchi y Bolotnicoff se desesperaban, pero los dirigentes andaluces tranquilos, sin dramas. Empecé a darme cuenta de algo: lo que me había parecido al principio, que estaban asustados, que yo les quedaba un poco grande, se estaba cumpliendo. Y encima, el Napoli hacía todo lo posible para reconquistarme: se empezó a decir que ya tenían reservada para mí una villa en la isla de Capri, con vista al Tirreno, y también un helicóptero, para transportarme todos los días hasta Nápoles, además de un yate, por supuesto. Además, protestaban oficialmente ante la FIFA porque decían que ellos no me habían contestado que no a mis condiciones. Y los hinchas, bueno, otra historia: los hinchas, los que siempre estuvieron conmigo, los que se encadenaron o hicieron huelgas de hambre para que yo llegara, ahora volvían a hacer esfuerzos, pero para que me quedara. Decían: *No tenemos viviendas, ni escuelas, ni ómnibus, tampoco servicios de higiene o ideas... Pero tenemos a Maradona.* Pobres, no era de ellos la culpa, no era de ellos.

Yo seguía esperando que estos andaluces hicieran algo. Recién el martes 18 de agosto el Sevilla mandó un fax al Napoli ¡solicitando mi cotización! Yo me comía los codos, no aguantaba más. ¡Jamás el Napoli iba a responder a esos papelitos! ¡Por Dios, tenían que ir a por ellos, ¿o es que no eran españoles, matadores?

Empezó otro tironeo insoportable, que ni siquiera se destrabó con lo que dijo Blatter. Era un miércoles, el miércoles 9 de septiembre, y el suizo mandó, desde algún lugar del mundo, que la mejor solución para este problema era que el Napoli me cediera, que el Sevilla me comprara y que, bueno, que se dejaran de joder, eso les dijo. Enseguida, metí mi ultimátum: "Si el sábado 12 no se define esta historia, me retiro... Lo juro por mis hijas". Se debe haber asustado Franchi, porque el viernes 11 armó el viaje para el día siguiente: ¡todos a España, nosotros sí que íbamos a por ellos! En realidad, Marcos no había escondido nada: *Si esto pasa del fin de semana, vamos a tener problemas con Diego*, había dicho. Y tenía razón, me empezaba a conocer el hijo de puta.

Con todo el lío, la autorización de la jueza para salir del país incluida, no me di cuenta de una cosa: era mi regreso a Europa, después de mi salida de Italia, tan fea, tan dolorosa. El sábado a la mañana me levanté al mediodía y casi ni comí. Me despedí largamente, largamente de mis hijas y me fui para el aeropuerto. El quía con traje color cereza, una pinturita... Arriba, hice el primer lío: les dije a los periodistas que mi partido debut se lo iba a dedicar a Sonia Pepe, por su entereza, y al Bambino Veira y a Carlos Monzón, porque estaban cumpliendo su pena en la cárcel, uno acusado de violación y el otro de asesinato, pero igual los seguían destruyendo.

Aterricé en Europa otra vez, en España para ser preciso, a las 7 de la mañana del domingo 13 de septiembre. Desde Barajas, nos llevaron en un avión privado a Claudia, a Marcos y a mí hasta Sevilla, al aeropuerto San Pablo. Ahí le di la mano, por primera vez, a Luis Cuervas, el presidente. Tenía unas ganas de decirle "¿por qué no apurás un poco las cosas, lenteja?", pero me pareció demasiado para el primer encuentro.

Ya tuve bastante, después, con lo que vi en la cancha, en el estadio Sánchez Pizjuán donde el Sevilla jugaba de local: una caída contra el Deportivo La Coruña que yo ya empecé a sufrir como propia. Aunque éstos tenían que concretar, todavía. Igual, me sentía en casa: estaba el Narigón ahí, loco en el banco; estaba el Cholito Simeone, ya más grande, metiendo y metiendo en la mitad de la cancha. Además, me acordaba de mi debut en el Napoli contra Verona: nos bailaron y terminamos ganando dos *scudettos*. No sé, de golpe estaba todo bien: entendía que Havelange y Blatter me defendían porque sabían que había cumplido con mi pena y también sabía que tenía que estar agradecido al Sevilla, como en su momento al Napoli, porque la verdad es que no hubo muchos clubes que me quisieran.

Me instalé en la suite del Andalusí Park, un hotel espectacular, onda árabe, que estaba en las afueras de la ciudad, camino a Huelva y me dispuse a entrenar y a esperar. La cosa es que todo lo que estaba bien, en una semana podía estar mal. Porque el Napoli no aflojaba, porque el Sevilla no apuraba, porque siempre prometían una reunión decisiva para mañana. La verdad es que el viernes 18 no me volví a Buenos Aires porque cuando me levanté encontré un papel debajo de la puerta: el conserje del hotel me había pasado por ahí un fax enviado por mis hijas, desde Buenos Aires. Decía: *Papi, no vengas. Esperanos que vamos para allá.* Ese papel... ese papel fue más importante que el contrato mismo, ¡porque me volvía, ¿eh?!

Salí a correr, una vez más, con el apoyo del Profe Valdecantos, por el campo de golf Las Minas, ¡Las Minas, se llamaba!, que estaba cerca del hotel. Cada tanto, usaba una camiseta de Michael Jordan, del Dream Team, y entonces decía: "¡Sáquenme fotos con ésta, sáquenme fotos con ésta, así me ve Jordan!". Así, Jordan va a preguntar: *¿Y éste quién carajo es?, ja, ja, ja.* Otra vez, me seguía un camarógrafo italiano, entonces aproveché para gritarle a la cámara, mientras corría: "¡Me obligan a hacer esto, me obligan a dejar! Lamentablemente para mí, porque tengo ganas de correr, como me han visto. Que Ferlaino también vea la filmación, que vea que soy un hombre vivo... Que no estoy muerto". Entonces me quedé en aquello que yo bauticé "La dulce espera". Aunque de dulce no tenía nada.

Hasta que llegó el martes 22 de septiembre. Eran casi las tres de la tarde y yo estaba de sobremesa, rodeado por toda mi familia, en el restaurante del hotel. No sé, jugaba con unas miguitas o algo en el mantel. De golpe, levanto la vista y lo veo venir a Franchi. Parecía que tenía la cara llena de risa y estaba como iluminado... Se me paró al lado y me dijo, mirándome desde arriba, porque yo seguía sentado.

—*Pibe, sos libre.*

—No te creo, me estás jodiendo...

—*Te estoy hablando en serio, sos libre, sos libre de verdad.*

Franchi me dijo eso y se derrumbó, se cayó así sobre una silla y sobre la mesa y se puso a llorar. A mí me empezaron a saltar las lágrimas mirando a todos los que estaban a mi alrededor: la Claudia, mis viejos, mis suegros. Apunté a Gianinna, la apreté contra el pecho y le empecé a decir, en el oído: "Soy libre, soy libre, estoy feliz... Por fin vas a poder verme en una cancha, con una pelota, por fin".

Seis días después, el lunes 28 de septiembre, volví a ser, definitivamente, jugador de fútbol. Se armó la fiesta de presentación contra el Bayern Munich de mi amigo Lothar Matthäus y al fin pude saltar al césped del Sánchez Pizjuán con el diez en la espalda, escuchando un tema que significaba mucho para mí: "Mi enfermedad", de Fabi Cantilo. *¡Estoy vencida porque el mundo me hizo así / no puedo cambiar / soy el remedio sin receta, y tu amor / mi enfermedad!*, decía. Y a mí me conmovía, me hacía sentir... ahí.

Ganamos 3 a 1, pero eso no le importaba a nadie, creo... Al menos no me importaba a mí: me gustó tocar con el croata Davor Suker, esperarlo a Simeone, escucharlo a Bilardo, meter un tiro libre casi desde el corner que reventó el travesaño, mandar un pase gol para Monchu... Me gustó jugar a la pelota, otra vez. Y lo festejé a lo grande, con el mismo Matthäus, que vino al hotel y se sumó a nosotros. El, su presencia, me hacía sentir que el fútbol estaba feliz porque yo había vuelto.

La cosa, entonces, era definir cuándo debutaba de verdad, por los puntos. Miré el fixture y lo vi, ahí estaba: domingo 4 de octubre, Athletic de Bilbao, Estadio San Mamés. ¡Ese tenía que ser mi debut, lo marcaba la historia! Ningún rival más significativo para mí, ninguno. Por historia y por presente. Resulta que apenas arreglé con el Sevilla, al técnico del Athletic, que era el alemán Jupp Heynckes se le ocurrió inventar, y lo dijo públicamente, que él sabía que en mi contrato con el Sevilla yo había exigido que pusieran que no iba a jugar ni en el Camp Nou, la cancha del Barcelona, ni en el San Mamés, el estadio del Athletic... ¡¿Cómo que no?! ¡Si yo quería jugar más ahí que en ningún otro lado! Por eso, quería revancha con ese alemán también.

Eran tantas las cosas que me unían o separaban de ese club vasco que no podía ser otro el rival, no podía... El Athletic fue, para empezar, el club que me quitó la oportunidad de ganar las dos Ligas mientras yo estuve en España. Con ellos perdimos la Copa del Rey, la última, que fue al fin mi despedida del Barcelona, mi último partido con aquella camiseta blaugrana: terminamos a las patadas, todos los jugadores en la mitad de la cancha, un escándalo terrorífico que empezó porque alguien me cargó. Y también, claro, un jugador símbolo del Athletic, Andoni Goikoetxea, me había fracturado el tobillo en 1983, el mismo que me había provocado la lesión más grave que yo tuve en toda mi carrera. En 106 días había regresado, aquella vez, y me había puesto la camiseta del Barcelona para enfrentar justamente ¡al... Sevilla!

Demasiadas, demasiadas coincidencias como para dejar pasar esa oportunidad de debutar en mi nuevo equipo, el Sevilla, contra mi viejo rival, el Athletic de Bilbao.

Fue el domingo 4 de octubre de 1992, ya lo dije, y un día antes recibí una visita que me confirmó que estaba todo bien, que el Barba (Dios) me había puesto en ese lugar y en ese momento por una razón especial. Yo estaba en mi habitación cuando me llamaron de abajo, de la conserjería y me dijeron que alguien quería verme. "¿Quién?", pregunté, con fastidio. *El señor Andoni Goikoetxea,* me contestaron. Bajé las escaleras corriendo y ahí estaba el hombre: era la primera vez que nos encontrábamos así, después de aquello. Eramos más hombres, los dos. El me dijo: *Hombre, es un gusto reencontrarte, saber que estás bien, que has vuelto para jerarquizar al fútbol... Nada, hombre, verte simplemente.* Y hablamos de nuestras hijas, de la vida, de todo un poco... ¿De aquello? De aquello nada.

De aquello me acordé, sí, cuando salí a la cancha, a la famosa Catedral, al estadio San Mamés. ¡Llovía como la puta que lo parió! Apenas entré, sentí que me mojaba la lluvia y también sentí que me rodeaba algo, una silbatina tan grande que parecía que chiflaba uno solo y eran miles y miles. Ni bien pisé el césped, bien verde, bien mojado, miré hacia la tribuna y distinguí una bandera que decía: *Maradona, marica, te pica el gol de Endika.* Endika nos había hecho el gol en aquel partido final de la Copa del Rey, que terminó en escándalo. Enseguida empezaron a gritar: *¡Goikó, Goikó, Goikó!* No, no se acordaban de nuestro querido Vasco, me recordaban al de ellos, el mismo que el día anterior me había dado la mano y nueve años antes una patada tan inolvidable que para ellos era como un título, como una copa. Como un triunfo. Con ese clima empezamos y así seguimos: recién había empezado el partido, irían poco más de veinte minutos, cuando... me pareció que la historia se repetía. Yo estaba en la mitad de la cancha, de espaldas al arco de ellos, girando hacia la derecha. Fue entonces cuando sentí un cañazo en el tobillo derecho. ¡Terrible! Escuché el silencio del estadio, de verdad, y enseguida el grito: *¡Goikó, Goikó, Goikó!* ¡No lo podía creer! Me revolví de dolor, sobre el pasto húmedo, y apenas pude me levanté. Me levanté como para decirles a todos: "Aquí estoy, de pie, estoy vivo, no me mataron. Lo intentaron otra vez, pero no pudieron". Después, cuando vi la jugada por televisión, me di cuenta de lo cerca que estuvo Lakabeg de convertirse en ídolo del Athletic: me había entrado igual, igual, igual, que Goiko casi una década antes. Pero esta vez me salvé, tal vez porque lo vi venir.

Y también me di el gusto de hacerlos fruncir un poco. Fue en el gol nuestro: tiro libre, me paré para darle y... otra vez el silencio. ¡Siempre les hacía cerrar el pico a los vascos! Le pegué por encima de la barrera, el arquerito no la pudo retener, apretó Marcos y fue gol. ¡Algo había hecho en mi primer partido! Dejé la cancha veinte minutos antes del final: aquel golpe de Lakabeg no me había partido, pero me había hecho doler de verdad.

Cuando yo me sumé al Sevilla, el equipo ya había jugado sin mí cuatro partidos en el campeonato español: con dos triunfos, un empate y una derrota. Y después de aquel primer partido en Bilbao, llegó el debut de local, en el Sánchez Pizjuán, contra el Zaragoza, el 11 de octubre: ganamos con un gol mío, el primero, de penal.

Enseguida empezaron los viajes. Por contrato, tenía que jugar en Boca. Sí, suena raro, pero fue así: era una minigira del Sevilla por la Argentina. Y el miércoles 14 de octubre, con la buena excusa de una cláusula en mi transferencia, me puse la camiseta de Boca otra vez. En La Bombonera, después de más de diez años, jugué el primer tiempo con la camiseta del Sevilla —empatamos 1 a 1— y el segundo con la de Boca —terminamos perdiendo 3 a 2.

En realidad, debo admitirlo, jugué los primeros 45 minutos rogando que pasaran rápido, rápido, para poder volver a sentir los colores que tanto amo sobre mi piel. En el entretiempo, cambié de vestuario corriendo y llegué justo para recibir toda la ropa, toda la ropa azul y amarilla, y también para escuchar la charla técnica del Maestro Tabárez, el técnico. El uruguayo, un fenómeno, les pidió que hicieran todo lo posible por servirme un gol. Y yo arengué a los muchachos: "¡A seguir metiendo, ¿eh?! Que así le rompimos el culo a River". Claro, unos días antes, el domingo, los había visto a ellos desde la tribuna, los había visto ganarle a River, como se debe, con autoridad; viví el partido como loco, como un hincha más, y casi me muero cuando Navarro Montoya le atajó el penal a Hernán Díaz. Bueno, la cosa es que con esa arenga volvimos a la cancha. Cuando todo terminó, muchos me dijeron que había corrido más en la última parte, y a todos les contesté lo mismo: "Fue por la camiseta, fiera".

Repetimos la fiesta en Córdoba y volvimos para España. Ahora tenía que empezar a meterle, en serio. Por eso le pedí que volviera a trabajar conmigo al hombre que más conoce mi físico, Fernando Signorini. Festejé mi cumpleaños número 32 en mi nueva casa, en el mejor barrio de Sevilla, el Simón Verde. Se la había alquilado al torero Espartaco, se llamaba Villa Espartina y era impresionante. El regalo que más agradecí fue la paz que me habían dado los andaluces en esos días. Además, por aquella época, me hice unos estudios de esos que a mí gustan, con todo, con las mejores máquinas, muchas cintas y toda la bola, en la clínica de Xabier Azkargorta. Dieron bárbaro, estaba encaminado, apenas con dos kilos por encima de mi peso ideal, aunque ése no era un problema.

Fueron buenos tiempos aquéllos, hasta fin de año. Sobre todo un día cuando un diario de Barcelona presentó un supuesto informe donde decía que yo hacía lo que quería, que no me entrenaba nunca, que vivía de noche: le respondí con un triunfo contra el Celta, en Vigo, y un golazo de tiro libre. Fue el domingo 22 de noviembre, ya sumaba tres goles, porque también le había metido uno al Rayo Vallecano, de penal. Estaba en el centro de la escena, otra vez.

Me acuerdo que armaron un quilombo bárbaro antes del partido contra el Tenerife, por mi duelo con Redondo y por el enfrentamiento entre bilardistas y menottistas, porque a ellos los dirigía Valdano, y con él estaba Angel Cappa. Y yo le di la mano a Redondo antes de empezar el partido y punto, los dejamos a todos con las ganas de la pelea. Eso sí: a nosotros se nos escapó la tortuga aquella tarde del 3 de enero de 1993, en la isla: el Tenerife nos ganó 3 a 0. También se armó un circo enorme antes de mi reencuentro con el Barcelona, pero del lado de enfrente: el lío sirvió para llenar el Sánchez Pizjuán como no se había llenado nunca y para sacar un empate 0 a 0, digno, nada más que digno. Y cerré la primera rueda a todo galope, con un partidazo contra el Real Madrid. Un partido grande, de los que a mí me gustan. Entonces, sí, me acuerdo que me animé a decir: "Me sentí entero para disputar todo mano a mano, de ir al piso, a recuperar la pelota, pude picar y ganar. Me sentí seguro". Se prendieron todos, enseguida, y algún diario español tituló: *Volvió el Maradona de México*. Se les fue la mano, eso me parecía a mí y a todos los que me conocían bien. Por eso, seguro, se me apareció Fernando con el diario en la mano y me gastó: *¿Así que anduviste de paseo por México en estos días?*

Ese era el humor, así estábamos, hasta que llegó el momento de responder a lo que yo más amaba: el llamado de la Selección. El Coco Basile, que había estado conmigo en el debut, que había hablado conmigo en la intimidad, que había asegurado que me llamaría apenas me viera bien, había cumplido: me llamaba para jugar contra Brasil, el partido por el festejo del centenario de la AFA. No era un partido más: nunca lo es contra Brasil, claro, pero además, estaba incluido dentro de la fiesta en la que me nombraban como ¡el mejor futbolista argentino de todos los tiempos!

Viajé, sí, pero al regreso las cosas ya no fueron iguales: yo estaba acostumbrado como nadie a eso de cruzar el océano para jugar en el Seleccionado, volver y jugar en mi club. Nadie me lo iba a enseñar y los dirigentes del Sevilla pretendieron eso: no querían dejarme jugar el segundo partido, contra Dinamarca. Se pusieron en duros, me amenazaron con una multa y qué sé yo. Por supuesto jugué contra Dinamarca y volví a Sevilla, pero ya nada fue lo mismo. Es curioso, pasó lo que tenía que pasar, al fin: a Bilardo y a mí nos habían dicho que el Sevilla se caía siempre apenas pasaban las Fiestas; como si los jugadores, después de darle al champagne y a los brindis, ya no fueran los mismos. Bueno, a mí me pasó pero por otra razón: algo se rompió con los dirigentes y ya no hubo forma de arreglarlo.

Me empezaron a perseguir, a inventar historias, contrataron detectives para que les informaran lo que yo hacía, lo que yo decía, cómo vivía, y me harté. Me cansé: otra vez había hecho un esfuerzo enorme para volver y nadie me entendía. Sólo los míos, sólo los que estaban cerca. Como Bilardo. Por lo menos, eso pensaba yo en aquel tiempo. Una vez más, me equivoqué.

Pasó que yo venía arrastrando una lesión vieja, de esas que me acompañan a mí desde los Cebollitas, más o menos. Bueno, esta venía desde 1985, desde aquella famosa patada de un hincha venezolano en San Cristóbal, cuando llegamos allá para jugar las eliminatorias. Todos decían que yo no me entrenaba y mientras tanto, jugaba igual, lesionado: yo la estiraba, la estiraba. Tan es así, que me la querían operar en Italia y se opuso el doctor Oliva, él me salvó del cuchillo como me salvó de otras tantas. Cada vez que giraba, ¡me explotaba la rodilla! Me dolía tanto que yo mismo le decía: "¡Opéreme, doctor, opéreme!". Y él, nada: *Vos no te operás, haceme caso*. Le hice caso aunque el doctor del Napoli, el doctor del Milan, ahora el doctor del Sevilla, y todos decían que mi rodilla, así, no servía más... La cosa es que el Loco Oliva me la salvó, sólo que cada tanto me reaparecía el dolor en el menisco, como aquella vez en Sevilla.

Yo no me había entrenado en toda la semana y teníamos que jugar contra el Burgos, el domingo 12 de junio de 1993. Me puse de todo y salí a la cancha, como podía. Pero la rodilla se me iba, se me iba. Por eso, cuando terminó el primer tiempo, le dije a Carlos: "Carlos, no puedo más, no puedo manejar la rodilla... ¿Qué hago? ¿Me infiltro para seguir o salgo? Sáqueme o me infiltro". Y él me contestó: *Andá, infiltrate que vos tenés que seguir*. Fui, me cazó el tordo y me metió tres inyecciones en las rodillas. Tres inyecciones, ¡me mató! Pero yo le había dado la opción a Bilardo, y tengo de testigo a Lemme, su ayudante, y por eso me lo banqué. Porque sentí que Bilardo me necesitaba y yo no le podía fallar, siempre había sido así con él. Así salí a la cancha, de nuevo.

A los diez minutos, vi que el árbitro paraba el partido para hacer un cambio. Miré para el banco y vi la chapa número diez. ¡No lo podía creer! Pensé que era un error, que era un cambio de los otros... Pero no, Bilardo me sacaba a mí, diez minutos después de haberme hecho comer tres brutas inyecciones. Entonces lo reputié de arriba abajo, como todo el mundo vio por televisión: "¡Bilardo y la puta que te parió!", le grité.

Me fui al vestuario y lo rompí todo, lo hice mierda. ¡Rompí todo! Las cosas de los muchachos, di vuelta la camilla, todo, ¡una cosa terrible fue! Lemme, que me había seguido después de la puteada, me quería parar, pero lo tiré a la mierda a él también. Claudia, Marcos y Fernando, que habían bajado corriendo desde el palco, tampoco me podían agarrar. ¡Un quilombo infernal!

Me fui del estadio y me encerré en mi casa. Me quedé toda la noche despierto, llorando. ¡Sin droga, ¿eh?, sin droga! Miré televisión, llorando, vi películas, llorando. Siempre llorando, siempre. Llorando por lo que había pasado y llorando porque me acordaba de la reunión del miércoles, más allá de la lesión, de la reunión que había tenido unos días antes de ese maldito partido con los dirigentes del Sevilla.

Ellos me habían dicho, ¡a mí, ¿eh?, a mí!: *Vamos a echar a Bilardo antes del partido contra el Burgos, ¿te querés quedar como técnico y jugador?* Y yo les contesté, lo juro por mis hijas: "¡No, ¿están locos?! A mí me trajo Bilardo acá, yo vine por él. Yo puedo ser cualquier cosa, pero no un traidor, señores". El presidente Cuervas y también el vice, Del Nido, me insistieron: *Pero, Diego, ¡mire que las cosas están mal!, ¿eh?* Y entonces cerré la discusión: "Bueno, muchachos, esto es muy sencillo; si se va Bilardo... ¡me voy yo!". Salí de la reunión y me crucé con Bilardo, ahí nomás: "Carlos, me ofrecieron ser técnico, estos hijos de puta lo van a echar". Juro por mis hijas que fue así. Y él no me creía: *No, Diego, es una boludez, es una boludez. Voy a hablar con ellos y después te llamo.* No me llamó más, no me dijo más nada hasta que llegó el partido y se dio aquella historia: yo que juego, yo que me infiltro, él que me saca, yo que lo puteo...

Al día siguiente, yo seguía mirando televisión, la final de Roland Garros, me acuerdo, y seguía llorando. Y pensaba: "La puta, ¿cómo puede ser? Yo fui honesto con este tipo, le avisé que lo iban a echar, que me ofrecían el cargo a mí, ¿y me saca igual sabiendo que estaba hecho mierda!?". Entonces, estaba mirando el partido de tenis, así, con el televisor a un costado y sentí que pasa uno por atrás mío. Yo creí que era Franchi, no le di bola. Volvió a pasar y entonces me di vuelta... ¡Era Bilardo! Y me dice: *Vos no me podés hacer esto.* Yo seguía llorando, llorando de impotencia desde que me había sacado de la cancha, ¡desde el día anterior!, y el tipo me venía a decir: *Vos no me podés hacer esto, lo vi en la televisión, me puteaste, me puteaste cuando te saqué...* ¡Para qué! Le grité: "¡¿Por televisión lo viste!? ¿¡Por

238

televisión!? ¡Si te putié en la cara, hijo de puta, ¿cómo que lo viste por televisión?". Estábamos como locos: *Vos no me podés hacer esto, yo te banqué siempre,* me gritaba. "¿¡Qué me bancaste!? Si yo acepté que me clavaran tres agujas así de grandes y vos me sacaste igual."

Entonces se me vino encima y me empujó. Y cuando me empujó... perdí toda noción, perdí todo. Le di una trompada, *¡pim!* Lo tiré a la mierda, cayó así, clavó. Y cuando le iba a pegar de nuevo... no le pude pegar, no le pude pegar. Vino Claudia, vino Marcos, lo agarraron. El seguía gritando: *¡Pegame, por favor pegame!"* Le pegué una trompada, sí, y lo dejé concha p'arriba, porque me había empujado, por toda la bronca de una noche llorando, caliente. Pero... hoy me doy cuenta de que cuando se me vino encima, cuando se me vino para que yo le pegara, porque para eso vino, él estaba llorando, llorando. Por eso no lo rematé.

Después de eso, unos días más tarde, Claudia la llamó a Gloria, la esposa de Carlos. Y ella le contó que desde el día del quilombo el Narigón dormía con pastillas. Entonces, como yo soy Ceferino Namuncurá, lo fui a visitar, lo fui a ver. El me pidió disculpas, me dijo que tenía razón, que él me había pedido que yo me infiltrara. Se recompusieron las cosas, pero ya no fue lo mismo. A mí me quedó una duda, una duda que me dura hasta el día de hoy: ¿qué pasó en esa reunión entre Bilardo y los dirigentes, después que me ofrecieron a mí la dirección técnica? Tengo una respuesta, creo, y es que la solución era limpiarme a mí. Y me limpiaron. Se sacaron de encima a un tipo molesto, rebelde, que no aceptaba las cosas como ellos las planteaban. Por eso el boludo de Del Nido, el vicepresidente, se animó a decir que yo no estaba ni para jugar al metegol, para que me vaya, sabía que no iba a aguantar cosas así.

Así fue la historia. Así se terminó lo mío con el Sevilla. Mal.

Dos meses después, siempre en 1993, ya estaba en carrera de nuevo. Pero en la Argentina. En Rosario, para ser más preciso: ¡en Newell's Old Boys, sí señor!

Newell's fue una etapa tan corta como hermosa. Por eso ahora digo que me gustaría hacer algo más, alguna vez, por Newell's. Y pensar que llegué a jugar para ellos porque me enojé. Sí, ¡porque me enojé! Resulta que, a fines de agosto del '93, ya estaba casi todo hecho con Argentinos Juniors, cuando los hinchas del Bicho se aparecieron por mi casa, en Correa y Libertador. Yo estaba con mis dos hijas y me vinieron a apurar, me pidieron 50.000 dólares. Les contesté que no, por supuesto, y ellos me dijeron que yo tenía que estar al tanto, porque alguien se lo había prometido. "¿¡Qué!? ¿Cincuenta lucas? Se las doy a mi viejo y los pelea a todos ustedes juntos, por más pesados que sean. Quédense todo el día acá, si quieren, pero yo no les voy a dar ni un sope, porque yo no le prometí nada a nadie." Entonces me salieron con que me iban a hacer la vida imposible y yo les contesté que no tenían huevos, les dije de todo. Subí a mi casa y me acosté a dormir la siesta.

Al rato, salieron Claudia y las nenas y los imbéciles seguían ahí abajo: las insultaron, les dijeron de todo, las amenazaron. Aparte, habían escrito en la pared de enfrente: *Maradona cagón*. Se enteraron los muchachos de Defensores de Belgrano, los corrieron y taparon la pintada con otra: *A Diego lo banca el Bajo*. No aparecieron más los de Argentinos. Viejo, yo estaba de acuerdo en poner plata para la bandera y el vino, pero no para que se hagan ricos. ¡Ni para los viajes del Mundial había puesto plata! Porque creo que se mata la pasión, con eso: si les das, te gritan a favor; si no, te mandan a la puta que te parió. Así funciona la cosa: para protección, para que te alienten, ¡para que no te peguen! Nunca, nunca, nunca necesités. Si me querían aplaudir, que vieran lo que hacía en la cancha... Nunca necesité pagarle a nadie para que me alentara, pero que en el fútbol argentino, ¡y en el mundo!, eso existe, existe.

Entonces yo le dije a Franchi: "¿Putearon a la Claudia? ¿Me mangaron plata que no se quién les habrá prometido? Que se jodan: ¡me voy a Newell's!". Y me fui, por menos plata, me fui. Pero me sirvió, me sirvió, porque fue una cosa sensacional lo de Newell's. Al Gringo Giusti se le había ocurrido la idea y se la había planteado al presidente del club, a Walter Cattáneo. El tipo se lo tomó en joda, primero; no le creía una palabra. Como Giusti le insistió, el hombre embaló. Mientras tanto, todos decían que yo ya estaba en Argentinos, nadie tenía ni idea de ese incidente en la puerta de mi casa. Aparte, todos se jugaban la fija porque Argentinos se había metido en un negocio revolucionario, qué sé yo, un grupo empresario había puesto un montón de plata, iban a jugar de locales en Mendoza, y ahí aparecía yo, para terminar de cerrar todo el negocio.

Pero los pibes del Bicho la cagaron... Y el que casi la paga, sin comerla ni beberla, fue Guillermo Cóppola, con quien me había empezado a ver de nuevo, como amigos que éramos, aunque a la mayoría no le gustara un carajo. Resulta que estábamos en la disco El Cielo, tomando algo, y de golpe lo encaró Avila, el empresario Carlos Avila, hecho una furia: *¡A vos, a vos!*, le gritaba. *¡A vos te voy a hacer mierda, nunca más vas a vender un jugador!,* ya lo tenía agarrado de un brazo y Cóppola estaba dispuesto a darle. *¡Nos cagaste el negocio y lo cagaste a Diego!,* le dijo, ya cara a cara. Yo le tenía el brazo a Cóppola, porque veía que lo surtía. Entonces, Avila se dio cuenta: *¡Ah, sos Cóppola! Te había confundido con ese hijo de puta de Franchi.* ¡Avila se los había confundido a los dos canosos! Al que quería matar era al que le había prometido que yo iba a jugar en Argentinos y ahora me iba para Rosario.

Giusti habló con Marcos, Marcos habló conmigo y yo le dije que le dieran para adelante. No sé por qué, me había hecho a la idea de que con Newell's iba a cumplir mi sueño: volver a jugar la Copa Libertadores. Yo estaba hecho un avión: había empezado una dieta en Uruguay, con el chino Liu Guo Cheng, y lo tenía al lado a Daniel Cerrini, que tenía pinta de fisicoculturista pero sabía un huevo de alimentación y de entrenamiento.

Por eso estaba como estaba: pesaba 72 kilos, era un pendejo.

Grondona lo llamó a Marcos y le avisó que se acababa el tiempo, que definiéramos todo porque había que pedir el pase internacional. Menos de una semana antes, el 5 de septiembre del '93, la Selección había sufrido la peor derrota posible contra Colombia, aquel 5 a 0 que a mí me dolía en el alma. Ahí fue cuando yo le dije: "Newell's, Newell's... y que sea lo que Barba (Dios) quiera".

Lo que El Barba (Dios) quiso fue una fiesta increíble, que me hizo acordar a mi llegada al Napoli, cuando en el San Paolo se juntaron ochenta mil personas para escucharme hablar dos palabras en italiano y para verme revolear una pelota a la tribuna. Algo así pasó acá, el jueves 13 de septiembre, y si no había más de cuarenta mil personas, era porque la cancha del Parque Independencia no daba para más. ¡Qué belleza! ¡Habían ido sólo para verme entrenar! Me contaron que hasta gente de Sri Lanka hubo, porque se bajaron de un barco que estaba en el puerto de Rosario.

El Indio Solari, Jorge Raúl Solari, un grande, alguien que había tenido mucho que ver con mi llegada, se encargó de armar una fiesta espectacular. Me acuerdo que los muchachos me revolearon por el aire, en el centro de la cancha, como bienvenida, y la gente deliraba. ¿La verdad? Pienso en aquellos tiempos y me emociono: tengo algo especial con Newell's y también con Rosario, porque me acuerdo que ni los hinchas más hinchas de Central, los que tienen armada esa organización increíble, la OCAL (Organización Canalla Anti Leprosa), los hinchas más furiosos de Central, se animaron a tirarse en contra mío. Contra Newell's, sí, lógico; sacaron un comunicado que decía: *Hay que ayudar a Maradona, la lepra también se cura.*

La lepra, así le decían a Newell's. Y la lepra volvió a llenar la cancha para mi debut extraoficial, el jueves 7 de octubre del '93, contra el Emelec de Ecuador. Otra fiesta armada por el Indio, un homenaje en vida donde me permitieron entrar a la cancha con mis dos hijas en brazos y leer un cartel de bienvenida, escrito con fuego, que decía: DIEGO, NOB ES TU CASA. Lo era, en serio, así lo sentía yo.

Oficialmente, debuté con la camiseta de Newell's contra Independiente, en Avellaneda, el domingo 10 de octubre de 1993. Después de casi nueve años volvía a jugar en la Argentina; yo, que siempre digo que si algo debo y algo me deben son más minutos jugados aquí, en mi tierra, ante mi gente. Perdimos 3 a 1 pero, aunque a mí no me guste decir estas cosas, yo sentí que había ganado: metí dos rabonas y una de ésas me la sacó el Loco Islas cuando se metía, cuando era gol. Lo dije en aquel momento y lo repito ahora: me sentía en una nube, no podía creer que me sintiera tan bien, apenas cuatro meses después de mi salida de Sevilla. Lo sentía como una resurrección, otra más. Me quedaba pendiente el tema de la Selección: se me había ido la mano con unas declaraciones contra Basile, dije que se había emborrachado con dos Copas América y... tenía que levantar ese muerto. Allí mismo, en la cancha de Independiente, dije que me iba a comunicar con él y que me iba a poner a sus órdenes: que iba a hacer todo lo posible por ganarme un lugar en la Selección.

En Rosario, una ciudad hermosa, me instalé en el Hotel Riviera. Ese fue mi puesto central, desde allí me movía. Vivía de emoción en emoción, la verdad, casi como si fuera más un homenaje que me hacían que mi propia carrera.

Enseguida vinieron los partidos definitivos, contra Australia, para conseguir un lugar en Estados Unidos '94: lo conseguimos, lo hicimos... Nos costó un huevo, eso sí.

Cuando volví, otra emoción: partido contra Boca en La Bombonera, el reencuentro con el Flaco Menotti. ¿La verdad? Sentía tanto respeto en la cancha, de mis compañeros, de los rivales, que me parecía que estaba jugando una exhibición. Pero no, no era, y con Boca también perdimos, 2 a 0. Ya no estaba el Indio Solari, lamentablemente.

Entonces llegó la noche fatal: jueves 2 de diciembre de 1993, cancha de Huracán, contra el Globo. Yo venía embalado y también baqueteado: los dos partidos contra Australia, uno más contra Belgrano, en Córdoba. Ahora, éste: íbamos ganando 1 a 0, piqué a buscar una pelota perdida y escuché el ruido, atrás... Roto, roto: casi trece años después, ¡trece justo!, me había vuelto a desgarrar.

Fue un feo verano, aquél. Primero, los balines, toda esa historia de mierda que no hace a esto: una reacción fuerte, sí, pero ante una actitud que yo no tenía por qué aceptar, que se metieran en mi casa, en mi vida. Finalmente, mi último partido en Newell's, fue un amistoso contra Vasco da Gama en Rosario. Jugué 72 minutos, dos más de los que me había obligado la televisión por un contrato con el club, y salí. No volví a entrar nunca más, nunca más. Lo cuento así, rápido, porque así fue. Si parezco aburrido al recordarlo, también es cierto. Pero así me sale.

Lo que pasó, así, rápidamente, como para resumir, fue que a mí me llevó el Indio Solari y al tiempo él se fue. Con el Indio yo había arreglado que iba a tener ciertas licencias, lógicas, creo, a esa altura de mi carrera. Después llegó Jorge Castelli, con esto, con lo otro, y la cosa se pudrió. El no quería a la gente grande; después de que me fui yo, también les dieron el toque al Tata Martino, al Chocho Llop, al Gringo Scoponi. A los que de verdad sostenían aquel equipo y habían hecho grande a Newell's. Pero él, nada: él quería pibes jóvenes y después... ni siquiera esos pibes lo entendieron.

Lástima, lástima que terminó así aquel capítulo. Me fui. No quería robar la plata, nunca lo había hecho y menos lo iba a hacer ahí. Además, tenía el Mundial a la vuelta de la esquina, a poco más de cinco meses. Los buitres y los panqueques de siempre se animaron a anunciar que no lo jugaría. Que era imposible que yo, Maradona, jugara el Mundial de los Estados Unidos.

LA DESPEDIDA
Boca '95/'96

Volver a Boca fue como parir
después de un embarazo de catorce años.

Cuando volví del Mundial de los Estados Unidos, con las piernas cortadas y el corazón peor, se me cruzó por la cabeza que todo se había acabado, que no había nada más que hacer... La sanción salió en agosto: otros quince meses.

Le decía a Claudia: tengo ganas de acostarme, dormir, despertarme y ser jugador de Boca, y estar listo para salir a la cancha, sin prohibiciones, sin sanciones, sin nada. Pero era una ilusión. Ahora estaba viviendo una pesadilla. Y era tiempo de pelea. Contra el que se me cruzara: Havelange, Grondona, Passarella... ¡Passarella!

Resulta que, a partir de Estados Unidos, yo era Lucifer y Passarella, Dios. Por eso salté —porque nadie lo hizo— cuando quiso hacerse el santo ordenando una rinoscopia para todo el plantel de la Selección: era una barbaridad, una fantochada todo.

La cosa es que yo algo tenía que hacer en esos quince meses de condena que la FIFA me había tirado por la cabeza. Mandiyú de Corrientes fue el primero que apareció y se animó a darme una oportunidad: ser director técnico de un equipo... En dupla con Carlitos Fren vivimos una experiencia que fue maravillosa, lo que pasa es que tuvimos que ser entrenador, presidente, psicólogo, mangar pelotas a Adidas. De todo. Fueron muchas cosas que me agobiaron, pero también me llenaron como hombre, y me hicieron ganar el respeto de todos los muchachos que dirigí. Porque cuando yo llegué no tenían nada. No tenían una pelota para entrenarse, los arcos no tenía redes.

El primer partido, contra Central, lo dirigí desde la platea, con mi hermano Lalo al lado, como dos hinchas más, porque no tenía la autorización para sentarme en el banco: perdimos 2 a 1 y me cansé más que en un partido con alargue de la Selección. El mejor resultado de aquella campaña, chiquita, fue el empate contra River, en el Monumental.

Y duré poco, la verdad: dos meses, desde el 3 de octubre al 6 de diciembre, apenas doce partidos, un triunfo, seis empates y cinco derrotas. Un día se apareció Cruz, Osvaldo Cruz, que era el dueño del club o no sé qué, por el vestuario nuestro y pegó el grito:

—*¡Muchachos, hay que poner huevos, ¿eh?!*

Yo estaba de espaldas y Fren, de frente. Lo miré a Carlitos y le dije:

—¿Le pegás vos o le pego yo?

Me di vuelta, lo encaré a Cruz y le grité:

—¡Gordo y la concha de tu madre, ¿qué mierda venís a hablar con los jugadores? Con los jugadores hablamos nosotros... ¡Y te vas!

—*No, porque...*

—¡Te vas, porque te rompo la cara a trompadas!

Y ahí me contestó:

—*¿¡Y vos quién sos!?*

¡Para qué! Le tiré un par de piñas hasta que me lo sacaron... El vestuario es mío cuando soy técnico, ¡mío! Y no me banqué que viniera a decirles a los jugadores que no ponían huevos. Después de eso me fui, lógico.

El '94 terminaba mal, pero el '95 parecía arrancar mucho mejor: me llamaron de Francia, para hacerme un homenaje de esos que yo siempre dije que quería que vinieran desde adentro, de mi tierra. Pero no, éste venía desde afuera: el 1º de enero de 1995 —es decir, en el medio de mi suspensión, por si alguien no se dio cuenta— la revista francesa *France Football* me entregó el Balón de Oro como reconocimiento a mi trayectoria futbolística. Fue una emoción enorme y fue, también, mi reencuentro definitivo con Guillermo Cóppola. Yo le pedí por favor que me acompañara en ese viaje, porque él tenía mucho que ver con las razones por las que me habían dado aquel premio. Con Guillermo viví los años más exitosos de mi carrera futbolística, mis títulos más importantes, aunque eso nadie lo recuerde. Todos prefieren masacrarlo. A partir de ese momento simplemente se sumó, nunca arreglamos que fuera mi manager o algo por el estilo. Mientras, Ojitos Bolotnicoff seguía trabajando como mi abogado. La etapa de Marcos Franchi ya había terminado.

Después, sí, vino lo de Racing. Una experiencia que no me resultó tan linda, la verdad, como la de Mandiyú. Más allá de los resultados, digo. Porque estaba un tipo como De Stéfano de presidente, Juan De Stéfano, que conmigo, personalmente, se portó muy bien, pero como dirigente no respetó lo que habíamos hablado. Yo le pedí un marcador central y no me lo trajeron: yo había hablado con el Coyo Héctor Almandoz, que para mí, en ese momento, era el mejor líbero de la Argentina, y él mismo, Almandoz, le habló a Bianchi, para que lo dejara ir. Pero como en ese momento Bianchi estaba peleado conmigo, Vélez salió pidiendo como un palo ochocientos, un disparate. Y Racing no tenía plata ni para comprar una camiseta, los muchachos no cobraban. Teníamos un equipo para pelear el descenso, era como Mandiyú, pero con historia. Y una historia pesada, ¿eh?

Fueron cuatro meses de lucha, sobre todo contra los árbitros. Como técnico de Racing tuve que luchar contra una verdadera mafia, y no lo soporté. Encima, De Stéfano perdió las elecciones, yo había dicho que me iba con él y me fui. Cuatro meses exactos para once partidos, dos victorias, seis empates y tres derrotas. Así de clarito.

Pero es una buena experiencia la de ser técnico, muy buena. Te volvés, no sé, mucho más sentimental: te duelen más las cosas que les hacen a tus jugadores que las que te pasaron a vos mismo. En Racing, yo muchas veces quise entrar a la cancha por culpa de los árbitros, me sacaban de las casillas: Juan Bava, Angel Sánchez, flor de quilombos tuve con ellos, y estoy convencido de que, por mi culpa, perdía Racing. Porque ellos la tenían conmigo, era algo personal. Pero hubo más cosas, muchas más, que me encantaron de mi experiencia como técnico: el hecho de dirigir un grupo, los entrenamientos, disfrutar de la relación con los jugadores. Sentí en el alma cómo me hubiera gustado, cuánto me gustaría todavía, tener en las manos un equipo poderoso.

Lo curioso es que aquella vez, a la semana nomás, de pronto, se me presentó la posibilidad. La oferta me llegó del hombre y del lugar menos pensado: de Pelé, para hacerme cargo de todo el fútbol del Santos, de Brasil. Todavía faltaba para el día de mi liberación —ese bendito 15 de septiembre de 1995 no llegaba nunca—, pero lo que Pelé me ofrecía se parecía mucho al ideal: ser técnico y, después, también jugador.

Me invitó a una de sus casas, en San Pablo, y el sábado 13 de mayo viajé con Guillermo, con Marcelo Simonián, un empresario muy amigo, y con Daniel Bolotnicoff. La pasamos muy bien charlando, la verdad; además, la cosa no se terminaba en el fútbol, también estaba la posibilidad de hacer cosas por los chicos de la calle, en la Argentina y en Brasil.

En realidad, yo quería ser técnico y jugador, pero en Boca. Y dos cosas se me cruzaban para que eso se cumpliera: una, que Boca no tenía un mango y, encima, sacarle un centavo del bolsillo a Carlos Heller, el vicepresidente, era más difícil que conseguir agua caliente en Fiorito; la otra, que los dirigentes, sobre todo don Antonio Alegre, el presidente, no quería saber nada con eso de jugador y técnico al mismo tiempo. Estaba Silvio Marzolini al frente, como en 1981, y al viejo ni se le cruzaba por la cabeza moverlo del banco. Y encima, pasó una cosa bien fulera: empezaron a decir que le estaba moviendo el piso a Marzolini; ni a La Bombonera podía ir porque se ponían histéricos, le tomaban la leche al gato con esa pelotudez. ¡Yo iba a ver a Boca, viejo, como cualquier hincha! La gente gritaba, sí, pero eso yo no podía evitarlo.

Lo mejor que me podía pasar era lo que pasó: la Pelé Sports Marketing me invitó a un viaje por Europa.

A la vuelta me llamó Heller. Un domingo a la mañana yo estaba jugando un picado en Tortuguitas, en la cancha de Adidas, y me llamó al celular de Cóppola. Ese mismo día, ellos dos se fueron a almorzar juntos y yo me fui a ver Boca-San Lorenzo por tele en la Quinta de Olivos, junto con el presidente Menem. Ese día, Boca perdió con San Lorenzo y yo lo viví como si fuera un jugador más. Estaba cuatro puntos físicamente, tal vez por eso me cansé comiéndome las uñas como me las comí.

Dos días después, el martes 6, yo estaba otra vez ahí, en la Quinta Presidencial. Pero ahora con más intimidad: Menem, Claudia, las nenas, yo... El presidente fue el que metió el dedo en el ventilador: *¿Y, Diego? ¿Qué pasa con Boca?,* me preguntó. Y yo le contesté: "Me muero de ganas para que se concrete, presi... Pero todavía no hay demasiado". Claro, yo sabía que los problemas eran dos: de plata, uno, pero también estaba mi sueño de ser técnico y jugador.

El jueves se reunieron, sin mí, todos los que podían definir la cuestión: Heller y Spataro, por Boca; Cóppola y Bolotnicoff, por mí; Carlos Avila, por... la plata. Ahí se acercaron en los números, sobre todo gracias a un clásico de mi carrera: los amistosos, apuntando sobre todo al mercado asiático, a Japón, a Corea, a China... Cualquiera de ellos era capaz de pagar más de un millón de dólares por verme jugar noventa minutos. La cosa es que, cuando terminó esa reunión, Guillermo me llamó por teléfono y me dijo: *Mirá, Diego, que esta gente te quiere en serio. Sí o sí. Lo percibí en la piel. Todo lo demás se puede arreglar, incluido lo de Marzolini. Después hablamos mejor.*

Ese llamado me hizo muy bien, me fui a dormir con una paz enorme, pensando en una frase: *Esta gente te quiere en serio.*

Cuando me levanté, al día siguiente, me sentía fenómeno. Le agarré la cara a Claudia con las dos manos, le di un beso en la frente y le dije: "Estoy feliz, Clau... Que ellos hayan demostrado un interés serio me pone muy, pero muy feliz".

Y me fui a entrenar al Cenard, donde estaba trabajando desde que había vuelto de Europa. Con el Renegado Vilamitjana, con el control del doctor Lentini, con los otros pibes, con un enchufe terrible. Trabajé más que cualquier otro día y apenas terminé, como siempre, hablé de más. O, mejor, dije lo que tenía que decir, por si alguien tenía alguna duda, todavía. Como en el '81 había sido *Crónica*, esta vez fue el programa *Las Voces del Fútbol,* de Radio Libertad. Tiré, sin anestesia: "Estoy muy feliz por la propuesta, me encanta. Me siento jugador de Boca". Por otro celular, me estaba escuchando Carlos Heller, así que le agregué, ahí mismo: "Carlitos, me gusta la propuesta, vamos a darle para adelante". Y no me quedé con eso; lo llamé a Marzolini: "Silvio, está todo bien. Hay cosas que yo no comparto, sobre todo en cuanto a línea futbolística, pero sé que nos vamos a poner de acuerdo... Si ya lo hicimos una vez". Claro, ya lo habíamos hecho una vez, en el '81: él no me quería y me tuvo que aceptar; ahora, yo no lo quería a él, pero me lo tenía que bancar.

Estaba todo bien. Yo no tenía ningún derecho a apresurarlos, la verdad, y el solo hecho de volver a ponerme la camiseta de Boca me hacía sentir muy, muy, muy feliz. Lo de la plata estaba más que garantizado, porque el empresario Eduardo Eurnekian, el capo de América, se había subido al negocio. Se lo encontró a Guillermo por ahí, en un café, le preguntó en qué andaba yo, Guillermo le contó y el viejo le dijo: *Yo quiero hacer ese negocio.* Así que arreglaron con Torneos, que a partir de eso se iba a ocupar sólo de producir los partidos, y listo. Gente que pusiera la plata no me faltaba: los números se parecían bastante a los de mi contrato '87/'93 con el Napoli y aquella vez habían sido veinte palos en cuatro años, a razón de cinco por año.

Lo único que me quedaba era prepararme, responderle a Pelé, decirle muchas gracias, está todo bien, y rogar que los días pasaran rápido: Grondona hizo alguna gestión ante la FIFA, para que me redujeran la pena, pero mucha pelota que digamos no le dieron. Así que me dispuse a esperar.

Para empezar, volví a La Bombonera. El Boca de aquellos tiempos era bastante gris, y yo lo sufría, pero escuchar el viejo canto, *Vale diez palos verdes / se llama Maradona / y todas las gallinas / le chupan bien las bolas,* ya me ponía de buen humor. El domingo 11, cuando me presenté otra vez en ese estadio que era mi casa, pasé por el vestuario, saludé a los muchachos, que yo consideraba ya mis compañeros, y sentado en el palco de La Bombonera, justito en la mitad de la cancha, donde a mí me encantaba estar... me comí una derrota, contra Belgrano de Córdoba. Ahí leí el fax que me había mandado Pelé, cerrando definitivamente la negociación. ¿La verdad? Aquella vez estuvo bien el Negro, muy bien, porque en el fax decía todo esto...

"A mis amigos de Argentina, en relación a los recientes acontecimientos que involucran a la empresa de la cual soy presidente y a Diego Armando Maradona, debo aclarar que:

"1. Diego continúa siendo el mayor jugador de la actualidad, y su fútbol original y creativo seguirá por mucho tiempo encantando a los que, como yo, amamos el fútbol.

"2. Lamentablemente, cuestiones burocráticas entre abogados y clubes impidieron materializar uno de los proyectos más lindos que me fue presentado en mi vida: el trabajo conjunto entre Diego Armando Maradona y mi compañía. No supieron interpretar lo que para mí y Diego estaba claro y definido.

»3. Nada modificará la relación entre Maradona y Pelé. Siempre lo respeté como futbolista, pero aprendí a respetarlo aún más como hombre a partir de nuestro reciente encuentro personal."

Y seguía. Un diplomático, Pelé. Como siempre, bah...

La cosa es que ya estaba en mi casa, otra vez. Para mí, volver a Boca fue como parir después de un embarazo de catorce años. Quería alegrar a la gente, quería volver a escuchar, en cualquier barrio de Buenos Aires: *Vieja, vamos a la cancha, vamos que hoy juega El Diego.* Porque yo soy El Diego, y soy de los que me llaman así: El Diego. Pero como no quería engañar a nadie, me embarqué en un contrato por productividad: cobraba si cumplía. ¿Qué miedo iba a tener, si me sentía Gardel? Pero Gardel en serio, ¿eh?: la gente de América me contrató también para hacer una película, justamente en homenaje a Carlitos. Se llamaba *El día que Maradona conoció a Gardel* y yo cumpliría otro sueño con eso: cantaría "El día que me quieras" en dúo con El Zorzal. Gracias a las computadoras, por supuesto, pero no dejaba de ser cierto.

Me pasaban tantas cosas, todas buenas, que un día le dije a

Claudia: "Tengo miedo de despertarme mañana y darme cuenta de que todo esto es un sueño, que no es cierto". Claro, si encima Boca había cumplido con la promesa y me compró ¡a Caniggia!, para que jugara conmigo, como ya lo habíamos hecho en la Selección. Eso me garantizaba muchas cosas: que los dirigentes estaban haciendo las cosas a lo grande, como correspondía en Boca y también que el negocio iba a funcionar, porque con Cani y yo juntos los amistosos iban a caer a montones. Más vale que así fuera, porque al fin toda la operación había movilizado más de quince millones de dólares.

Todo iba muy bien, hasta que me di cuenta de que trabajaba como un loco, que me entrenaba todos los días, pero llegaba el domingo... ¡y no podía salir a la cancha! Ahí fui consciente de lo duro de la sanción, ¡de lo injusto de la sanción! Y, no sé, quería que todos entendieran, a partir de ese sentimiento mío, por qué había dicho "me cortaron las piernas". Porque me las habían cortado, ¡carajo!

Por eso desaparecí de los entrenamientos en Boca por una semana, porque no podía con mi alma. Y anuncié que no iría más, que seguiría por las mías, tal como estaba escrito en el contrato, hasta que se levantara la sanción, no antes. Me hacía mal, ¡me hacía mal de verdad!

Y lo mismo me pasaba en la cancha, cuando iba a ver al equipo. Recuerdo particularmente una noche, en la cancha de Vélez, contra Platense, el viernes 18 de agosto. ¡Lo que sufrí! Terminé yéndome del palco oficial, desde donde estaba siguiendo el partido, para escucharlo por radio, en el pasillo. Fue aquella noche que me crucé con Passarella, a un metro de distancia, y ni nos miramos... No sé, me había estallado algo en la cabeza, no aguantaba más la espera, no lo soportaba, se me hacía muy difícil. Era muy duro que llegara el domingo y no poder salir a la cancha.

Todos me decían: *Es poco tiempo, es poco tiempo...* Para mí, cuarenta y cinco días, eso era lo que faltaba, me resultaba un siglo, ¡una eternidad! Cada vez que entraba el equipo a la cancha, con la cancha llena y un marco espectacular, sin mí ahí, abajo, me daban ganas de llorar. Esa era la pura verdad.

Entonces, me convencí de que tenía que hacer las cosas a mi manera. Menos de quince días después, el jueves 31 de agosto, me embarqué en un avión privado hacia Punta del Este. Mi jefe de entonces, Eurnekian, me había conseguido la chacra de un amigo suyo, Samuel Liberman, para que yo armara mi operativo retorno desde allí. Al avión subí a Cóppola, como siempre, a Germán Pérez, que era como un asistente mío, y alguien que sabía que iba a provocar quilombo en la Argentina: a Daniel Cerrini. Sí, a Daniel Cerrini. Porque sabía que me podía ayudar mejor que nadie y también porque en el país de hipócritas en el que vivíamos, donde nadie le daba una segunda oportunidad a nadie, yo quería ser distinto: en el Mundial se había equivocado él, sí; pero también me había equivocado yo. Y no estábamos dispuestos a tropezar dos veces con la misma piedra. Aquello nos había servido de experiencia a todos.

Me tomé unos días. Hasta que el domingo 3 de septiembre, a las siete de la mañana, los levanté a todos de un grito: "Acá vinimos a laburar, ¿no? Entonces, ¡vamos a laburar!". Aquel lugar invitaba, también: la "chacrita" de Liberman era una monstruosidad, con cancha de fútbol, parques ideales para correr, de todo... Otra vez, me puse a dieta. Otra vez, Boca me hizo sufrir; aquel domingo empató con Lanús: ¡no ganaba nunca! A esa altura, yo me había convertido en el defensor número uno de Marzolini: si lo echaban, yo no volvía. Y el partido del regreso lo jugaba con un equipo mío, hasta con Passarella si él tenía ganas. Digo lo de Passarella porque en aquellos días nuestra guerra estaba en su punto máximo: ¡el pelotudo jodía con eso del pelo y hasta Redondo le pegó el portazo! Me acuerdo que dije, por aquella negativa de Fernando: "Mirá vos, las vueltas de la vida, me voy a tener que hacer una remera que diga AGUANTE REDONDO". Y también hice algo más, que muchos entendieron como un mensaje para Passarella, pero nada que ver: me pinté el pelo de azul y estaba dispuesto a agregarle, en cualquier momento, una franja amarilla.

Estaba tan embalado con todo que en esos mismos días cumplí con otro sueño: de Punta del Este me fui a Buenos Aires, de Buenos Aires —después de descansar unos días, apenas— a Madrid, de Madrid a París... Y en París, el lunes 18 de septiembre, concreté un viejo sueño: fundé el Sindicato Mundial de Futbolistas. Me apoyó una banda, pero una verdadera banda, en serio, con el francés Eric Cantona a la cabeza. El estaba suspendido, como yo, y fue el primero en sumarse a la idea. Pero también estuvieron George Weah, Abedi Pelé, Gianluca Vialli, Gianfranco Zola, Laurent Blanc, Rai, Thomas Brolin, mi gran amigo Ciro Ferrara, Michael Preud'Homme... Un equipo de primera. ¡Ojo! La pretensión, sencilla pero imposible por la actitud de ellos, era que los dirigentes nos escucharan. Que los futbolistas tuviéramos, de una vez por todas, voz y voto.

De ahí mismo piqué a Estambul en un avión privado, un viaje loquísimo para estar presente en un partido a beneficio de los chicos de Bosnia. Llegué cuando el partido casi terminaba, hice un par de jueguitos, la gente me aplaudió y partí de nuevo. Al día siguiente tenía que estar en Corea del Sur, para empezar a prepararme. De Estambul a Londres y de Londres a Seúl, por fin. Llegaba la hora: por fin, me iba a poner la camiseta de Boca en serio.

Yo estaba allá, en el otro lado del mundo, pero me sentía muy cerca de Boca. Jugaba solo, pero en mi imaginación estaba con todos: entonces metía pelotazos cruzados y gritaba: "¡Picá, Cani!". Pensaba en el equipo, dónde poner a cada uno, a Mac Allister, a Carrizo, a Giunta... Por eso, también, no me quise perder el partido que los muchachos jugaban en Buenos Aires, contra Independiente. Y volví a uno de mis clásicos: escuchar el partido por radio, como fuera. En Fiorito, con mi viejo movíamos el aparato, porque se nos iba la onda y terminaba escuchándose nada más que un chillido; en Barcelona, me colgaba del teléfono y mis hermanas me ponían la radio cerca; en Seúl hice lo mismo. Me dieron un teléfono de esos con parlante, le pedimos a la gente de Radio Mitre que nos llamara y lo vivimos como si estuviéramos en Devoto. Fue otro domingo sin triunfo, y entonces todos empezaron a hablar de mí como el salvador. Yo no me sentía eso, la verdad: pero sí sabía que podía ser un ordenador, un tipo que transmitiera optimismo, por lo menos. Entraba fresquito, estaba como nuevo.

Y me pinté una franja amarilla en el pelo, una franja como la de la camiseta de Boca, pero con un mensaje: TODO EN REPUDIO... En repudio a los caretas, a los cabeza de termo, a los que le toman la leche al gato, a los que se les escapa la tortuga, a los que le decían a mi vieja que era la madre de la efedrina, a los poderosos que hacen lo que quieren olvidándose de la gente, a los que me habían dejado, una vez más, quince meses sin poder hacer lo que más quiero, lo que me representa: jugar al fútbol.

Volví a una cancha, en serio, el sábado 30 de septiembre de 1995, en el estadio olímpico de Seúl. Le ganamos a la Selección de Corea del Sur 2 a 1 y yo jugué mejor, mucho mejor, de lo que había soñado... Otra vez había elegido un tema para volver, y ahora me lo había soplado Cóppola: "Tratar de estar mejor", de Diego Torres.

No me faltaba nada y no faltaba nadie: estaba Menem, estaba Bilardo, estaba Menotti... Cada uno por lo suyo, está bien, pero lo cierto es que estaban ahí, ¡estaban conmigo! El presidente, que justo estaba allí por una visita oficial a Corea del Sur, me había hecho la pregunta clave, hacía unos meses ya, metiéndome definitivamente el bichito de mi vuelta a Boca. El Narigón y el Flaco, bueno, ahora eran periodistas, ¡periodistas!, y era difícil pensar que coincidieran. Pero, por lo menos, los dos estaba contentos con mi regreso.

Fue el mejor de todos mi regresos, seguro: porque anduve como no había andado en ningún otro y porque yo, cuando juego bien, me divierto. Aquella noche me divertí como loco.

Estaba feliz, y no sólo por mí... Estaba feliz por mis hijas; las llamé por teléfono apenas volvimos al hotel y lloramos como locos, los tres. También por mi vieja, por mi viejo, por los míos. Y porque estaba cerrando un año y medio muy, muy duro: en mi país, en la Argentina, la gente puede ser buena cuando quiere ser buena, pero también muy hija de puta. Y yo había respondido ahí, en la cancha, donde yo hablo, que había sido una injusticia que me tuvieran quince meses sin jugar, que cuando yo pongo huevo, puedo correr más que nadie... Sin falopa, sin falopa. Porque mi única falopa para jugar fue, siempre, la pelota. A ver si les queda clarito, lo voy a repetir hasta que los caretas lo aprendan: ¡la cocaína no sirve para jugar al fútbol, la cocaína te tira para atrás en una cancha, la cocaína te mata!

Recuerdo perfectamente todo, absolutamente todo, de esos días de mi regreso. La concentración en el Hindú Club, el viaje en el micro hasta La Bombonera...

Sábado 7 de octubre de 1995. Yo iba sentado en el primer asiento, solo. Desde ahí, miraba a la gente, que nos saludaba. De golpe, vi a unos pibes que se marcaban la banda de River en el pecho. Yo pensé: "¡Estos me van a tirar algo!". Y no, nada que ver, todo lo contrario. Los pibes me decían así, con los labios, como si fueran mudos y le estuvieran hablando a un sordo: *"¡I-gu-al-te-que-re-mos!"*. Ya estaba, ya estaba: ése era mi mayor triunfo.

En realidad, me olvidé cuando entré a la cancha. Era una fiesta impresionante... Pero me mataron cuando hicieron aparecer a Dalma y a Gianinna ahí, adentro de una caja. ¡Me mataron! Me temblaron las piernas, otra vez, una vez más. Fue un golpe durísimo: yo les agradecí a todos la buena voluntad, pero eso de que las nenas aparecieran con un cartel que decía: PAPÁ, GRACIAS POR VOLVER, cuando yo tenía la cabeza puesta en jugar y nada más que en jugar... me mató. Se les escapó la tortuga con esa historia.

Encima, levanté la vista, como para buscar tranquilidad en el cielo, y me encontré con una bandera, colgando desde una de las tribunas: ¿CON LA 10? ¡DIOS!

Lo cierto es que me llevó 45 minutos volver a acomodarme: jugué el primer tiempo como si fuera un principiante, un debutante, y cometí todos los errores que hasta ahí yo le había marcado al equipo. ¡Estaba aceleradísimo!

Después pasó de todo: me pelié con el Huevo Toresani, Julio César Toresani, que se quiso hacer famoso conmigo, y terminamos ganando 1 a 0, cagando, con un gol sobre la hora de Darío Scotto. Grité como nunca antes en un partido, porque me sentía técnico, también. La idea aquélla nunca se me había ido de la cabeza, y como no la podía concretar, se me había ocurrido eso de ser el técnico adentro de la cancha. Ni pensé que Marzolini se fuera a enojar; al contrario, si a él le convenía.

Me sentí bien metiendo pelotazos, tocando con precisión. Pero también me di cuenta de que había cosas que todavía no podía hacer. Por ejemplo, no me animé a pegarle al arco de afuera... y de adentro tampoco. Por supuesto, más allá del rendimiento, me tocó el control antidoping, ¡qué casualidad, ¿no?! Antes de que yo llegara, a Caniggia le había tocado tres veces seguidas: si eso no era una persecución, ¿qué era?

Al final, después del partido, en la conferencia de prensa, a alguno se le ocurrió preguntarme si había vuelto a vivir. Y yo le contesté: "¿Si volví a vivir? Yo nunca estuve muerto, maestro...". De ahí, del estadio, nos fuimos todos a una fiesta sorpresa que me había preparado Cóppola, en el Soul Café, del Zorrito Von Quintiero, un gran músico, un gran amigo. Era la inauguración del boliche y ahí en el barrio Las Cañitas todavía no había esa cantidad de restaurantes que hay ahora. ¡Lo hicimos famoso nosotros! Yo lo disfruté con el alma: había una pantalla gigante, repitieron el partido y me lo vi todo... Además, parecía un casamiento de esos de antes, porque estaba mi familia completa, mi mujer, mis hijas, mis viejos, mis suegros, mis hermanas, mis amigos, y también un montón de invitados famosos que podría resumir en un solo: Charly García. Cuando terminaron de pasar el partido, él armó su propia fiesta y terminó tocando el piano con mis hijas alrededor, cantando. Ya estaba, no podía pedir nada más.

Eso pensaba, pero me había olvidado que otra vez estaba jugando un campeonato, que en siete días tenía otra cita, otra fiesta. ¡Y no era una más, viejo! El domingo 15 de octubre volví a jugar contra Argentinos Juniors, que ya no era mi equipo; era el de mi sobrino, el Dany, el hijo de la Ana y de mi cuñado, Carlos López. Toda la familia se instaló en la platea de la cancha de Vélez. Mi vieja, fumando sus Marlboro y a las puteadas contra un diario que ese día había publicado que ella prefería un empate, porque se enfrentaban por primera vez su hijo y su nieto, ¡justo en el Día de la Madre!

El irrespetuoso del Dany me hizo un foul y casi nos vacuna, pero aquella noche —por una cuestión de edad, o de respeto— la noche fue mía... Aunque jugaba contra pibes como el Tomatito Pena, que cuando yo debuté en primera tenía tres meses de vida.

¡Había jugado contra el padre! La cosa es que le hicieron un foul a Scotto en el borde del área: la acomodé, le pegué... y la clavé en el ángulo. Juro, juro, que me tomé unos segundos para pensar qué hacía: ¿lo gritaba o no lo gritaba? Primero pensé en no gritarlo, la verdad. Por mi cuñado Gabriel, que es fanático de Argentinos, por aquellos buenos viejos tiempos. ¡En esa misma cancha le había hecho cuatro goles a Gatti, con la camiseta del Bicho, cuando peleábamos el descenso! Y esos hijos de puta me estaban silbando, ahora, esos imbéciles pagos. Entonces pensé en la Tota, en su día, y le agradecí al Barba (Dios) que otra vez me daba la oportunidad de regalarle algo... De regalarle un gol.

Después, cuando volví al vestuario, cuando saludé con un beso en la boca a mi vieja, me enteré que mi cuñado, el Morsa, se había peleado, él solito, contra toda la barra brava de Argentinos. No soportó que me silbaran, no lo soportó.

Ya estaba al borde de los 35, yo, y preparaba una fiesta de las que a mí me gustan, con todo. Pero antes de eso festejé con un poquito de fútbol. Teníamos que viajar a Córdoba, a jugar contra Belgrano, que lo había vacunado mal a Boca las cuatro últimas veces que había jugado, y yo quería la revancha a toda costa. Pero justo esa semana se armó un quilombo infernal, un quilombo de ésos que sólo era capaz de armar Mariana Nannis, la mujer de Caniggia. Declaraciones que van, contestaciones que vienen, me acusó a mí de joderle la vida al marido, cuando en realidad Caniggia era un tipo al que yo quería con el alma. Otra vez, yo, la manzana podrida. Creo que aquella historieta me jodió más a mí que al propio Cani. Me derrumbó, me agarró una depresión tremenda. Y sí, fue cierto, no me entrené en toda la semana. El único que logró sacarme, como tantas otras veces, fue Cóppola. Así llegué a Córdoba, de última, pero dispuesto a todo, como siempre.

Peor estaban los cordobeses, pobres. Mal, como tantas provincias argentinas. Por eso me alegré de haber viajado, porque me recibieron con una alegría que iba más allá del fútbol, más allá de todo. No sé si eran todos hinchas de Belgrano los que me aplaudieron cuando aterricé allá, pero me motivaron tanto, que cuando salí a la cancha estaba como si me hubiera entrenado un mes seguido. Encima, me habían contado que el Negro Nieto, Enrique Nieto, que era el técnico de Belgrano, les había dicho a sus jugadores: *Nada de fotos con Maradona, ¡no quiero cholulos en mi equipo, ¿eh?!* Pero apenas pisaron el césped, se me fueron acercando casi todos, despacito, como con timidez, con miedo, a pedirme una foto... Para mí, era una sensación rara: insisto, parecía que cada uno de los partidos era un homenaje. Como si me estuvieran despidiendo. Pero, más allá de eso, era como un orgullo que yo me llevaba de cada cancha. Un montón de jugadores me metieron duro, no me regalaron nada y después, al final del partido, me dijeron: *Diego, te deseo toda la suerte del mundo.* Eso, para mí, era invalorable. Venía Barros Schelotto y me decía: *Sos un fenómeno;* venía otro y me comentaba: *Diego, si te pego a vos, esta noche no entro en mi casa.* ¡Ojo! Eso también se me volvía en contra, ¿eh?, porque estaban los que se agrandaban marcándolo a Maradona: *Ahora me van a conocer, yo soy el que borró a Maradona.* El tema era que Maradona no dejaba que lo borraran, que Maradona no se entregaba, diciendo: "Total, yo gané veinticinco campeonatos". Maradona agradecía, pero después quería bailarlos. Iba a luchar para que no me pararan jamás.

Ganamos, sí, otra vez, el tercer partido consecutivo... Cagando, pero ganamos, 1 a 0. Terminé el partido llorando, pero llorando en serio, y declaré, casi a los gritos: "Fue una semana muy dura para mí, muy dura. Y triste, sobre todo".

Verlo tan mal a Cani, a mi amigo, me había hecho mierda. Parecía una boludez, pero así soy yo. Esa misma noche decidí dejar de meterme, que la Nannis hiciera lo que se le cantara. Lo que sí, no le iba a permitir nunca que me prohibiera contar mis sentimientos: si estaba triste, estaba triste, y eso no me lo podía impedir ni la Nannis ni nadie.

Pero ese triunfo, jugar de Maradona libre por toda la cancha como cuando tenía 17 años, todo eso, se lo debía a la bronca, a Cani, como tantas veces en mi vida: la bronca como combustible.

Después, sí, armé aquella fiesta de cumpleaños. Fue en el Buenos Aires News y junté a todo el mundo: mi familia, primero; mis compañeros de Boca, por supuesto; pero también Charly García,

Juanse, Diego Torres, Ricki Maravilla, Andrés Calamaro. ¿Que yo soy contradictorio? Sí, ¿y quién no lo es? Lo cierto es que estuvieron allí todos los que yo quería que estuvieran. Y festejé con un mensaje: que iba a vivir muchos años más, aunque varios querían que no fuera así.

Esos varios, que no eran pocos, también pensaban que los futbolistas éramos todos unos ignorantes: y la mejor respuesta no se la di yo, sino la prestigiosa Universidad de Oxford.

Esa sí que fue una de las más grandes alegrías de mi vida: que me reconocieran en ese lugar. Por eso hice un esfuerzo enorme para estar. Jugué contra Vélez en la cancha de Boca, el domingo 5 de noviembre. Ganamos nuestro cuarto partido consecutivo, y desde La Bombonera volé hasta Ezeiza. Me acompañaban Claudia, mis hijas, Cóppola y Bolotnicoff. Me tomé un avión hasta Nueva York y ahí hice escala —más que eso no pude hacer, porque se sabía que los yanquis no me dejaban entrar en Estados Unidos— y enganché con el Concorde. En tres horas y media aterricé en Londres y en una camioneta me llevaron hasta Oxford. En menos de veinte minutos estaba parado frente a un montón de estudiantes de todo el mundo, que me aplaudían como si hubiera hecho el mejor gol de mi vida. La idea había sido de un pibe argentino a quien le voy a estar agradecido toda mi vida, Esteban Cichello Hübner. Durante treinta y cinco minutos leí un discurso que me habían ayudado a escribir Bolotnicoff y Cóppola. Para mí, era un desafío, un desafío en serio: volví a leer en público desde mis tiempos de la primaria. El sentido de lo que dije aquella vez era el que me había movido siempre: demostrar que los jugadores de fútbol no somos ignorantes, defender la dignidad del jugador.

Después, los pibes me empezaron a hacer preguntas, y eso me gustó todavía más. Tal vez porque estaba emocionado, o porque los que me preguntaban se lo merecían más que nadie, reconocí que el gol a los ingleses, aquel de la mano de Dios, había sido en realidad con la mano de... Diego. Pero les expliqué, les expliqué enseguida por qué lo había hecho: porque lo haría contra cualquier equipo del mundo, por mi forma de ser, porque siempre busco lo mejor... para los míos. Sentía que el tiempo había curado todo, la verdad, y por eso me animé a decirlo.

Después, me tiraron una pelotita de golf y me pidieron que hiciera jueguito. Me atajé, les dije que eso se hacía con zapatillas, por lo menos, y no con los zapatos brillosos que tenía, pero me animé igual: la levanté con la zurda y le pegué, una, dos, tres, diez veces... y la tribuna se vino abajo. Me gritaban: *¡Diegouuu, Diegouuu!,* con acento inglés, y a mí se me cayeron las medias.

Muchas gracias les dije y muchas gracias les repito, hoy. Porque me hicieron sentir orgulloso, porque me obligaron a confesar en quién había pensado, cuando estaba allí, rodeado por los estudiantes de una de las universidades más prestigiosas del mundo, los mismos que me habían premiado, me habían entregado una toga y me habían nombrado *Maestro Inspirador de Quienes todavía Sueñan*: en mis hijas... y en mis viejos, que me dieron la educación que pudieron.

Seguramente impulsado por todo eso que vivía, volví a Buenos Aires hecho un avión. Boca había vuelto a ser un equipo de punta, un equipo para ganar el campeonato en serio. Yo ni me había dado cuenta del detalle, pero a un periodista se le ocurrió preguntarme algo, justo en el medio de uno de mis entrenamientos privados en un gimnasio, después de jugar contra Gimnasia en Jujuy y antes del clásico contra San Lorenzo. Claro, era el 20 de octubre de 1995.

—*Diego, hace 19 años, un día como hoy, debutaste en primera. ¿Qué se te cruza por la cabeza hoy, con casi dos décadas de fútbol sobre la espalda?*

—Lo mismo que en aquellos días, te juro. Las mismas ganas de jugar, de entrar a la cancha, de ganar... Igual.

Era cierto, en serio. Me iba demasiado bien, mejor de lo que yo pensaba. Casi para festejar, jugamos contra San Lorenzo, en la fecha siguiente. Empatamos, pero jugué bien, muy bien. Tuvimos varios encontronazos con el Cabezón Ruggeri y a mí me encantaron, porque me lo pude bancar y porque los dos éramos parecidos y de viejitos todavía dábamos todo. Esa tarde no sólo me aplaudió la hinchada de Boca; la de San Lorenzo, también me ovacionó.

Fue entonces que pasó lo que yo sabía que podía pasar: si me iba mal, saltarían todos los caretas a decir que era un viejo choto, que daba vergüenza, que me tendría que haber retirado; pero me fue bien... y empezaron a inventar. Primero, Fernando Miele, el presidente de San Lorenzo, empezó a llorar, a decir que el campeonato estaba armado para nosotros; le salió Grondona al cruce y lo cortó, pero el tema ya estaba en la calle. Después, algo peor: un periodista insinuó que había un control antidoping positivo en Boca; claro, Caniggia no estaba jugando y todas las miradas se clavaron en mí... Fueron puñales, la verdad. Me derrumbaron, me derrumbaron otra vez. Y volví a encerrarme.

Estaba triste, ¿la verdad?, muy triste. Parecía que cuanto más le daba a la gente, más se querían meter en mi casa... Los periodistas, digo. *"¡Apareció Maradona!"*, publicaron, y yo estaba saliendo de la puerta de mi casa, después de una semana difícil, donde me habían acusado injustamente y con un tema que a mí me dolía mucho, me dolía demasiado. Juro por mis hijas, que aquello fue algo muy fuerte, de mala leche, de mal gusto. ¿Les parece exagerado? A mí no, a mí no, porque eran cosas que se repetían y, por más que tuviera la piel curtida, dolían demasiado. Era como confirmar que estaba siempre en el ojo del ciclón, y yo ya no quería vivir dando explicaciones. Quería algo de paz. ¿Era mucho pedir? Uno no es un santo, pero ¿quién lo es? Ese es y ése era el tema: todo el mundo vive hablando de ejemplos, ¡ejemplos las pelotas! En la Argentina, no hay un ejemplo viviente, así que no me rompan los huevos a mí. En aquel momento, como tantas otras veces, pensé en irme a vivir a otro país, pensé en México.

Insisto, yo no me quejaba de la gente en general, sino de algunos tipos en particular, malos tipos, malos periodistas. Me había ido maravillosamente bien hasta con los hinchas de River, con quienes he tenido una lucha de toda la vida por ser de Boca. En la calle, muchos me decían: *Soy de River, pero te llevo en el corazón*. Eso era algo que a mí me emocionaba mucho, pero todo lo demás me jodía, sobre todo, porque el balance que yo hacía en ese momento era positivo al máximo: después de un año y medio largo parado, mi intención había sido volver más o menos bien.

Pero volví demostrando que si no me sacaban del Mundial éramos campeones otra vez, de taquito.

Viví intensamente todo, cada entrenamiento, cada partido, y logré lo que quería yo: batir todos los records de recaudación. No hubo un partido donde no se haya reventado la cancha. Ese era mi objetivo y ya estaba cumplido. Después, quedaba ver si podíamos coronarlo con el campeonato, me iba a jugar la vida por eso. Pero también toda aquella historia me sirvió para confirmar que en la Argentina existe la corrupción, dentro y fuera de la cancha. Y que no íbamos a ser nosotros quienes pudiéramos voltearla.

Había —y debe haber, todavía— técnicos que les pedían plata a los jugadores para ponerlos. A mí me contó Insúa, Rubén Insúa, que no fue a un equipo, una vez, porque el técnico le pidió plata y él no le quiso dar. "¿Y por qué no lo hacés público?", le pregunté. *Por el sistema*, me contestó. ¡Pero carajo, ¿de qué sistema hablamos?! A mí me pasaron algo así, por arribita, pero no se animaron: si me llegaban a ofrecer dos con cincuenta, ¿sabés cómo los mandaba al frente?

Y también estaba el tema de los árbitros, terrible. Había una presión muy fuerte de los clubes hacia ellos, se equivocaban y todo el mundo pensaba mal de ellos. Decían eso de que todo estaba arreglado para nosotros, ¡arreglado las pelotas! Si nosotros ganábamos todos los partidos 1 a 0 y colgados del travesaño. A nosotros no nos daban penales cantados y a Vélez, que era nuestro rival, jamás le cobraban un penal en contra. ¿Qué iba a decir, yo? ¿Que ahora estaba todo arreglado para ellos? Un disparate, un disparate que hacía que los árbitros no supieran jamás dónde estaban parados. Por eso me pasó a mí lo que me pasó con aquella famosa historia de la cuarta amarilla.

Resulta que se acercaba el clásico contra River y yo tenía tres amonestaciones. Con una más, quedaba afuera. Por poco no llaman a elecciones para saber si yo me tenía que hacer amonestar en un partido contra Banfield, en la cancha de Independiente, para poder llegar limpio al clásico. ¡Un disparate! ¿Y si pegaba una patada y me expulsaban directamente? Pero, bueno, así estaban la cosas... Y en el entretiempo, se me aparece el referí, Hugo Cordero, y me preguntó: *Diego, ¿quiere que lo amoneste?* Yo lo quería matar: "¡¿Qué!?", le grité. "¡Amonésteme si me tiene que amonestar, y déjese de joder, que ya bastantes quilombos tengo como para que me meta en otro!" La cosa que el tipo fue y me sacó la amarilla, nomás. Me dejó en pelotas, como si yo hubiera arreglado todo.

Eso me salvó de que mi carrera se cortara ahí mismo. Porque, la verdad, estaba viviendo situaciones difíciles y feas, comparables a las que había vivido cuando me fui del Sevilla y cuando me fui de Newell's. Porque a mí me encantaba —y me encanta— jugar al fútbol, sí, pero si el fútbol hacía llorar a mis hijas, yo mandaba a la concha de su madre al fútbol. Aunque yo estuviera agradecido por todo lo que me dio, que es todo lo que tengo: para mí, era más importante que Dalmita y Gianninnita sonrieran, que hacer sonreír a treinta millones de argentinos... No hay comparación.

En aquel momento, me quedaban dos años de contrato todavía, y soñaba con llegar a jugar la Copa Libertadores en el segundo. Pero para eso teníamos que ganar un campeonato local, y yo estaba más deprimido que enojado. Eso no era bueno, porque la bronca siempre había sido la mejor motivación para mí. Racing nos goleó 6 a 4 y nos bajó de la punta y Mauricio Macri ganó las elecciones, era el nuevo presidente de Boca y se tenían que ir de la conducción Alegre y Heller.

Fue un golpe muy duro, demasiado. Me dejó groggy y ya no me recuperé, no me recuperé. No llegué para jugar el último partido, contra Estudiantes, donde teníamos una mínima posibilidad de conseguir el título y todo terminó.

Se empezó a hablar del reemplazante de Marzolini, que al final del campeonato se iba, y a la hora de tirar nombres, yo tuve mi primer choque con Macri: "Si viene Bilardo, yo me voy", le dije. Y me dispuse a dar la cara ante quienes de verdad debía darla: los hinchas. El martes 16 de diciembre, encima de noche, entré a La Bombonera más fría y silenciosa que recuerde de toda mi campaña en Boca. Yo estaba recaliente, había dicho que ése iba a ser mi último partido. Levanté la vista y los brazos, como siempre, mirando a la popular nuestra y me encontré con un montón de escalones amarillos vacíos, ¡espantoso!, y pude leer dos banderas. Una decía: GRACIAS POR EL CAMPEONATO. Y la otra: ¡HASTA CUÁNDO! BASTA DE JUGAR CON LA HINCHADA. BASTA DE CAMARILLA. BASTA DE LLENARSE LOS BOLSILLOS SIN GANAR CAMPEONATOS. Me sentí como el orto, sentí que esta vez era yo el que le había tomado la leche al gato, que les había fallado a ellos, a los que habían llenado La Bombonera todos los domingos para ver a Maradona, a El Diego. Cuando terminó el partido, un tristísimo 2 a 2, los cinco mil pobres cristos que se lo habían bancado, se pusieron a gritar: *¡El Diego no se va / El Diego no se va!* Y resolví, ahí mismo, que iba a seguir en Boca, con Bilardo o sin Bilardo. Por la gente, otra vez. Llegué al vestuario, lo llamé a Cóppola y le dije: "Andá y arreglá todo".

Yo mientras tanto, me había decidido a poner otras cosas en su lugar: en enero de 1996 le di el puntapié inicial a la campaña "Sol sin Drogas" y confesé mi adicción a la cocaína. Lo único que voy a decir es lo siguiente: lo hice por los chicos, sobre todas las cosas. Dije aquello de "fui, soy y seré drogadicto" para confirmarle a la gente, por si no lo sabía, que en nuestro país había —y hay— mucha droga. Y, contra lo que la mayoría piensa, a la vuelta de la esquina... La droga existe en todos lados y yo no quería —ni quiero— que la agarren los pibes. Tengo dos hijas, ¿no?, y me pareció que era muy bueno decir todo esto; fue una obligación de padre y una obligación conmigo mismo. Porque yo no fui, no soy ni seré un hipócrita. Y con eso me dejé al descubierto. Lástima que no sirvió para nada: es demasiado grande el negocio de la droga como para que Maradona lo detenga. Que quede claro: los poderosos no quieren que se detenga y hoy, en ese tema, no soy más que una cortina de humo, una vía de escape, una distracción. Y punto con esto.

Por aquellos tiempos, entonces, tenía la cabeza partida en dos: por una lado, la campaña, que me llevaba un montón de tiempo y de viajes; por el otro, el regreso al trabajo con Boca y mi reencuentro con Bilardo. Yo fui clarito, para empezar: con el Narigón íbamos a andar fenómeno, porque yo tiré las cartas sobre la mesa y todos entendieron las reglas del juego. Pero también tenía que haber quedado claro que yo había aceptado a Bilardo como técnico sólo por la hinchada. Una vez más, como con Marzolini, había cedido por la gente. Eso sí: le pedí a la hinchada que estuviera atenta, porque yo no era de fierro y si saltaba algo, chau... Cuando yo decía saltar algo, decía: "No me saques de la cancha si me hiciste entrar infiltrado", como lo que había pasado en el Sevilla. Pero Bilardo estaba bien, ¡más loco que nunca, pero bien!

El lío, ahora, venía por otro lado: con Mauricio Macri jamás tuve buena relación, jamás, por el hecho de que él decía que éramos obreros y lo nuestro era lo mismo, lo mismo, que vender autos. Yo lo cacé al vuelo enseguida, por eso le dije de entrada: "Conmigo te equivocaste, pibe". El jamás en su puta vida estuvo en un vestuario, a no ser que su padre le haya regalado alguno. Por eso él no era nadie para venir a decirme: *Los premios se los vamos a pagar así o asá, ustedes con Alegre y Heller se llenaron de plata y no ganaron un campeonato.* ¡Y a él qué carajo le importaba! Lo que pasa es que Macri tiene menos calle que Venecia. Y el primer encontronazo fue, justamente, por los premios.

Yo ya había arreglado que me sumaba a la pretemporada después y estaba en Punta del Este. Me llamó un periodista amigo, para ver cómo andaba, y me contó que en Ezeiza, donde estaba trabajando Boca, en el viejo y querido Centro de Empleados de Comercio donde habíamos empezado con la Selección de Bilardo, había un lío bárbaro por el tema de los premios. Ya Macri había andado diciendo pelotudeces, como: *Al que le gusta bien y si no también.* O, peor: *Bajamos la persiana y listo.* No dudé ni un segundo: alquilé un avión privado en El Jagüel y salí volando. Una hora y media después estaba ahí, con los muchachos, arreglando todo. Y lo arreglamos. Nos sentamos con los dirigentes, me acuerdo que estaba Pedro Pompilio, y les dijimos lo que nosotros pensábamos. Escucharon al Mono Navarro Montoya, a Mac Allister y, sobre todas las cosas, a mí: yo era el representante del plantel, el capitán. Les pedí respeto, les pedí que se ganaran al jugador. Les aconsejé que hicieran las cosas de tal manera que pudiéramos confiar en ellos.

Pero no estaba todo tan claro. Arranqué jugando los torneos de verano, contra Racing, contra Independiente, y después teníamos que ir a Mendoza, para jugar contra River, a fines de enero del '96.

Yo tenía un compromiso de la campaña "Sol sin Drogas" en Cosquín y le había avisado a Bilardo que, en una de ésas, no podía llegar, que fuera preparando un posible reemplazante. El la tenía más clara que nadie, me había dicho: *Yo tengo que solucionar el equipo cuando vos no estás, le tengo que encontrar la vuelta... Y se la voy a encontrar.* A mí, en realidad, en aquel momento me jodían otras cosas, que no tenían nada que ver con el tiempo: por un lado, me había pegado un latigazo atrás, en el muslo derecho, que me tenía a maltraer; y por el otro, lo de los premios seguía en veremos y yo sentía que los dirigentes, a mí, me mentían. Sí, que me mentían, y entonces me rayé: no me bancaba que me forrearan. Los refuerzos no llegaban nunca y Mauricio Macri, que para mí era Pajarito en la intimidad y Silvio Berlusconi en los sueños, se convirtió, de repente, en el Cartonero Báez. Eso era, el Cartonero Báez, el ciruja que se hizo famoso porque salió como testigo en el juicio de Monzón, cuando lo condenaron por asesinato.

Después de aquello de Mendoza, le expliqué por qué no había estado y me puse a disposición de él, como correspondía. Estábamos los dos al aire, haciendo una nota por la radio, y el periodista me preguntó...

—*¿Por qué los hinchas no se enteraron tempranito de que no ibas a jugar?*

—Eso de tempranito me parece una boludez. Dije que no iba a estar en los partidos del verano y sin embargo estuve contra Independiente y Racing. Acá los nombres no tienen que importar, tiene que importar la camiseta, si no, con todo respeto, jugarían Argentinos, All Boys, Ferro. Acá juegan los grandes del fútbol argentino.

Y ahí se metió Macri, al aire: que no pequemos de humildad, que esto, que lo otro, que qué te costaba avisarle a la gente, que si estabas lesionado lo podías haber dicho... ¡Para qué! Me acomodé y me le tiré con los tapones de punta: "No es para discutirlo por radio. Me parece que te zafaste, Mauricio, esto lo tenemos que hablar entre nosotros y ahora vos me tirás a la gente en contra. Porque el que decide quién entra o quién no juega cinco minutos antes es Bilardo. Y vos le pedirás el informe a Bilardo y nos echarás a los dos si querés, y si no, seguiremos haciendo las cosas como queremos nosotros o como las quiere Bilardo. No quiero hablar, por miedo a zafarme yo, pero ahora te zafaste vos... Hasta luego". Y ahí nomás le corté, ¡lo mandé a la puta que lo parió! No, no era un buen clima.

Pese a todo, volví a trabajar con el equipo. Jugamos un amistoso contra Armenia, que formaba parte del contrato de Caniggia, y por primera vez sentí que me silbaban, que los hinchas de Boca me silbaban.

Después nos fuimos al Sur, a San Martín de los Andes, a hacer una especie de pretemporada y a todos nos vino bien alejarnos un poco del quilombo. Igual, a quien me quisiera escuchar, yo le decía que lo de mi mala relación con Macri no era un rumor, era una realidad. Y lo definía con pocas palabras: él nació de padres muy ricos, yo nací de padres muy pobres, que la gente saque sus conclusiones.

Igual nos seguimos viendo, no nos quedaba otra. Una vez se apareció por Ezeiza, donde nos entrenábamos, y se vistió de jugador. Quería sacarse el gusto, el guacho, quería jugar con sus empleados: estuvo en mi equipo, arriba, haciendo dupla con Caniggia. Ganamos 1 a 0, con gol mío, y cuando me pidieron una opinión, fui bien contundente: como futbolista... es un buen empresario.

Cuando dejé de pelear, me puse a jugar. Aunque en la cancha también era una lucha, la verdad. Aquel equipo estaba para morder, no para pelear el campeonato. Yo lo dije y todos me miraron raro, pero era la más absoluta verdad: estábamos para el cuarto o quinto puesto.

Oficialmente —por los puntos, digo— el ciclo Bilardo-Maradona arrancó con una goleada: el 8 de marzo, en la cancha de Vélez, le metimos cuatro a Gimnasia y Esgrima de Jujuy. Yo hice el primero, de penal. Después, todo era cuestión de tirarle la pelota a Caniggia. ¡Cómo estaba Cani! Un fenómeno, ganaba él solo los partidos. A Platense, a Lanús. Y el cabeza de termo de Passarella no lo llamaba a la Selección. Tampoco llamaba a Batistuta, y dejaba a los dos mejores delanteros del fútbol argentino afuera.

La cosa es que, como podíamos, dábamos pelea. Yo era un viejito talentoso, si quieren una definición: metía pelotazos justos, alguna gambeta, pero me costaba definir en el área, me costaba...

¿Hubiéramos llegado más arriba si yo metía alguno de los cinco penales consecutivos que erré en aquellos seis meses fatales? Qué sé yo: lo único que se me ocurre es que aquellas cinco maldiciones terminaron marcándome en una etapa para olvidar.

Todo empezó en Rosario, contra Newell's, el 13 de abril de 1996. Veníamos invictos hasta ahí, sin dar mucho. Aquella noche me pasó de todo: me atajaron el penal, para empezar, y me volvió a tirar atrás, en la derecha, para terminar. Tuve que salir, no aguantaba más el dolor. Y a algún cabeza de termo se le ocurrió silbarme, encima. ¡No me creían! No me creían que estaba lesionado, pero ¿era posible? Yo sentía una pelota de tenis en la pata y había algún boludo que dudaba.

Por eso, y por otras cosas, tardé en volver. Es que veía las cosas distintas que Bilardo y de afuera me lo bancaba menos: teníamos al Kily González, a la Brujita Verón, a Caniggia. Había que meter algo de equilibrio y para eso estaba el Pepe Basualdo. Pero Bilardo se había emperrado y no lo ponía... Me costó, me costó volver.

Y me tocó justo contra Argentinos: le hicimos cuatro, empezamos a mirar la tabla de otra manera. Empezaron, en realidad, porque yo volví a resentirme de un desgarro y me tuve que volver a parar. Hasta que vino Belgrano a La Bombonera, el 9 de junio, y... la puta madre, en mi regreso, la maldición del penal: Labarre me atajó otro. ¡Que desesperación! Volvía para la mitad de la cancha y escuchaba, livianito, frío, un *Maradooó, Maradooó,* como para perdonarme, pero no tanto. Eso que sentía atrás, en la popular, me dolía, sí, pero no tanto como lo del palco, allá al costado. ¡No quería ni mirar! Sabía, me imaginaba, a la Claudia y a las chicas llorando. Porque era así, ¿eh?, ¡lloraban en serio! Menos mal que salvé la ropa, cuando el partido ya se iba, cuando ya nos quedábamos con un empate que no servía para nada: la agarré justo allá, debajo de los palcos, y le tiré un globo, por encima de todos: aterrizó detrás de Labarre, y se clavó en el palo más lejano; los vacuné, los vacuné a todos... El Barba (Dios), me había dado una mano, otra vez.

Pero estaba visto que no podía vivir mi regreso en paz. Lo tenía al Barba de mi lado, pero se nos cruzó el diablo... No, el diablo no: Castrilli, peor todavía. Yo creo, hoy, que aquella noche del domingo 16 de junio, en la cancha de Vélez, cambió el final de mi historia en Boca. Porque jugábamos contra nuestro rival directo en la lucha por el título y le estábamos ganando, ganando de verdad: jugamos media hora de fútbol que, creo, fue lo mejor que hice desde que decidí volver. El Cani, como siempre, un genio, un salvador, había metido un cabezazo para el primer gol, a los quince minutos, nomás, y yo les movía la pelotita, de acá para allá... ¡Hasta una rabona les metí! Pero, ¿ven?, ahí está la diferencia: mientras yo metí una rabona, que hasta los hinchas de Vélez aplaudieron, a nosotros nos metieron la mano en el bolsillo. A Vélez le dieron un gol, un tiro libre y un penal, que no fueron, ¡no fueron!

Después del penal, dos minutos antes de que terminara el primer tiempo, me volví loco. No, ahora que lo escribo, no: el que se volvió loco fue Castrilli, ¡fue él! ¡Por la gente de Boca lo traté con respeto! Si hubiera sido por mí, le rompía la boca. La cosa es que me le paré adelante, me puse las manitos atrás, y le pregunté por qué me había echado. Como no me contestaba, le pedí por favor: "¡Somos seres humanos, explicame por qué!". Y como no me contestaba, le grité: "¿¡Qué estás!? ¿¡Muerto!?". Y me dio un ataque, una ataque de verdad, casi me desmayo. Por supuesto, me sortearon para el control antidoping. "¿Y a él, por qué no le hacen el control a él?", les pregunté a todos y nadie me contestó; tendrían miedo que los echara. Lo único, lo único que quería en ese momento, era que a él no lo dejaran dirigir más. Y que a mí no me dieran muchas fechas. Pero ya mirábamos otra vez el campeonato de lejos, otra vez. Por eso digo: si ganábamos ahí, íbamos derecho al título. Y ése sí que hubiera sido el retiro que yo me merecía.

Volví contra Central, el sábado 29 de junio a la noche, en el Gigante de Arroyito ganamos, el equipo jugó bastante bien, yo también, seguíamos un poco prendidos, pero... ¡yo volví a errar un penal! El tercero consecutivo. Una desgracia, sí, pero una desgracia que me empezaba a romper las bolas. A mí, ¿eh?, porque el equipo sumaba igual, aunque yo errara penales.

Ya parecía joda, porque contra River, ¡me pasó lo mismo! Ojo, aquella noche del 14 de julio, todo tuvo un sabor distinto: pegué mi penal en el palo, sí, pero a las gallinas ¡les metimos cuatro! Uno del Pepe Basualdo y tres de Cani, que estaba imparable. Yo seguía sintiendo que éramos menos que Vélez, pero cada vez jugábamos mejor... El Narigón había encontrado un equipo: el Mono Navarro Montoya en el arco, Gamboa de líbero, Fabbri y el Colorado Mac Allister como stoppers, el Pepe Basualdo y el Kily González como laterales volantes, Fabi Carrizo en el medio, la Brujita Verón por todos lados, Caniggia y Tchami —blanco y negro— arriba... ¿Yo? Yo donde podía, acompañando. Creo que lo mío, a esa altura, era más que nada presencia, presencia. Me respetaban mucho los rivales. Tanto, que me animé a candidatearme para la Selección: como dije aquella vez, le metí un pase en profundidad a Passarella, pero el Kaiser no salió al balcón, no se animó, no contestó.

Después de aquel superclásico nos fuimos a China, a jugar dos amistosos que iban a servir para pagar mi pase. Fue un viaje increíble, a un lugar donde yo nunca imaginé que me conocían tanto... ¡Ni por la Ciudad Prohibida pude caminar tranquilo! A mí me parece que aquel viaje fue bueno para el grupo, pero el Narigón estaba que volaba, porque se le cortaba la racha, veníamos pegando duro y parejo en la Argentina.

Por aquellos días, también recibí una oferta impresionante. Por mis 35 pirulos, seguramente la más importante de toda mi vida: para que jugara dos años en Japón me ofrecían ¡veinte palos verdes! ¿La verdad? Aparte de la guita, había un montón de cosas que me hacían pensar en irme, en serio: por ejemplo, no me gustaba nada que Boca, para armar sus divisiones inferiores, le comprara jugadores a todos los clubes de la Argentina. Eso hacía Griffa y por eso le dije: "Así, hasta mi viejo saca pibes...". Igual, el amor era más fuerte, y también dije que no cambiaba otra vuelta olímpica en La Bombonera de la mano de mis hijas ni por todo el oro del mundo. Eso no tenía precio.

No tenía precio y yo lo regalé, la puta madre. Otra vez Racing nos arruinó la fiesta. El 7 de agosto, de noche —noche terrible para ser sincero— nos vacunó el Piojo López, yo erré mi quinto penal consecutivo y todo se derrumbó, otra vez. En el vestuario me largué a llorar, sabía que ya no me quedaban muchas oportunidades para cumplir mi último sueño. El campeonato se había terminado para nosotros y yo me quería morir. Una semana después, el 11 de agosto, salí a la cancha, para jugar contra Estudiantes, convencido de que era mi último partido con la camiseta de Boca. Dalma y Gianinna habían llorado mucho después de aquel partido contra Racing, creo que nunca me habían visto tan mal, tan triste. Yo asumí todo lo que le pasó a Boca en esa temporada, todo: lo bueno y lo malo.

Recién once meses más tarde volví a ponerme la camiseta de Boca para salir a una cancha. ¡Once meses! Mucho, mucho tiempo... Esta vez, por ahí en repudio, en rebeldía, lo decidí yo, yo mismo. No fueron los poderosos del fútbol.

Si hubo alguien poderoso que me arruinó aquellos días fue el juez Hernán Bernasconi. El responsable de quitarle la libertad a mi amigo Guillermo Cóppola y, con eso, mi tranquilidad. Fue un golpe terrible. Lo único que me interesaba, lo más importante, era que se hiciera justicia. Y todavía hoy la estamos buscando. Hoy, el mismo Guillermo dice que todo aquello que pasó con su caso, con el caso Cóppola, cortó mi carrera cuando estaba para volar. Y tiene razón.

Fue un año, casi, donde hice y me pasó de todo... menos jugar a la pelota. Fueron tantas cosas y tan locas, que casi no me acuerdo, ese período lo tengo como borrado.

Me fui a Suiza, primero. Fue un viaje que me organizó Cóppola, el mismo domingo a la noche, cuando volvimos de la cancha, después de aquel último partido. Sí, Lucifer me eligió un lugar, una clínica, donde podrían ayudarme a salir de las drogas, eso le habían dicho a él. Y el lugar parecía serio, sí, hasta que el médico que me atendía, dos días después de recibirme, dio una conferencia de prensa y contó todo de mí, hasta el grupo de sangre que tenía. Un careta. Por lo menos, me quedó la tranquilidad de que el resultado del control antidoping que me hicieron después del partido contra Estudiantes, que salió mientras yo estaba allá, dio negativo.

Mi cumpleaños número 36 fue uno de los más tristes de mi vida. Ya estaba en Buenos Aires y elegí entrenarme con los muchachos de Boca, para que pasara lo más rápido posible.

¿La verdad? Lo confieso, no sabía para dónde salir: un día decía que quería jugar en Boca, otro que me quería retirar para siempre, otro que me quería ir del país. Sonaba contradictorio, lo sé, pero ahora me doy cuenta por qué: no sabía cómo vivir sin jugar al fútbol. No me alcanzaba, no me alcanzaba ni siquiera con las exhibiciones que seguían ofreciéndome en todas partes del mundo. La última, la que cerró el '96, fue en Montevideo, en el estadio Centenario. Y me abrió la puerta a una posibilidad de volver, pero volver en serio: picó Peñarol de Montevideo, nada menos. Sin quererlo, me despertó las ganas de ponerme la camiseta de Boca, otra vez. Aunque fuera de Nike y le hubieran puesto una rayita blanca entre el azul y el amarillo, aunque pareciera la ropa de la Universidad de Michigan... Era la de Boca, y era la que yo quería.

Mientras tanto, armé una hermosa reunión del Sindicato Mundial de Jugadores, que yo mismo había fundado. Estuvieron Di Stéfano, Cruyff, Sócrates, Zidane, Stoitchkov, Klinsmann, Weah, ¡cada nene! Eso fue en febrero, cuando al frente de Boca ya estaba el Bambino, Héctor Veira, y se había ido el Narigón Bilardo.

Cuando volví, empezó el tira y afloje con Boca, que fue desgastante, tremendo. Tanto, que en un viaje a Chile, invitado por un programa de la tele de allá para hacer una nota, me agarró un bajón terrible, que me dejó por el piso. ¡Me sacaron en silla de ruedas del estudio! Y para mí fue como un aviso, una alarma... Eso pasó el 7 de abril; me puse las pilas y el 21 ya estaba firmando con Boca de nuevo. No me importaba un carajo si la camiseta tenía una rayita blanca o no; el equipo estaba mal, la gente peor y yo quería dar una mano. Me hice un montón de estudios, la máquina funcionaba bien pese a todo y le di para adelante. En junio, me fui otra vez a Canadá y contraté a Ben Johnson. ¡Sí, a Ben Johnson! El hombre más veloz de la tierra, digan lo que digan. Fue un fenómeno, me ayudó y mucho.

El 9 de julio de 1997, cuando volví a jugar en Boca, en un partido que fue una fiesta contra Newell's, pesaba menos de 75 kilos.

¡Volaba! Aquella tarde, hice un gol de tiro libre y todo... La leyenda continuaba. Jugué uno de los últimos partidos del Clausura, contra Racing y me preparé en serio para arrancar con todo el Apertura. ¡Me preparé en serio, ¿eh?! Y me metí en lo que yo sabía, como en el Napoli: a quién había que traer a Boca y a quién no... Ahí, en esa comisión directiva que Macri manejaba como quería, el único que lo hacía callar era el viejito Luis Conde, un fenómeno, que en paz descanse, ese sí que sabía de qué se trataba. La soberbia de Macri lo llevaba a no preguntar sobre lo que no sabía. El no sabía y no preguntaba; entonces, seguía sin saber y... metía la pata. Para que se sepa, de una vez por todas: a los mellizos Guillermo y Gustavo Barros Schelotto y a Martín Palermo los compré yo, ¡los compré yo! Hoy tendría que tener un porcentaje, yo, y se lo regalaría a los hinchas de Boca. Por todos los jugadores que yo le hice comprar al club y que después vendieron en millones de dólares... La cagada que se mandaron con Palermo, por ejemplo, cuando no lo vendieron a la Lazio, a fines del '99, fue por capricho, sólo por capricho: ya estaba vendido en veinte palos verdes, no lo dejaron ir, se lesionó y tuvo que empezar todo de nuevo. ¡Decí que tiene unos huevos! Y lo de los mellizos, lo mismo. Yo le dije a Guillermo: "Agarralo de la mano a tu hermano y no lo sueltes; si él no va a Boca, vos tampoco". Para que le hiciera ganar unos pesos y también porque a mí Gustavo me encantaba. Y los dirigentes que no, que no, hasta que me lo aceptaron. Lo único que me arrepiento de toda aquella historia, es de no haber puesto plata. Hoy, los mellizos y Palermo serían un poco míos, de verdad.

Y digo a propósito que es lo único de lo que me arrepiento. Porque todos saben que mi historia en Boca terminó con un nuevo control antidoping positivo, justo en la primera fecha de ese campeonato Apertura que iba a ser mi despedida, el 24 de agosto; justo contra Argentinos Juniors. Una cama me hicieron, una cama tan grande que todavía hoy no la puedo aceptar. Dicen que dio cocaína cuando yo me cuidaba como de mearme en la cama con eso. Dicen que dio cocaína...

Entonces me entregué, la verdad es que me entregué. Tenía la sensación de que me estaban dando un revólver como para que me matara. Demasiada cruz tenía con mi adicción como para que encima me sacaran así de la cancha... ¡Por Dios! Yo sabía de cocaína, ¿cómo no iba a saber de cocaína si era un cáncer que me acompañaba desde hacía quince años? ¿Iba a tomar cocaína antes de un partido? ¡Por favor, para eso me iba al Coyote o a El Cielo! Me habían hecho una chanchada, otra más.

Volví, volví una vez más. La Justicia me dio un permiso, una de esas medidas de no innovar. Jugué contra Newell's, hice un gol de penal, ganamos. Se venía el clásico contra River, en el Monumental, y quería estar ahí, ¡quería estar ahí! Jugué cuarenta y cinco minutos, pero jugué. Lo ganamos a lo Boca, lo dimos vuelta, fue 2 a 1. Lo disfruté mucho, muchísimo. Pero jamás pensé que ése iba a ser mi último partido.

Cinco días después, el 30 de octubre de 1997, el día de mi cumpleaños número 37, en medio de rumores sobre mi control antidoping, sobre si había tomado falopa o no, a alguien se le ocurrió decir que mi viejo se había muerto. Me desesperé, me volví loco, busqué un teléfono, llamé a mi casa, hablé con la Tota...

—¡Mami, mami, ¿qué le pasó al viejo, qué le pasó?!

—*Nada, nene... Está acá, ¿por qué?*

Fue lo último, dije basta. Si había empezado alguna vez con esto, con esta historia del fútbol, era por un sueño mío. Y si había seguido, después, era por mi familia. Sentí que había llegado el momento de dejar de hacerlos sufrir. Y le dije adiós al fútbol. ¿Para siempre? Jamás diría eso.

UNA MIRADA
Sobre los afectos, sobre las estrellas

Sin él, me muero, dijo Claudia...
Y eso, para mí, es amor eterno.

Hasta aquí, yo quise contar y recordar sólo mi carrera futbolística, ¡únicamente eso!

Pero siempre, siempre, me resultó difícil separar las cosas. Un poco por culpa mía, está bien, pero mucho también por la ansiedad de la gente por saber, por la desesperación de los periodistas por preguntar... A veces pienso que toda mi vida está filmada, toda mi vida está en las revistas. Y no es así, ¿eh?, no es así. Hay cosas que están sólo acá adentro, en mi corazón, y que nadie sabe. Sentimientos, sensaciones, cosas que no hay forma de contar, porque... ¡porque no hay palabras para hacerlo!

Lo que sigue, quiero que vaya como un homenaje a mis afectos más cercanos, nada más: no hay historias, no hay revelaciones. Hay amor, nada más. Y agradecimiento para los que me supieron sostener durante veinte años, ¡veinte años!, jugando al fútbol en primera división.

A mí me preguntaban, por ejemplo, por qué no me casaba con la Claudia. ¿Y qué les iba a contestar? ¡Porque no necesitaba un papel para decirle a ella que la quería! Entonces, después, venía la otra cuestión: ¿Y ahora por qué te casás? ¡Porque se me ocurrió! Por amor a la mujer que me bancó durante tantos años; por mis viejos, como siempre; por la Pochi, mi suegra, que cuando iba al almacén se aguantaba todo lo que murmuraban; por el Coco, mi suegro, que se tuvo que pelear con un montón de imbéciles. Por ellos, nada más. ¡Y por ellos hice la fiesta que hice, ¿eh?! No para ostentar nada, sino para poder ofrecerles, a los mismos que unos años antes, nada más, no podían ni pisar la vereda del Luna Park porque no tenían plata para entrar a ver nada, que ahora lo tenían para ellos solos. Para nosotros solos. Aquel 7 de noviembre de 1989, con un casamiento como excusa, podía reunir a todos mis amigos y lo hice: vinieron de España, de Italia, pero también de Fiorito, ¿eh?, también de Villa Fiorito.

¿Y saben cómo decía la tarjeta de invitación a mi casamiento? Decía así: "Dalma Nerea - Gianinna Dinorah junto a sus abuelos Diego Maradona - Dalma Salvadora Franco de Maradona y Roque Nicolás Villafañe - Ana María Elia de Villafañe participan a Usted el casamiento de sus padres...". ¿¡Qué tal!? Y si hubiéramos podido poner a toda la familia, la poníamos.

Claudia es un párrafo aparte en mi vida, ¡es única! Es la que yo elegí y es...

El Barba (Dios) me dijo: "Esta es para vos, porque no hay otra como ella... Otra te mete un voleo en el orto y caés en el medio del río." Bueno, no me dijo eso, tal cual, pero sí algo parecido.

Claudia es todo dignidad, Claudia ha puesto la cara por su marido, por su familia, por sus hijas, hasta por Guillermo. Claudia es, ¡es pura! A mí, si viene alguno y acusa a Claudia de haber tomado... un café, ¡lo mato! Porque todos tendrían que conocerla tal como es: madraza, esposa sensacional, naturista, es ¡Claudia! Es la computadora y el beso, es la madre y la esposa, es la nena y es la amante, es la que se preocupa por todos y la que siempre está a disposición. Se enferma la madre de Guillermo, y ella está. Muere la mamá del Loco Gatti y ella se presenta en el velorio a las cuatro de la mañana. Entonces, no me gusta compararla con nadie, porque ¡es única!, es una joya, es mi joya.

Ella fue la que siempre mantuvo la tranquilidad. Si en un momento determinado, con todas las cosas que me pasaron, ella se desfasaba, como le puede pasar a cualquier mujer del mundo... no sé, no sé qué hubiera pasado conmigo, cómo y dónde hubiera terminado.

Ella me bancó, me bancó siempre. Y cuando yo llegué a Cuba estaba muerto, ¿se entiende? Y ella me bancó, porque tiene una gran personalidad, un gran temperamento, si no, no hubiera podido, nadie hubiera podido. Que se entienda bien: no es la pobrecita, lastimosa, que está detrás de Maradona. No es la esposa del campeón. Es la enamorada de un señor que se llama Diego Armando Maradona, en las buenas y en las malas, en la gloria y en la agonía. Y está siempre, siempre. Por eso, cuando muchos se preguntan cómo me soporta, cómo sigue conmigo pese a todo, cómo sigue conmigo cuando yo salgo y todas esas cosas, respondo... Respondo: ¡porque salen todos!, salen todos pero a nadie le sacan la foto, como a mí; porque yo no mato a nadie para inventar un velorio, como hacen un montón de tipos para salir de trampa. Yo le aviso, yo salgo ¡con autorización de ella, ¿eh?! Mi vida es así, yo la elegí a ella y ella me eligió a mí.

Hay una frase, hay una frase que a mí me hizo escribirle una canción, allá en Estados Unidos, después de la maldita efedrina. Vinieron unos periodistas y le preguntaron qué iba a hacer, a partir de ahí. Ella, que nunca daba notas, les contestó: *Sin él, me muero.* Y a mí me pareció que eso era amor eterno, total: *¡Sin él me muero!,* dijo, ¿se entiende?

Ella es la madre de mis hijas, además. Una madraza, que se bancó sola, sola, viajar a Buenos Aires para parirlas, porque yo quería que mis hijas nacieran en la Argentina. ¿Saben, los que saben todo de mí, que yo no estuve en ninguno de los dos partos? ¡No estaba de joda, ¿eh?! Estaba en Italia, jugando al fútbol, cumpliendo con mis contratos, metiendo un partido detrás del otro hasta llegar a ser el extranjero que más jugó en aquellos años... Cuando Dalma nació, el 2 de abril de 1987, yo estaba entrenándome para jugar contra el Empoli. Y cuando Gianinna llegó, el 16 de mayo de 1989, yo venía de estar de suplente, ¡de suplente!, contra la Roma y antes de salir a la cancha contra el Torino. Un detalle, eso sí: las dos vinieron con un pan debajo del brazo; con Dalma llegó el primer *scudetto* y con Gianinna, la Copa UEFA. ¡Ojo! No me siento un héroe por eso, por haber conocido a mis hijas después que otros, al contrario: si hoy, con todo lo que he vivido y

279

todo lo que me ha pasado, hay alguien que me puede echar algo en cara, ésas son mis hijas.

¿Me cargan porque yo digo que hago todo por las nenas? ¡Allá ellos! Allá los caretas que me cargan... Mis hijas saben quién soy, conocen todas mis virtudes y mis defectos.

Y mis viejos, también, don Diego y doña Tota. O mis hermanas... Pero no lo hacen, no lo hacen y no lo harán. ¿Y saben por qué? Porque ellos me quieren... como soy. Porque mi viejo es el tipo más derecho del mundo, y ojalá hubiera muchos como él; el mundo sería mejor, mucho mejor. Porque para mi vieja, sigo siendo el preferido, como cuando era pibe: una vez, ella estaba en casa y yo discutí con Claudia, esas cosas de cualquier pareja, nada grave. Pero a la Claudia se le ocurrió decirme que me iba a sacar la llave de la casa, para que no pudiera entrar más... ¡Para qué! Saltó la Tota y le dijo: *¡Mirá que la pieza del nene en mi casa está intacta, ¿eh?*

Por eso dije alguna vez: tan malo, tan malo como me pintan no debo ser; lo veo en los ojos de mis hermanas, también, en la forma en que ellas me miran. Cómo me quieren. Cincuenta años tiene la Ana y nos besamos en la boca, nos necesitamos. Hablo con ellas y pregunto cómo está la Ana, como está la Kity, como está la Mary, como está la Caly... Yo compré una casa bien grande, porque El Barba (Dios) me dio la oportunidad, porque me dijo: "Acá van a poder entrar todos". Yo dije, más de una vez, que sería porque teníamos el recuerdo de una pieza chiquita, chiquita, más chiquita que la cocina del departamento donde yo vivo ahora, una pieza donde dormíamos todos, los ocho. Entonces, ¿de qué me vienen a hablar, qué me vienen a decir, qué me vienen a juzgar?

Están conmigo los que tienen que estar, los que yo quiero que estén. Yo quisiera recuperar, nada más, a dos amigos en mi vida: quisiera recuperar a mis dos hermanos, al Lalo y al Turco. Siento que hoy, cuando escribo esto, no los tengo como amigos. Y esto es algo mío, que llevo muy adentro y que me da ganas de llorar. Porque los tengo como hermanos, sí, pero yo los elegí como amigos. Y por un montón de cosas que quise inculcarles y por ahí no supe, se me fueron... se me fueron de las manos. Y me gustaría recuperarlos, aunque seamos viejitos, para que podamos ser compinches... No sé si amigos, al fin, pero sí compinches.

Mi amigo, mi amigo del alma, mi hermano, mi viejo, mi todo, hoy, es Guillermo Cóppola. El es mi ídolo... Es mi ídolo como antes tuve otros, claro. A ver: vuelvo a hablar de fútbol, entonces.

Si me obligaran a formar mi Selección ideal, por ejemplo, desde 1976 hasta 1997, cuando me retiré, me meterían en un lindo lío. Pero me voy a meter solo, como siempre, aunque no me obligue nadie. ¡Como siempre, ¿se entiende, no?!, *je*...

En mi Selección jugarían cinco, sí o sí: Fillol, Passarella, Kempes, Caniggia y... yo. Digo cinco porque si no me olvidaría de muchos, sería injusto. Pondría amigos y pondría monstruos. Para acompañar, o para acompañarnos, a esos cinco, podría agregar a Juan Simón, por lo que hizo en el '79, en Japón; a Tarantini, porque para mí fue un fenómeno, con unos huevos terribles; a Valdano, porque era y es tan inteligente afuera de la cancha como adentro; a Ruggeri, porque iba para adelante siempre, desde pibe; a Burruchaga, porque pocos me entendían como él; al Checho Batista, porque no necesitaba correr para quitar; al Negro Enrique, porque como él dice, inició la jugada de mi gol a los ingleses; a Olarticoechea, porque él sí que jugaba de todo y bien... Pondría a tantos: a Barbas, a Pasculli, a Giusti, a Gallego, al Pelado Díaz, ¿por qué no? Y pondría al Bocha Bochini, mi ídolo de los primeros años.

Y también, por supuesto, a muchos amigos. Algunos nombres que no dicen nada para la gente, otros que sí, pero para mí fueron todos importantes, importantísimos, más que como jugadores. Al Negro Carrizo, de Argentinos; al Tabita García, también del Bicho; al Guaso Domenech, otro más de La Paternal.

Amigos, amigos, amigos. Como el Cani, porque yo me considero amigo de Caniggia, no sé si él dirá lo mismo. Además, respeto mucho al Colorado Mac Allister y me queda una gran impresión del colombiano Bermúdez, ¡una gran impresión! Yo dije que, si volvía a Boca, el capitán tenía que ser él y ahora lo es; se ve que Bianchi me lee.

Y para mencionar a uno que reúna a todos, me quedo con Alfredo Di Stéfano. Tuve la suerte de estar más de una vez con él, en entrevistas, en entregas de premios. Yo lo quiero, él me quiere, pese a la diferencia de edad, vemos las cosas de la misma manera. Una vez, en 1988, lo invité a un programa de televisión que tenía yo en Nápoles. Cuando llegó el momento de presentarlo, me emocioné, pero me emocioné de verdad: estaba conmovido... Es que en la Argentina, antes de ir a jugar a España, yo había oído hablar mucho de Alfredo, pero no tenía la dimensión exacta de lo que era en el fútbol mundial. En realidad, eso lo descubrí en España, cuando jugué en el Barcelona. Ahí entendí qué pedazo de embajador del fútbol argentino había sido. Para mí, lo firmo, es el más grande de toda la historia. Se lo dije y él me contestó en porteño: *Largue, pibe, usted dice esto porque es un gomía,* como decía el gordo Aníbal Troilo, el más grande bandoneonista de la Argentina.

Pero yo se lo decía porque estaba convencido: en Italia, se la pasaban discutiendo si yo era mejor o peor que Pelé; en España no hay lugar para Pelé o Di Stéfano, nadie se anima ni siquiera a discutirlo. Yo estoy de acuerdo con los españoles.

Ese mismo día, le preguntaron a Alfredo qué diferencias había entre él y yo. Y el Maestro mandó: *"Diego, técnicamente, como individualidad, es superior a mí. Todo lo que él hace con los pies, con la cabeza, con el cuerpo, yo era incapaz de hacerlo. Yo no tenía tanta habilidad, pero jugaba en toda la cancha, a lo largo y a lo ancho. Algo que Diego podría hacer con un entrenamiento adecuado".* ¡Un fenómeno, el viejo! Estuvo ahí, al lado mío cuando los franceses de *France Football* me entregaron un premio que yo amo, un balón de piedras preciosas a mi trayectoria. A Alfredo también le habían dado uno, como el mejor jugador europeo de todos los tiempos. Me siento... me siento muy cerca de Alfredo, por muchas cosas. Una de ellas, chiquita, es que soñaba ser dirigido por él cuando tenía en sus manos un equipo de Boca ¡con cada nene!: era la temporada '69/'70 y Alfredo tenía unos jugadores bárbaros, como Rojitas, que a mí me encantaba, tenía una lámina de él en mi piecita de Fiorito, el Muñeco Madurga, el Tano Novello, el peruano Meléndez... Yo era un mocoso, no tenía todavía diez años, pero mi viejo me llevaba a la popular. Me había enamorado del Pocho Pianetti. Le clavaba los ojos cuando aparecía por el túnel y lo seguía los noventa minutos. Para mí, Pocho Pianetti fue un jugadorazo, pateaba como un animal, pero además jugaba como los mejores.

Muchos años después nos enfrentamos con Alfredo, sí, él entrenador y yo jugador. Fue en el Nacional del '81, en La Bombonera, a la mañana: nos ganó River 3 a 2, pero aquella vez yo le hice un golazo a Fillol. Me la dio Perotti sobre la izquierda, amagué el centro una y otra vez y lo vi a Fillol jugado hacia el segundo palo, esperando eso. Entonces no dudé: le pegué fuerte buscando con exactitud el agujero que quedaba entre el Pato y el primer poste. Cuando reaccionó, la pelota ya estaba adentro. Lo más cómico fue que el Pato después dijo ¡que se había resbalado!

En España nos seguimos enfrentando, aunque eso, entre nosotros era únicamente una cuestión futbolera. El me mandó a marcar de dos maneras: primero, en zona, no me pudieron agarrar nunca; en la segunda, lo pegó a Sanchís encima mío como una estampilla, pero lo volví loco. En el '83, en una final bárbara, nos quedamos con la Copa del Rey. Ellos también nos ganaron, nos ganaron, ojo, ¿eh? Pero él y yo pensábamos y pensamos siempre lo mismo: todas las tácticas valen, pero los que desequilibran son los jugadores.

Los jugadores que surgen, justamente, son tantos, que para formar un equipo, para decir quiénes me han deleitado, para confesar quiénes me han decepcionado, para todo, me resulta más sencillo ir tirando nombres. ¿Ping pong le dicen a eso? Bueno, yo mejor le voy a dar a la pelota contra la pared, con zurda una vez, con la derecha la otra. Ahí va, *pic, pac, pic, pic, pac...* Cien pelotazos. No es un ranking, ¿eh?, les tiro el número sólo para que no tengan que contar, para que comprueben que les mando cien nombres, cien jugadores, y unas palabritas sobre cada uno. Y son cien, ¡nada más!, quedan otros tantos para algún libro futuro, qué le voy a hacer.

1. Pelé: como jugador fue lo máximo, pero no supo aprovechar eso para enaltecer el fútbol. El pensó políticamente, pensó que podía ser el presidente de los brasileños. Y yo no creo que un jugador de fútbol, o un ex jugador de fútbol, tenga que pensar en ser presidente de un país. Me hubiera gustado que se propusiera, como yo, para presidir una asociación que defienda los derechos de los jugadores, que se ocupara de Garrincha y no lo dejara morir en la ruina, que luche contra todas las acciones de los poderosos que nos perjudican. No me comparo con él, siempre lo dije y lo repito. Y cuando digo que no me comparo, no hablo sólo de cuestiones futbolísticas. Tuve oportunidades de cruzarme con él varias veces. La primera, en 1979, cuando *El Gráfico* me llevó a conocerlo a Río. Después, en algunos partidos homenaje y esas cosas. La última, cuando se dio la posibilidad de hacer un negocio juntos, en el '95. Era una cuestión de piel, chocábamos demasiado; nos veíamos y saltaban las chispas.

2. Roberto Rivelinho: siempre lo menciono como uno de los más grandes y muchos se sorprenden. No sé por qué... Era la elegancia y la rebeldía para salir a una cancha de fútbol. Las cosas que me cuentan de Rivelinho son increíbles. Y también se rebelaba contra los poderosos. Me enamoré del jugador y me sedujo como persona cuando lo conocí. Hay una anécdota muy linda, que lo pinta de cuerpo entero. Resulta que él estaba en la concentración de Brasil, en México '70. Haciendo nada, porque aquéllos no necesitaban nada para jugar. Y estaba ahí, sentado con Gerson, con Tostao... Entonces, apareció Pelé. Y ellos pensaron: *Este negro de mierda, ¿qué le podemos decir? ¡Si hace todo bien, el hijo de puta!* Entonces a Rivelinho, que siempre tenía respuesta para todo, se le ocurrió qué decirle. Lo miró fijo a Pelé, que ya era el mejor del mundo, y le dijo: *Decime la verdad, te hubiera gustado ser zurdo, ¿no?*

3. Johan Cruyff: yo sólo lo pude ver en el ocaso, pero me pareció un jugador fantástico. Era más veloz que los demás, física y mentalmente, y era con eso que sacaba la ventaja. Aceleraba como Caniggia, de 1 a 100, y se frenaba. Y tenía una visión de toda la cancha impresionante. Alguna vez dijo giladas de mí, sin conocerme bien.

4. Angel Clemente Rojas: ¡Rojitas! En la piecita en Fiorito tenía una lámina de él pegada en la pared. Me encantaba cómo movía la cintura, cómo amagaba. Claro, en mi casa eran todos de Boca. A mí, después, me picó el bichito de Bochini, pero el primero, el primero que miré fue Rojitas.

5. Ubaldo Matildo Fillol: el mejor arquero que vi en mi vida, sencillamente.

6. Daniel Alberto Passarella: el mejor defensor que vi en mi vida, también. El mejor cabeceador, y en las dos áreas, algo que le falta al fútbol argentino de hoy. Lo que nos pasa afuera de la cancha no tiene nada que ver con lo que yo pienso de él como futbolista.

7. Mario Alberto Kempes: un fenómeno como tipo, lo adoro, y también como jugador. Todos estamos muy agradecidos con el Flaco Menotti por lo del '78 y está bien; pero hemos sido muy desagradecidos con Mario, que fue el goleador, fue el alma, fue todo... Hemos sido injustos con él, se merece un homenaje de la Argentina y no tener que andar recorriendo el mundo, dirigiendo aquí y allá, con los técnicos que hay trabajando. Lo amo.

8. René Orlando Houseman: el Loco fue el más grande que yo vi como habilidad, como gambeta, como invento. René se divertía con la pelota y eso, hoy, lo hacen pocos. Y cuento algo de él que me llena de orgullo, porque me habla de la confianza cuando yo era un pibe, porque se daba cuenta de que yo también era como él, compartíamos el origen: en el '78, cuando se emborrachaba, me llamaba desde donde estaba tomado y me pedía que lo cargara en el lomo, a caballito, y lo llevara hasta el segundo piso, donde estaba su habitación. Lo acompañábamos con Bertoni y a mí no me dejaba ir de la pieza hasta que no se quedaba dormido: quería que yo le hablara... Para mí, eso es algo inolvidable que me dejó el fútbol, la mejor gente del fútbol. Por aquellos años yo era capaz de pagar la entrada sólo para ver una genialidad del Loco.

9. Michel Platini: gran nivel, un fenómeno. En Italia ganó todo, pero siempre me quedó la imagen de que jugando al fútbol no se divertía. Era muy frío, demasiado.

10. Hristo Stoitchkov: se hizo un gran jugador en España, cuando estuvo en el Barcelona. Antes era solamente un goleador, pero después se hizo un fenómeno. Aparte, gran tipo, gran persona.

285

11. Antonio Cabrini: me gustó siempre... Era lindo el hijo de puta. En Italia le decían "Il Fidanzato d'Italia", el novio de Italia. La rompía, jugaba muy bien al fútbol.

12. Antonio Careca: un fenómeno y un amigo. Uno de los mejores socios que tuve en mi carrera.

13. Zico: un director de partidos. Le tiraron la diez de Pelé y se la puso, sin problemas: tenía la jerarquía de un grande. Un tipo sensacional y un jugador fantástico.

14. Enzo Francescoli: no necesitó ser campeón del mundo para estar entre los más grandes, sin envidiarle nada a ninguno. Y como tipo, el mejor. Lo siento mi amigo.

15. José Luis Chilavert: me parece un gran arquero, pero yo no voy con los que dicen un día una cosa y al otro día otra. Incluso yo lo llamé cuando lo sentenciaron porque me pareció demasiado y creía que en mi país se estaba cometiendo una injusticia. Pero que él me venga a decir cómo tengo que vivir en mi país, ya me parece demasiado. No me va como persona, pero debo decir que es un arquerazo y un delantero más en cada tiro libre, porque le pega un fenómeno... Eso sí: en eso, no inventó nada, Higuita fue el primero.

16. Ronaldo: el pibe es un gran jugador, pero lo agarró el tren de la fama. Y los contratos publicitarios le metieron tanto en la cabeza que tenía que ser el campeón que, antes de la final de Francia '98, le agarró un ataque de... asma. Yo no me la como: el pibe no la tocó, se lo comió la ansiedad de jugar bien y él no tiene la culpa; todos podemos jugar mal. Pero le exigían que hiciera un gol y que saliera revoleando el botín Nike como Patoruzito con las boleadoras. Le metieron tantas cosas en la cabeza que lo consumieron. Creo que superará esto y ojalá también lo de la última lesión, aunque esto último parece muy difícil. Pero no llegó a ser más que Romario ni más que Rivaldo. Me dio mucha pena cuando se volvió a lesionar: lo vi llorando en la cancha y me partió el alma. Le mandé un telegrama al hospital de Francia, donde lo operaron, sólo para estar un poco más cerca.

17. Marco Van Basten: una máquina de hacer goles que se rompió justo cuando estaba por convertirse en el mejor de todos. Lo fue, igual, pero no llegó a número uno.

18. Romario: un gran jugador, tengo una gran estima por él. No he visto otro definidor igual, le he visto hacer cosas increíbles adentro del área: rapidísimo, terrible. Cuando encaraba para el arco, te vacunaba. Nunca tuve dudas con él: está en mi equipo ideal.

19. Edmundo: está loco, con una locura linda, y es un jugador fantástico. Yo no estuve de acuerdo con Batistuta cuando se enojó con él porque se fue al carnaval de Río y dejó por un partido a la Fiorentina. Eso estaba en su contrato, porque así son los brasileños: cuando yo jugaba allá y llegaban los carnavales desaparecían todos, Falção, Toninho Cerezo. Nos quedábamos sólo los argentinos, que tenemos menos carnaval que Santiago del Estero.

20. Paolo Maldini: otro gran jugador que se equivocó de profesión; debió ser actor, es demasiado lindo para jugar a la pelota.

21. Ruud Gullit: un toro... Era más bruto que técnico, pero suplía todo con su potencia, con su preparación física.

22. Christian Vieri: es un gitano, pasa de un equipo a otro y se va llenando de plata. En todos lados hizo goles, pero es muy reciente como para decir si es un grande.

23. Gabriel Omar Batistuta: un animal, un animal que, como digo yo, gracias a Dios es argentino. Nuestro fútbol no lo sabe valorar y si no hacíamos la movida que hicimos todos los que lo queremos, Passarella no lo llevaba al Mundial.

24. Roberto Baggio: Il Bello (el bello, así le dicen en Italia) es un grande. Aun cuando nunca terminó de explotar del todo.

25. Paul Gascoine: arrancó como para ser una gran figura y después se quedó... Volcó.

26. Gary Lineker: un gran goleador, pero sin la trascendencia que se merecía.

27. Zinedine Zidane: yo quiero defenderlo, porque tiene una visión del juego extraordinaria, pero cada día que pasa me parece que tiene menos ganas de jugar. Igual que Platini: no se divierten, les falta alegría para jugar.

28. Alessandro Del Piero: ahí está, éste es distinto a Zidane, le gusta jugar, lo siente en el alma; entre él y el francés, me quedo con él.

29. Michael Owen: para mí, lo único que dejó el Mundial de Francia '98. Velocidad, picardía, huevos... Espero que no lo arruinen las lesiones.

30. Lothar Matthäus: el mejor rival que tuve en toda mi carrera, con eso creo que es suficiente para definirlo.

31. Jorge Alberto Valdano: un tipo extraordinario con el que me gustaba, me gusta y me gustaría jugar al fútbol y hablar. Eternamente.

32. Ricardo Enrique Bochini: fue mi ídolo. Me volvía loco verlo jugar. Cuando entró contra Bélgica, en el Mundial, lo primero que hice fue buscarlo y darle la pelota. Me acuerdo que dije: "Fue como tirar una pared con Dios".

33. Claudio Paul Caniggia: lo quiero como un hermano. Desde que lo vi sentí la necesidad de protegerlo. El cambio de ritmo de él no se lo he visto a nadie. El me reemplazó en el corazón de la gente.

34. Alemão: yo lo había pedido al Checho Batista cuando él llegó a Napoli. Pero el brasileño después me demostró todo lo que valía. Un jugadorazo.

35. Michael Laudrup: fue uno de los que más me gustó en México '86. Jugaba a un toque, lo hacía todo muy fácil.

36. Hugo Sánchez: era un buen jugador dentro del área. Pero no me van todos esos firuletes que hacía cada vez que metía un gol. Era muy tribunero, demasiado.

37. Emilio Butragueño: un enano mortal, un tipo con el que me hubiera gustado mucho jugar. Con Valdano desarmaban cualquier defensa. Formaban un dupla bárbara.

38. Paolo Rossi: un artista del contraataque. El italiano la tenía clarísima, en España '82 se hizo un festín. Eso sí: era uno de los que decía que él no podía jugar en el Napoli; era demasiado fino.

39. Oscar Ruggeri: un ganador, el Cabezón. Desde pibe siempre iba para adelante. Tiene unos huevos de la puta madre.

40. Sergio Javier Goycochea: es un tipo sensacional. En el Mundial de Italia nos salvó a todos. Los argentinos lo aman.

41. René Higuita: un personaje hermoso, un loco. Ya lo dije: él fue, en serio, el que inventó eso de que los arqueros patearan penales, tiros libres y también hicieran goles. Que no venga nadie a sacarle la patente, ¿se entiende, no?

42. Juan Sebastián Verón: es uno de los mejores jugadores que tenemos en Argentina. Tiene mucho panorama de juego y mucha personalidad. Se le escapó la tortuga con algunas declaraciones que hizo sobre mí, pero se le escapó feo, muy feo. Por eso, es un tema sin solución.

43 y 44. Javier Saviola y Pablo Aimar: esos dos me encantan, lástima que juegan en River. Son rapidísimos. Al pobre Saviola le querían meter en la cabeza que era el nuevo Maradona. Saviola es Saviola, no lo jodan más.

45. Juan Román Riquelme: me gusta mucho, es capaz de cargarse la diez de Boca. Le costó al principio, porque tiene un estilo especial, pero se fue metiendo, se fue metiendo... Y hoy es fundamental. No tiene la velocidad que tenía yo, ese pique corto con el que desequilibraba, entonces tiene que aprovechar otras cosas.

46. George Best: era un gran jugador, pero estaba más loco que yo.

47. Ciro Ferrara: una vez le dije que era el mejor defensor del mundo. No sé si era cierto, pero lo quiero tanto que yo lo sentía así. El mejor amigo que me dejó el Napoli.

48. Osvaldo Ardiles: otro de los tipos a los que me encanta escuchar hablar, como a Valdano. Se preocupaba más por el equipo que por él. Un fenómeno.

49. Diego Simeone: en Sevilla corría por mí. Cuando estábamos juntos en la Selección, se mataba por la camiseta como yo. Después... no sé qué le pasó después. Me parece que Passarella le lavó la cabeza, pero lo cierto es que no me llamó más. Se habrá asustado, no sé.

50. Davor Suker: un personaje, te engañaba siempre... Siempre parecía que jugaba mejor de lo que había jugado.

51. Fernando Redondo: somos muy distintos fuera de la cancha, pero en el Mundial nos entendimos bárbaro. Yo le había tomado la distancia a esas patas larguísimas que tiene y él sabía que yo se la devolvía redonda; nos buscábamos mucho. Tiene mucha personalidad, aunque no me gustan, más de una vez, las decisiones que toma.

52. Gianfranco Zola: fue mi sucesor en Napoli. Se fijaba muchísimo las cosas que yo hacía en los entrenamientos... y algo le quedó. Un gran tipo, también.

53. Kevin Keegan: fue mi ídolo durante mucho tiempo, me encantaba verlo jugar. Era chiquito y retacón como yo... El solo manejaba los partidos.

54. Iván Zamorano: siempre le trajeron jugadores para reemplazarlo en cada club donde estuvo y el chileno los cagó a todos metiendo un gol atrás de otro... Se lo merece. Es uno de los mejores tipos que hay en el fútbol.

55. Carlos Valderrama: les mostró a todos los colombianos cómo se juega al fútbol. Tenía algunas cosas de Bochini. Con 40 años podría seguir jugando, y con 50 también, porque no necesita correr para jugar.

56 y 57. Guillermo y Gustavo Barros Schelotto: Guille juega a la pelota. Tiene esa picardía tan nuestra, tan del fútbol argentino. Todos entran con el cuello duro y él como si nada. Gustavo también tiene lo suyo: va para adelante, siempre me gustó. Y me encanta que jueguen juntos.

58. Hugo Orlando Gatti: el Loco me dijo gordito, una vez, y le contesté con cuatro goles. Pero después me demostró que es un gran tipo, siempre estuvo al lado mío. Tenía su estilo, hizo cosas impresionantes. Pero como arquero, dame a Fillol.

59. Carlos Aguilera: ¡Un grande, en todo sentido! En los clubes de Italia donde jugó, dejó su sello... y sus goles. La gente no se imagina lo que jugaba el Patito.

60. Karl-Heinz Rummenigge: alemán, alemán en todo el sentido de la palabra. Para ganarle, tenías que matarlo.

61. Obdulio Varela: por supuesto que no lo vi jugar, pero de él me quedó una frase maravillosa, que a mí me sirvió durante mi carrera. Antes de jugar la final del '50, contra Brasil, en el Maracaná, dijo: "Cumplido sólo si somos campeones". A mí dame compañeros como ese uruguayo.

62. Eric Cantona: un socio, un amigo. También, y más que nada, un loco y un rebelde como yo. Lo suspendieron por ser sincero. Además, la rompía, hay que preguntarle a los hinchas del Manchester, ellos lo eligen como el número uno.

63. Raúl: tiene clase. Valdano lo hizo debutar de pibito pibito y él se puso el equipo, ¡el Real Madrid, nada menos!, al hombro.

64. Gaetano Scirea: un caballero, un gran rival. Me dio mucha pena su muerte, mucha pena.

65. Ronald Koeman: buen jugador, buen jugador... Pero se equivocó conmigo, se equivocó: me trató muy mal después de una reunión del Sindicato de Futbolistas, en Barcelona, pero no se animó a decírmelo en la cara.

66. Franz Beckenbauer: lo conocí cuando yo era un chico —estaba en el Juvenil que se preparaba para el Mundial '79— y él, un grande ya —estaba en el Cosmos—. Siempre me impactó su elegancia para jugar al fútbol.

67. Sócrates: aparte de ser un futbolista distinto, también fue un luchador por los derechos del jugador, como yo. Se ponía vinchas para protestar, aunque la FIFA no lo dejara.

68. Ramón Angel Díaz: terminó siendo un goleador, sí, pero él debería reconocer que le enseñamos a definir nosotros, en el '79. Antes de eso, parecía que para hacer goles tenía que perforarle el pecho a los arqueros.

69. Ricardo Daniel Bertoni: las paredes que le vi tirar con Bochini, no las hizo nunca nadie en la historia del fútbol. Fue mi compañero en los primeros años del Napoli, cuando nuestra pelea era salvarnos del descenso, y siempre metía goles importantes.

70. Miguel Angel Brindisi: fue un gran socio mío, en el Boca del '81, cuando entendió que no tenía que hacer todos los goles él... No sé, lo sentía como un presión, porque había metido muchos desde el arranque. Tenía una visión del juego espectacular y jugaba como caminando.

71. Bernd Schuster: al alemán lo hicieron pasar por loco para echarlo del fútbol. Estaba loco, sí, igual que yo: fue un socio en mis luchas contra Núñez y un jugador extraordinario, de toda la cancha.

72. Jorge Luis Burruchaga: ¡pensar que lo discutían! Burru terminó siendo un ejemplo de lo que era un futbolista moderno.

Muchos lo definieron como mi lugarteniente en México '86: tienen razón. Me ayudó mucho, me sacaba peso de la espalda.

73. Sergio Daniel Batista: antes que nada, un amigo. En la cancha, tuvo una época maravillosa; parecía un pulpo, parecía que atraía a los contrarios y le entregaban la pelota. Yo lo quise llevar al Napoli, pero por *vendetta* Ferlaino compró a Alemão. Hubiera andado bien, muy bien, en el fútbol italiano.

74. Martín Palermo: me lo banco a muerte. Me dolió más que a él su lesión, cuando ya estaba vendido al fútbol italiano. Yo lo quería cuando todos lo puteaban, yo lo hice comprar.

75. Paul Breitner: era un ídolo para mí. Me invitó a jugar su partido despedida, me movió el piso, y provocó —sin querer— mi primera pelea grande con Núñez, en el Barcelona. Lo que no podía entender el presidente del Barça, era que cumplía un sueño si me cruzaba en una cancha con el alemán. No se sabía ni de qué jugaba, estaba en todas partes.

76. El Lobo Carrasco: sabía con la pelota, uno de los que más me ayudó cuando llegué al Barcelona.

77. Marcelo Trobbiani: la pisaba, la amasaba, ¡y marcaba! Aparte, un gran compañero, de esos que saben apoyar desde afuera de la cancha. Me lo demostró en Boca '81 y en México '86.

78. Pedro Pablo Pasculli: un hermano adentro de la cancha, un socio bárbaro. Muchos lo discutían, pero siempre se las ingeniaba para meter goles importantes, en las eliminatorias y en México también, contra Uruguay.

79. Massimo Mauro: un Valdano a la italiana. Eso sí, con menos potencia adentro de la cancha, pero la misma inteligencia.

80. Jürgen Klinsmann: un alemán distinto. Alto y rubio, sí, pero con unos movimientos que parecía un bailarín. Cuando lo vi en Munich, para la despedida de Matthäus, no lo podía creer: ¡está más flaco que antes!

81. Héctor Enrique: fue fundamental en el equipo campeón del mundo del '86. Era el equilibrio... ¡El guacho dice que me dio el pase del gol a los ingleses! Un jugador bárbaro.

82. Alberto César Tarantini: mucho más que un marcador de punta. Transmitía una garra, unas ganas tremendas.

83. Roberto Ayala: se equivoca demasiado para ser capitán del Seleccionado argentino. A veces, el passarellismo no le deja ver las cosas. Le tomó la leche al gato cuando dijo que él tenía como referentes para llevar la cinta únicamente a Passarella y a Ruggeri.

84. Américo Gallego: inventó un puesto, el volante tapón. Era capaz de atraer todas las pelotas hacia él. Para mí, fue un gran compañero en los comienzos, lo sentía siempre cerca, apoyándome. Estuvo en las fiestas de bautismos de mis hijas. No me olvido de eso por más que mi pelea con Passarella nos haya distanciado. Era un amigo incondicional.

85. Oreste Omar Corbatta: me hubiera gustado verlo jugar. Y charlar con él, también, tomarme un vino. Me imagino que era nuestro Garrincha. No es poco.

86. Roberto Perfumo: fue el que le dio jerarquía a la defensa argentina. El Flaco Menotti me hablaba de Federico Sacchi, pero ¡yo a Sacchi no lo vi! Pero sí vi, por suerte, la estampa de Roberto: él era el auténtico Mariscal, ma' que Kaiser ni Kaiser. El es el capitán. Por eso digo: si hablamos de capitanes, el segundo grande grande, es él.

87. Alberto José Márcico: un atorrante divino, que jugaba en Caballito, en La Bombonera o en Francia, de la misma manera, como si estuviera en el potrero. Lamentablemente, se tuvo que ir de Boca porque yo le sacaba la posibilidad de jugar.

88. Carlos Bianchi: como goleador, impresionante. Yo llegué a jugar contra él, en el '81: empatamos 1 a 1, en La Bombonera, hicimos un gol cada uno. Después... Algunos dicen que le toma la leche al gato, otros que es un tipo fenómeno; pero no me quiero llevar por lo que dicen. Prefiero conocerlo yo, y le doy la derecha por lo que hizo en Boca, como técnico.

89. Falçao: un líder. Lo veías afuera de la cancha y parecía un médico, pero cuando se ponía los cortos sabía muy bien qué hacer con la pelota. El sacó campeón a la Roma, no es poca cosa.

90. Francisco Varallo: le envidio el record que él tiene, máximo goleador de la historia de Boca. Ojalá yo hubiera podido jugar más tiempo para pelearle eso. Leí una declaraciones de él y me encantaron dos cosas: una, que dijo que se parecía a Batistuta, y la otra, que él no era de los que andaban diciendo que todo tiempo pasado fue mejor.

91. Juan Simón: un tiempista, un tipo ideal para jugar de líbero. En Japón '79 fue un monstruo.

92. Julio Olarticoechea: al Vasquito le podías tirar cualquier camiseta, jugaba de todo y bien.

93. Ricardo Giusti: nunca me voy a olvidar de su cara cuando lo amonestaron en la semifinal contra Italia, en el '90. Se dio cuenta de que se perdía la final, que iba a ser la última de su carrera... Un tipo que quería a la camiseta del Seleccionado, la quería de verdad.

94. Peter Shilton: el cabeza de termo se enojó porque yo le hice un gol con la mano. ¿Y el otro, Shilton, no lo viste? La cosa es que no me invitó a su partido despedida... ¡Mirá como tiemblo! ¿Cuánta gente puede ir a la despedida de un arquero?, ¡de un arquero!

95. George Weah: pura polenta, el negro. Aparte, un luchador afuera de la cancha, también: fue uno de los primeros que se sumó a mi Sindicato y vive peleando por su país, por Liberia.

96. Juan Alberto Barbas: ¡cómo soñamos juntos en Japón! Compartíamos la habitación en el Mundial Juvenil. Y juntos subimos a la Selección mayor de Menotti. Un tipo bárbaro un jugador que veía muy bien el juego... Tuvo que luchar contra eso de ser el elegido de Menotti, la gente lo insultaba mucho. Pero jugando en Europa, en España y en Italia, demostró lo que valía: un ocho ocho, de los de antes.

97. Thomas Brolin: un sueco con habilidad sudamericana. Lástima que se lesionó y no pudo dar todo lo que tenía.

98. Leandro Romagnoli: me encanta el chiquito. Le faltan piernas, físico, músculo, de todo, pero le sobra guapeza para gambetear. Lo demás se consigue en un gimnasio.

99. Nakata: si todos los japoneses empezaran a jugar como éste, estamos perdidos. Sabe lo que es pegarle a la pelota, gambetear... Menos mal que los japoneses se ocupan de otras cosas, todavía.

100. David Beckham: otro demasiado lindo para salir a la cancha. Aunque se preocupa demasiado por su Spice Girl, a veces se hace tiempo para jugar y la toca, la toca… Ganó todo con el Manchester, pero debe algo con la Selección. Además, se comió la gallina que le vendió el Cholo Simeone, en Francia '98.

Pero claro que no todo es fútbol en mi vida; nunca lo fue. A mí siempre me fascinaron los personajes, los protagonistas, y muchas veces, por ser Maradona, tuve oportunidad de conocerlos. Así les traje a mis hijas, para que comiera un asado y cantara, si tenía ganas, a Ricky Martin. Pero otras veces, también por ser Maradona, no me creyeron que eran ídolos míos, o que yo los admiraba... Hay de todo en ese grupo.

A mí, por ejemplo, me encantaba ver a Michael Jordan, a Sergei Bubka, al negro Carl Lewis, y también a todos los Johnson: a Magic, a Ben, a Michael.

De Michael Jordan, particularmente, me atrae la alegría con la que juega, la alegría con la que festeja un punto: es con el único personaje con el que daría cualquier cosa por sacarme una foto y alguna vez dije que mi sueño era conocerlo, darle un abrazo. Digo con él, porque con el comandante, con Fidel Castro, ya me la saqué. De la NBA, que la sigo por televisión, no es lo único que me atrae: me fascinan las torres de San Antonio Spurs, Tim Duncan y David Robinson, y un monstruo como Shaquille O'Neal.

El otro día estaba mirando televisión y casi me muero: apareció el negro Shaquille caminando por un pasillo interno, esos de los estadios, y alguien le tiró una pelota de fútbol. El morocho la pasó de pie a pie, así, con esos botes que tiene en lugar de zapatillas, intentó hacer un jueguito, miró a la cámara y dijo: *"Diegoumaradouna"*. ¡Casi me muero, casi me muero! Me quedé así, duro frente al televisor. ¡¡¡Lo amo a Shaquille!!!

Después, en automovilismo, el piloto que más me gustó fue Ayrton Senna. Si algún día tengo un varón, se llamará Ayrton, en su homenaje. Lo prometí sobre su tumba, cuando lo fui a ver, en el cementerio de San Pablo. Fue el más grande porque iba siempre al frente, en cualquier lado: en la lluvia, cuando todos levantaban la patita, él aceleraba a fondo... Para eso hay que tener sensibilidad y... huevos.

Otra cosa: el mejor boxeador que vi en mi vida fue Ray Sugar Leonard. Pero para mi viejo, que de eso entiende bastante, el más grande fue Alí, pero yo no lo vi. Lo que sí hice, durante mucho tiempo y todavía hoy, fue entrenamiento de boxeo: mi viejo y mi tío Cirilo, que también jugaba al fútbol en Esquina, era arquero y le decían Tapón, me enseñaron un montón. Y me sirvió, ¿eh? Estas piernas que tengo se las debo mucho a eso... Y la mano prohibida tengo, también. Me encanta, me encanta el box: la única que vez que yo viajé a Las Vegas lo vi a Sugar ganarle a Tommy Hearns y fue una pelea tremenda; me dejó marcado para siempre. Igual, nada ni nadie se compara con Carlos Monzón: si no hubiese estado yo, si no me lo hubieran dado a mí, el premio al deportista del siglo debía ser para él, seguro. Para Carlitos Monzón.

Y lo digo porque sé muy bien que la polémica pasó por otro lado: muchos dijeron que ese premio debió ser para Fangio y no para mí. Yo respeto mucho que en Italia hablen de Fanyio, de Fanyio, como le dicen ellos. Pero no respeto un carajo a quienes se rasgan las vestiduras por él y jamás vieron una carrera. Ni tienen idea de a quién le ganaba. Como dije, ya: ojo que Fangio también le tomó la leche al gato, ¿eh? O si no, ¿por qué el Autódromo de Buenos Aires se llama Gálvez y no Fangio? ¿Alguien se quejó por eso? No, nadie dijo una palabra. Entonces, repito: si el premio al deportista argentino del siglo se lo querían dar a un muerto, ¡se lo hubieran entregado a la hija de Monzón! Por suerte eligieron a alguien que está vivo, bien vivo, como yo.

También tuve oportunidad de conocer a muchas celebridades, esa gente importante más allá del deporte. De todas ellas, me quedo con uno. El que más me impresionó, y no creo que aparezca nadie que lo supere, fue Fidel Castro, sin lugar a dudas. Tres veces estuve en Cuba, incluida esta última, y todavía me pongo nervioso, como emocionado, cuando lo veo.

Recuerdo muy bien nuestro primer encuentro: fue el martes 28 de julio de 1987, casi a la medianoche. Nos recibió en su propio despacho, justo frente a la Plaza de la Revolución. Yo estaba tan nervioso que no me salían las palabras... Menos mal que me acompañaba la Claudia, con Dalmita en brazos, porque era un bebé todavía, mi vieja, Fernando Signorini. Entonces nos pusimos a hablar de cualquier cosa, como por ejemplo si necesitaba un lugar para que Dalma comiera. Y yo le contesté: "No, quédese tranquilo, Comandante, que ella se autoabastece". Claro, estaba dale que dale, con la teta. Nos entendimos enseguida, aunque algunas palabras, bueno, significaban cosas distintas para cada uno... Cuando él decía pelota, hablaba de béisbol; cuando yo decía lo mismo, hablábamos de fútbol. El me preguntó:

—*Dime, ¿a ti no te duele cuando chutas o cabeceas la bola?*

—No.

—*Pero, coño, ¿por qué me dolía a mí cuando jugaba de muchacho?*

—Porque antes se usaba otra pelota, más pesada, menos elaborada.

—*Ah, y dime, ¿cómo tiene que hacer un portero para atajar un penal?*

—Quedarse en el medio del arco y tratar de adivinar dónde va a patear el otro.

—*Pero eso es difícil, compañero.*

—Muy difícil. Por eso nosotros decimos que penal es gol.

—*Ah, y dime, ¿cómo tú chuteas los penales?*

—Tomo dos metros de carrera, y sólo levanto la cabeza cuando apoyo el pie derecho y tengo la zurda lista para pegarle a la pelota. Ahí elijo la punta.

—*Pero, ¿qué tú dices? ¿Tú chuteas sin mirar la pelota?*

—Sí.

—*Compañero, lo que hace la mente humana, no tiene límites, siempre me pregunto hasta dónde llegará junto al cuerpo. Ese es uno de los grandes desafíos del deporte. Es increíble. Y dime, ¿es verdad que tú erras pocos penales?*

—También, con todos los que erré.

En un momento se paró, enorme como es, pidió permiso y se fue a la cocina. Apareció con unas ostras espectaculares. Yo me bajé cinco copas y él se puso a hablar de cocina con la Tota. Intercambiaron recetas y todo... Seguimos con eso del fútbol y me contó un dato que me sorprendió: me dijo que, cuando jugaba, él era ¡extremo derecho! Entonces yo le dije, para joderlo: "¡¿Cooómo!? ¿Derecho, usted? Wing izquierdo tendría que haber sido".

Me preguntó si algún día podría hacer algo por el fútbol cubano y yo le contesté que sí, que tenían todo para crecer...

—Lo único que complica un poco es el calor, pero después tienen todo: habilidad, cintura, música por dentro, resistencia física y ganas.

Cuando ya nos íbamos, le miré la gorra, levanté las cejas, y él me cazó al vuelo, casi ni escuchó que yo le decía...

—Comandante, disculpe, ¿me la da?

Se la sacó y me la iba a poner, directamente, pero se frenó...

—*Espera, antes te la firmo, porque si no puede ser de cualquiera.*

¡Que va a ser de cualquiera! Era la gorra del Comandante. Me la puse, saludó a toda mi familia, uno por uno, nos dimos un abrazo y me fui. Yo tenía la sensación de que había estado hablando con una enciclopedia. Haberlo visto había sido como tocar el cielo con las manos. Es una bestia que sabe de todo, y tiene una convicción que te permite entender, viéndolo nomás, cómo hizo lo que hizo con diez soldados y tres fusiles... Esto lo vengo diciendo desde aquel día: uno puede estar en desacuerdo por algunas cosas con él, pero, por favor, ¡déjenlo trabajar en paz! Me gustaría ver a Cuba sin bloqueo, a ver qué pasa.

Nos volvimos a encontrar en la Navidad del '94. Yo ya entré al Consejo de Estado como a mi casa, me estaba esperando. Ya estaba Gianinnita, también. Fue una reunión muy linda, muy íntima. Me dio otra gorra, pero esta vez yo le regalé una camiseta número diez, del Seleccionado... Unos meses después, me llegó una carta a mi casa, con el membrete del gobierno cubano. Era Fidel que, de puño y letra, me pedía permiso para ubicar mi camiseta en el museo del deporte cubano. ¡Un fenómeno!

Y, bueno, lo que hizo por mí en los últimos tiempos, en el 2000, no tiene nombre. Yo digo que esto de estar vivo se lo tengo que agradecer al Barba (Dios) y... al Barba (Fidel).

Si el Comandante fue el que más me impresionó, Alberto de Mónaco fue el que menos. En Montecarlo, el hijo de puta me hizo pagar una cuenta de una comida a la que él nos había invitado... Se fue antes porque dijo que tenía que levantarse temprano. Cuando pedimos la cuenta con Guillermo, ¡eran cinco lucas! Yo había ido a Mónaco para ver a Stephanie o a Carolina y me encontré con el *boby* de Alberto, que encima me hizo pagar una fortuna.

El doctor Carlos Menem me ayudó mucho a cambio de nada, de nada. Yo me acerqué a él cuando pasó la tragedia de su hijo, Carlitos, en marzo del '95. Pensé que podía darle algo. No sé, apoyo, algo... Cuando el peronismo perdió las elecciones con De la Rúa, en el '99, fui a visitarlo, porque sentí que debía estar con él también en la mala y para demostrarle a todos que no tenía intereses por poder ni por nada. Fui cuando ya no estaba para la vuelta olímpica... La vuelta olímpica la dan los giles que se suben al carro de los vencedores. Y yo no soy de ésos.

Y a quien me hubiera gustado conocer, obviamente, no voy a sorprender a nadie con esto, es al Che Guevara, al querido Ernesto *Che* Guevara de la Serna, que así es el nombre completo. Lo llevo en el brazo, en un tatuaje que es una obra de arte, pero podría decir, mejor, que lo llevo en el corazón. Este... enamoramiento, empezó en Italia, sí, en Italia. No en Argentina, y este dato para mí es importante en todo lo que tiene que ver con el Che Guevara. Porque cuando yo estaba en la Argentina, el Che era para mí lo mismo que para la mayoría de mis compatriotas: un asesino, un terrorista malo, un revolucionario que ponía bombas en los colegios. Esa era la historia que a mí me habían enseñado. Pero cuando llegué a Italia, al país campeón de los *scioperi*, de las huelgas, de los obreros con poder, empecé a ver que en cada uno de sus actos, la bandera que aparecía era la de este muchacho... La cara de él, en negro, sobre un trapo rojo... Y entonces empecé a leer, a leer, a leer sobre él. Y me empecé a preguntar: ¿cómo los argentinos no decimos toda la verdad sobre el Che? ¿Por qué no reclamamos sus restos, como antes reclamamos los de otros, como Juan Manuel de Rosas? Y como no tenía, no encontraba, respuestas a ninguna de esas preguntas, decidí hacerle mi propio homenaje. Y me metí el tatuaje en el hombro, para llevarlo para siempre. Aprendí a quererlo, conocí su leyenda, leí su historia: de éste sí sé la verdad; de San Martín y de Sarmiento, lo digo con todo respeto, no.

Me gustaría que en los colegios contaran la verdadera historia. Más todavía, me conformaría con que en los colegios de mi país, decir Che Guevara no sea mala palabra.

En resumen, le agradezco al fútbol todo lo que me dio, y al Barba (Dios), también, porque a través de él fue la cosa: la posibilidad de ayudar a mi familia, de compartir mi vida con compañeros extraordinarios y de conocer a gente que en mi vida soñé que podría llegar a conocer... ¿En mi piecita con goteras de Fiorito lo podía imaginar?

YO SOY EL DIEGO
Un mensaje

Yo hice lo que pude...
Creo que tan mal no me fue.

Siempre, siempre, mi mayor orgullo fue jugar en el Seleccionado. Siempre, por más millones de dólares que me pagaran en el club que estuviera. Nada de nada era comparable, nada. Porque el valor del Seleccionado no se compara con la plata, se compara con la gloria. Y esto me encantaría que se lo metieran en la cabeza los chicos de hoy y los chicos de mañana: no podemos regalar la mística del futbolista argentino y la camiseta celeste y blanca. Aunque lamentablemente se esté perdiendo. Porque hubo una Copa América en Paraguay, en 1999, y fue necesario hacer una encuesta para saber quién quería venir, quién no... ¡Quién quería venir! Ahí, en este detalle, está la confirmación de que la mística se rompió. Aunque Grondona diga que no, aunque Bielsa quiera dibujarlo, aunque los jugadores expliquen, aunque los representantes justifiquen, aunque los periodistas interpreten. La mística... la mística se rompió. Y eso me jode, como pocas cosas en mi vida futbolística.

Y así como yo me puedo sentir dolido, lo mismo pueden decir los Ruggeri, los Pumpido, los Olarticoechea, los Giusti, los Goycochea. Con ellos nos reuníamos para luchar por la Selección, y si alguno avisaba que estaba lesionado, o algo, lo llamábamos y le decíamos: "¡Vení igual, vení igual!". Ojo, no es que somos o éramos ejemplos: simplemente, éramos conscientes de que la Selección nos necesitaba... ¡No hay cansancio, no hay cansancio! Vos es-

301

tás representando al país, ¡es el orgullo más grande que podés tener! Esto era lo que se decía, lo que se repetía en aquellas reuniones: "¿Te tiró? Vení igual, vení igual", lo llamábamos entre todos al que sea y lo hacíamos venir igual, aunque no jugara.

Por eso a mí me encantaba ser capitán. Porque me permitía enfrentar, con poder, a quienes nos querían imponer cosas, cosas que iban en contra de los futbolistas. Y no creo que haya un solo jugador, ni un compañero mío, que pueda decirme: *Hiciste las cosas mal, no me defendiste bien.* Y yo me enfrenté a Grondona, a Blatter, a Havelange, a Macri... Quizás con un vocabulario futbolístico y no político, y eso me costó un montón de cosas. Pero el resultado, el resultado lo vale. Yo creo que hoy me paro en la Torre Eiffel, pego un grito y tengo alrededor mío a todos los jugadores del mundo. Porque me lo dijo Cantona, me lo dijo Weah, me lo dijo Stoitchkov: *Nosotros somos parte de la Asociación de Futbolistas Mundiales y vos sos el presidente.* Ese es el orgullo más grande que tengo yo.

Y esto es lo que pretendo que se entienda: no puedo aceptar que no se sumen a la Selección porque están cansados, porque están lesionados, porque los clubes que los contrataron les pagan millones de dólares, porque.... ¡Los brasileños juegan setecientos mil partidos por año y están siempre! No sé, me da la impresión que ahora los brasileños agarraron la mística nuestra: Rivaldo juega el domingo para el Barcelona, viaja a Tailandia y hace un gol para Brasil, vuelve y se planta contra el Real Madrid, juega la Copa América, se rompe el culo por sus, ¡por *sus*! camisetas... O sea, yo digo: ¡Viva Rivaldo! Eso hacíamos antes los argentinos, ¡eso hacía yo!

Algo de eso, ahora, se rompió. Y yo no le echo la culpa a los representantes, ¡no le echemos más la culpa a los representantes! Acá, los únicos culpables somos los jugadores. Y esto mismo lo dije yo en una charla, en Futbolistas Argentinos Agremiados: "Para tomar decisiones no se necesita tener a un Maradona de 20 años... Basta con no transar, ¡no transar y sí unir!".

Por eso acepto ahora reunirme con Joseph Blatter, el presidente de la FIFA, para defender los principios del jugador de fútbol,

¿eh?, no para entregarme a Blatter. Porque si no estaría entregando veinticinco años de trayectoria, y no sólo adentro de la cancha: veinticinco años pensando que el jugador de fútbol es lo más importante, lejos, en este negocio. Y ésta es una gran verdad que nadie me puede refutar: a los técnicos los hacemos los jugadores, a los dirigentes los hacemos los jugadores.

Pero, por decir cosas como éstas, el poder no me perdonó. Yo lo viví, lo sigo viviendo todavía y lo tengo asumido.

Lo que no lograron fue cambiar mi vida. Que por ahí la hice bien o por ahí la hice mal, pero la hice yo. A mí no me diagramó Menotti, no me diagramó Bilardo, no me diagramó Havelange, no me diagramó Blatter, no me diagramó Menem, no me diagramó De la Rúa. A mí nadie me regaló la plata; me la gané yo, corriendo detrás de la pelota adentro de una cancha. ¿Mucha, demasiado? Por algo me la daban, el poder ganó mucho más gracias a mí. Por eso dependen de nosotros: si los futbolistas nos uniéramos, ¡mataríamos!

Los dirigentes de fútbol no saben nada del juego y nos han desplazado a los jugadores de un lugar muy importante. Están bien asesorados, estudiaron, consiguen los mejores sponsors y piensan más en Coca-Cola y en Hyundai que en los protagonistas. Yo lo sufrí cuando monté el Sindicato de Jugadores. Los Mundiales son riquísimos y los que hacemos el espectáculo recibimos puchitos, el 1 %. Esta es una fábrica a la que le va cada vez mejor con obreros que aceptan todo.

Porque hoy, los futbolistas ganan mucha plata sin tanto esfuerzo, entonces no les importa tanto. Ganan veinte millones de dólares por nada, Saviola y Aimar valen ochenta millones de dólares, no la tocan en un Preolímpico y siguen valiendo lo mismo, Vieri pasa de un equipo a otro por más y más millones y no festeja un título. Entonces, claro, ¿qué van a pensar en la Selección? ¿Para qué? Si no la necesitan... Y no hay nadie que se les acerque y les diga: *Mirá, nene que si no jugás en la Selección y después no la tocás en tu club, pasás a ser un desastre, no vas a valer un carajo.*

En cualquier momento van a decir que Saviola es un desastre, ¡y el pibe es un fenómeno! Pero tiene que triunfar en la Selección, tiene que aparecer alguien que reafirme las convicciones y que les diga.

Todo esto cambió desde que nos fuimos los viejos. Y no es porque nosotros hayamos sido más inteligentes ni nada, pero sí entendimos que teníamos que ser representantes de la gente, representantes del pueblo. Entonces nosotros, los representantes, cuando salíamos a jugar, pensábamos en la vieja, en el viejo, en el gomía, en el laburante, en todos... Y disfrutábamos como ellos cuando nos enterábamos de que iban a festejar los triunfos al Obelisco.

Yo quisiera que todo esto que digo se hiciera carne en los chicos del fútbol. Me encantaría ponerme al frente de los juveniles y decirles: "¿Vos venís de Rosario, pibe? Vení como sea, en tren, en colectivo, a dedo... Pero vení, después vemos. Jugate por la Selección que así te estás jugando por tu gente".

Hoy, muchos partidos se definen en los escritorios. Y eso va en contra de los jugadores: yo pagué un precio muy alto por defenderlos, por reclamar que al mediodía no se podía jugar en México, y por denunciar corrupción, como en el '90, donde la final tenía que ser Alemania-Italia. No tengo problemas en seguir pagando ese precio. Unidos, podríamos combatir las cosas malas que tiene el fútbol. Por ejemplo, los partidos digitados por los árbitros: en el '90 rompían las pelotas con el Fair Play, con el Fair Play, y en el primer partido los camerunenses nos mataron a patadas. Y después, en la final, vino lo de Codesal, lo del referí... Porque un penal mal dado no tiene nada que ver con el juego limpio, ¿no?, eso creo yo por lo menos. Hay cosas que están digitadas y los árbitros tienen que ver: en un Mundial de fútbol, en lugar de pasar inadvertidos, lo deciden. ¡Y no puede ser! Hay montones de árbitros que han falseado resultados, que han inclinado la cancha para que al fin lleguen a la final los dos equipos que prefiere la FIFA. Como un ejemplo, nada más, basta acordarse de México '86, cuando anularon aquel gol de Michel, cuando la pelota picó medio metro adentro, para que Brasil siguiera en carrera. El último Mundial, el de Francia '98, fue un campeonato mediocre y digitado: de la Selección de Francia no me acuerdo de casi ninguno, y no porque no me interese. Pero se sabía, desde la inauguración, que la final tenía que ser Francia-Brasil.

Y en la Argentina, lo que mató a los árbitros fue la soberbia, ¡la soberbia! A mí me echó Javier Castrilli, un referí, nada más que un referí, jugando para Boca, contra Vélez, en el '95, cuando lo único que fui a decirle fue: "¡Respetá a la gente!". Y así todos, no te dejaban hablar. Ellos se escudan con eso de que no ganan lo que tienen que ganar. ¡Que se hagan profesionales en serio! Y que no se dejen influenciar, ni con las figuras, pero que tampoco vayan contra la gente, contra el espectáculo. Porque la gente va a ver a Maradona, va a ver a Francescoli, va a ver a Gallardo, y si ellos los echan, van en contra de la gente. Eso sí: se hacen famosos y después trabajan en la televisión. ¿Gracias a quién? Gracias a los jugadores, por supuesto.

Yo me arrepiento de no haber jugado más en la Argentina. Lamento que mi país no me haya podido retener, para batir los records en mi tierra, para jugar más partidos en la Selección y no escucharlos por teléfono desde Italia... Porque así lo hacía: jugaba Boca, jugaba el Seleccionado, y yo me colgaba de la línea para escucharlos. Creo que no es mi culpa, yo me tuve que ir a ganar la plata afuera.

Desde Italia, justamente, yo observaba un fenómeno, algo muy especial: en la Argentina, los maestros de las divisiones inferiores siempre fueron los grandes jugadores del pasado. Nenes como Pedernera, Grillo, Griffa, Gandulla, Pando, Sacchi. A grandes maestros, según mi humilde opinión, grandes alumnos. Bueno, eso en Italia no pasaba. Los ex campeones se volvían diputados, *onorevoles*, dirigentes, periodistas de radio y televisión, asesores del presidente. Pero ponerse el buzo y llenarse de tierra como lo hizo casi hasta los 80 años don Adolfo Pedernera... No, eso no. Bueno, mi temor es que en estos tiempos hayamos perdido esa mística. Y por eso mi obsesión es trabajar con los futbolistas.

En todo sentido, ¿eh?, en todo sentido. Digo esto porque me jode que todavía haya futbolistas que se nieguen a decir la verdad y no se animen a denunciar, por ejemplo, que hay técnicos que les piden plata para hacerlos jugar. ¡En la Argentina hay entrenadores que les sacan plata a los jugadores! ¡Yo lo sé y yo lo denuncio! Lo sé porque muchos me vinieron a ver a mí, para decírmelo.

Lo lamento, entonces, por aquellos futbolistas a los que yo voy a nombrar si es que me llaman a declarar en el juicio que hay contra Ramón Díaz. Pero sería más grande el castigo de no darle la posibilidad a los futbolistas del futuro de evitar que les sigan metiendo la mano en el bolsillo. Eso es corrupción. Tanta corrupción como cuando un entrenador del Seleccionado pone a un jugador en el equipo, aunque esté lesionado, para después venderlo a Europa. Y yo sé que eso pasó, lamentablemente.

Si volviera a nacer, le pediría a Dios que me dé lo mismo —porque me dio demasiado, realmente— y también la posibilidad de hacer todas las jugadas y los goles que divirtieron a los napolitanos, en mi país, en vivo, para los argentinos...

Estoy orgulloso de haber sido siempre fiel a mis convicciones, a mis virtudes y a mis defectos. Pero llego a los 40 años y puedo mirar de frente a todo el mundo. No cagué a nadie más que a mí mismo, no le debo nada a nadie más que a mi familia. Lucho por mi vida, cada día, y tengo a mis viejos al lado, tengo a mis amigos al lado, tengo a mi mujer, incondicional, tengo dos hijas que son tan alucinantes como siempre las soñé y tengo, con todo eso encima, el respeto del país que amo... Sí, pese a todo, tengo y disfruto el respeto de los argentinos.

Todo lo que cuento en este libro es verdad, lo juro por mis hijas. Traté de ser lo más honesto posible en todo. Conté cosas, seguramente me olvidé de muchas otras, pero el mensaje es uno solo: voy a seguir diciendo la verdad hasta los últimos días. No voy a transar porque no me gusta, no me gusta la injusticia.

Como les digo siempre a los que vienen y se quieren hacer los bananas conmigo: *Pero, Diego, si vos...* Al Diego, a mí, me sacaron de Villa Fiorito y me revolearon de un patada en el culo a París, a la Torre Eiffel. Yo tenía puesto el pantalón de siempre, el único, el que usaba en el invierno y en el verano, ese de corderoy. Allá caí y me pidieron, me exigieron, que dijera lo que tenía que decir, que actuara como tenía que actuar, que hiciera lo que ellos quisieran.

Y yo hice.

Yo... Yo hice lo que pude, creo que tan mal no me fue.

Sé que no soy nadie para cambiar el mundo, pero no voy a dejar que entre nadie en el mío a digitarlo. A manejarme... el partido, que es como decir digitar mi vida. Nadie me hará creer, nunca, que mis errores con la droga o con los negocios, cambiaron mis sentimientos. Nada. Soy el mismo, el de siempre. Soy yo, Maradona. Yo soy El Diego.

TITULOS, PREMIOS, LOGROS

Los más importantes, los premios que me dio la vida: Dalma, Gianinna, Claudia y Guillermo.

1978

— Goleador del Campeonato Metropolitano, con Argentinos Juniors. Convirtió 22 goles.

1979

— Campeón del Mundo Juvenil con la Selección Argentina, en el Mundial Japón '79.
— Balón de Oro al mejor futbolista del año, del Centro de Periodistas Acreditados en la AFA (CEPA).
— Goleador del Campeonato Metropolitano, con Argentinos Juniors. Convirtió14 goles.
— Goleador del Campeonato Nacional, con Argentinos Juniors. Convirtió 12 goles.
— Olimpia de Plata al mejor futbolista argentino, del Círculo de Periodistas Deportivos (CPD).
— Olimpia de Oro al mejor deportista argentino, del Círculo de Periodistas Deportivos (CPD).
— Mejor futbolista de América, según la encuesta del diario *El Mundo*, de Caracas.

1980

— Balón de Oro al mejor futbolista del año, del Centro de Periodistas Acreditados en la AFA (CEPA).
— Goleador del Campeonato Metropolitano, con Argentinos Juniors. Convirtió 25 goles.

— Goleador del Campeonato Nacional, con Argentinos Juniors. Convirtió 18 goles.
— Olimpia de Plata al mejor futbolista argentino, del Círculo de Periodistas Deportivos (CPD).
— Mejor futbolista de América, según la encuesta del diario *El Mundo*, de Caracas.

1981

— Campeón de primera división, Campeonato Metropolitano, con Boca Juniors.
— Olimpia de Plata al mejor futbolista argentino, del Círculo de Periodistas Deportivos (CPD).
— Balón de Oro al mejor futbolista del año, del Centro de Periodistas Acreditados en AFA (CEPA).

1986

— Campeón del Mundo, con la Selección Argentina, en México '86.
— Balón de Oro al mejor jugador en el Mundial de México '86, de la FIFA.
— Balón de Oro al mejor futbolista de Europa, según la revista France Football.
— Olimpia de Plata al mejor futbolista argentino, del Círculo de Periodistas Deportivos (CPD).
— Olimpia de Oro al mejor deportista argentino, del Círculo de Periodistas Deportivos (CPD).
— Mejor futbolista de América, según la encuesta del diario *El Mundo*, de Caracas.
— Onze de Oro, al mejor futbolista del mundo, según la revista francesa *Onze*.

1987

— Campeón de la Liga de Italia, Serie A, *Scudetto* '86/'87, con el Napoli.

— Goleador de la Liga de Italia, Serie A, con el Napoli. Convirtió 15 goles.
— Campeón de la Copa de Italia, con el Napoli.
— Onze de Oro, al mejor futbolista del mundo, según la revista francesa *Onze*.

1988

— Goleador de la Copa de Italia, con el Napoli. Convirtió 6 goles.
— Campeón de la Copa de la UEFA '87/'88, con el Napoli.

1989

— Mejor futbolista de América, según la encuesta del diario *El Mundo*, de Caracas.

1990

— Campeón de la Liga de Italia, Serie A, *Scudetto* '89/'90, con el Napoli.
— Subcampeón del Mundo con la Selección Argentina, en el Mundial de Italia '90.
— Mejor futbolista de América, según la encuesta del diario *El Mundo*, de Caracas.

1992

— Mejor futbolista de América, según la encuesta del diario *El Mundo*, de Caracas.

1993

— Ganador de la Copa Artemio Franchi, con la Selección Argentina. En el enfrentamiento entre el campeón de América y el campeón de Europa, venció a Dinamarca, por penales.

1996

— Balón de Oro especial por su trayectoria, de la revista *France Football*.

1999

— Olimpia de Platino al deportista argentino del siglo XX, según el Círculo de Periodistas Deportivos (CPD).

INDICE DE NOMBRES

Abbatángelo, Pablo: 62.
Acevedo, Oscar: 55, 129.
Acosta, Alberto (Beto): 219.
Agnolin, Luigi: 129.
Aguilera, Carlos (Patito): 290.
Aimar, Pablo César: 289, 303.
Alegre, Antonio: 220, 248, 264, 266.
Alemão: 99, 106, 176, 178, 179, 288, 292.
Alfaro, Raúl Roque: 217.
Alfonsín, Raúl: 123, 136, 137.
Alí, Muhammad: 296.
Allofs: 129.
Almandoz, Héctor (el Coyo): 247.
Alonso, Norberto (Beto): 18, 31, 46, 70.
Altobelli: 153.
Alvarez, Carlos: 25.
Alves, Abel: 43, 44, 51, 55.
Alves, Hugo: 34, 39, 43, 44, 51, 55.
Aragón Cabrera, Rafael: 45-47.
Ardiles, Osvaldo César: 155, 289.
Arregui, Carlos: 54.
Avila, Carlos: 241.
Ayala, Roberto (el Soldadito): 214, 293.
Azkargorta, Xabier: 235.
Bachino, Marcelo: 34.
Badía, Juan Alberto: 23.
Baggio, Roberto (il Bello): 287.
Bagni, Salvatore: 97-99, 221.
Balbo, Abel: 168, 170, 197, 198, 203, 204, 210.
Baley, Héctor (el Negro, Chocolate): 50.
Balint, el rumano: 173.
Barbas, Juan Alberto (Barbitas, Beto): 34, 38, 40, 67, 88, 121, 281, 294.
Barnes, el negrito: 130.

Baroni: 106.
Barrera: 34.
Barritta, José (el Abuelo): 57, 58.
Barrone, Néstor (Ladilla): 80.
Barros Schelotto, Guillermo: 274, 290.
Barros Schelotto, Gustavo: 259, 274, 290.
Basile, Alfio (el Coco): 147, 187, 188, 190-205, 211, 212, 236, 242, C-11.
Basualdo, José Horacio (el Pepe): 158, 164, 269, 271.
Batista, Sergio Daniel (Checho): 69, 99, 126, 127, 143, 157, 182, 281, 288, 292.
Batistuta, Gabriel Omar (el Bati): 190, 192, 198, 203, 204, 210, 268, 287, 293.
Bava, Juan: 248.
Beardsley: 131.
Bebeto: 204.
Beckenbauer, Franz (el Kaiser): 34, 114, 291.
Beckham, David: 294.
Bello, Carlos: 46.
Benítez, Jorge (el Chino): 55.
Benrrós, Tito: 128.
Berlusconi, Silvio: 92.
Bermúdez, Jorge: 281.
Bernasconi, Hernán: 272.
Bernés, Jean Pierre: 223.
Berraz de Vidal, Amelia: 222.
Berta, José: 65.
Bertoni, Ricardo Daniel (la Chancha): 18, 28, 29, 86, 141, 142, 285, 291.
Best, George: 289.
Bestit: 70.
Bianchi, Carlos: 247, 281, 293.
Bianchi, Ottavio: 87, 96-99, 103.

Biasatti, Santo: 217.
Biasutto, Carlos: 55.
Bielsa, Marcelo: 301.
Bigon, Albertino: 103, 106.
Bilardo, Carlos Salvador (el Narigón): 112-123, 126-130, 134-136, 139-141, 146-148, 151-159, 163-167, 171-174, 184, 185, 187, 191, 192, 202, 220, 221, 223, 227, 230, 232, 236-239, 255, 264-271, 273, 303, C-7, C-11, C-12.
Biyik, Oman: 170.
Blanc, Laurent: 254.
Blatter, Joseph: 196, 211, 218, 229, 230, 302, 303.
Bochini, Ricardo Enrique (Bocha): 18, 31, 45, 121, 137, 143, 152, 191, 281, 285, 288, 290, 291.
Bogdanowsky, Jesús: 42.
Bolotnicoff, Daniel (Ojitos): 206, 222, 223, 226, 229, 247-249, 260.
Boniperti, Giampero: 83.
Bordón: 48.
Borghi, Claudio (el Bichi): 121, 123.
Bossio: 129.
Bottaniz, Víctor (Lito): 32.
Boyé, Mario: 225.
Branco: 178.
Bravo: 25, 32.
Breitner, Paul: 73, 74, 292.
Briegel, Hans-Peter: 86, 134.
Brindisi, Miguel Angel: 50-55, 291.
Brnovic: 181.
Brolin, Thomas: 254, 294.
Brown, José Luis (el Tata): 125, 127, 134, 164, 168, 172, 175, 186, 223.
Bruno: 23.
Bubka, Sergei: 295.
Buchwald: 185.
Burgos, Germán: C-7.
Burruchaga, Jorge Luis (Burru): 116, 120, 126-128, 133, 134, 156, 157, 167, 168, 170, 172, 185, 281, 291.
Butcher: 131.
Butragueño, Emilio (el Buitre): 129, 288.
Cabrera, Juan Domingo Patricio: 25, A-4.
Cabrini, Antonio: 286.
Cahen D'Anvers, Mónica: 62.
Calabria, Ricardo: 218.
Calamaro, Andrés: 225, 260.
Calderé: 189.
Calderón, Gabriel (Gaby): 34, 39.
Calderón, José Luis: 185.
Camino: 120.
Campana, Francisco: 23.
Campanino, Miguel Angel: 200.
Caniggia, Claudio Paul (Cani): 46, 108,

141, 153-155, 158, 159, 163, 167, 170, 174, 178-180, 182, 190, 192, 203, 204, 209, 252, 254, 257-259, 262, 268-271, 281, 284, 288, C-8.
Cantilo, Fabiana: 232.
Cantona, Eric: 254, 290, 302.
Cañete, Adolfino: 54.
Cap, Vladislao (el Polaco): 63, 65.
Cappa, Angel: 235.
Carabelli, Abelardo: 34.
Careca, Antonio: 95, 97, 99, 165, 176-180, 286, B-4.
Carmando, Salvatore: 92, 128, 203, 206-209.
Carnevale, Andrea: 90.
Carniglia, Luis (Yiyo): 51.
Carrasco, el Lobo: 70, 292.
Carrascosa, Jorge: 28.
Carrizo, el Negro: 20, 51.
Carrizo, Fabián 254, 271, 281.
Carrizo, Gregorio (Goyito): 16-19.
Casaus, Nicolás: 73, 74.
Castelli, Jorge: 243.
Castrilli, Javier: 270, 305.
Castro, Fidel (el Comandante): 198, 295-299, C-13.
Cattáneo, Walter: 240.
Cecchi: 55.
Cerrini, Daniel: 189, 194, 197, 203, 206, 210, 211, 241, 253.
Chaile: 20.
Chammah: 20, A-3.
Chamot, José (el Flaco): 204.
Chenot, Henri: 96, 104, 156, 163.
Chilavert, José Luis: 286.
Cichello Hübner, Esteban: 260.
Clausen, Néstor: 117.
Clemente: 76.
Codesal: 304.
Conde, Luis: 274.
Cónsoli, Próspero: 47.
Cóppola, Guillermo: 48, 88, 89, 92-94, 101-103, 108, 130, 174, 175, 178, 186, 241, 247-250, 253, 255, 257, 258, 260, 265, 272, 278, 281, 299, 309, C-10.
Corbatta, Oreste Omar: 293.
Cordero, Hugo: 263.
Córdoba, el Cachito: 55.
Corigliano, Domingo: 46, 65.
Cornejo, Francisco Gregorio (Francis): 17-24, 31, 40, 49, A-3.
Cousillas, Rubén (el Flaco): 56.
Cremasco, el Gordo: 128.
Cruyff, Johan: 273, 284.
Cruz, Osvaldo: 246.
Cucciuffo, José Luis: 125, 127, 133.

Cuervas, Luis: 190, 223, 230, 238.
Cúper, Héctor: 54.
Cyterszpiller, Jorge: 22, 23, 29, 33, 39, 43, 45, 46, 63, 64, 73, 77, 82, 84, 88, 89, 112, A-6, C-10.
Cyterszpiller, Juan Eduardo: 22, 23.
Dal Monte, Antonio: 122, 163, 164, 166, 167, 171, 200.
Dalla Buona, Osvaldo: 19, 20, 80, A-3.
Dávicce, Alfredo: 201, 202.
De la Rúa, Fernando: 299, 303.
De Luca, Eduardo: 210.
De Napoli: 98.
De Stéfano, Juan: 247.
Del Nido: 238.
Del Piero, Alessandro: 287.
Delgado, Daniel (Pólvora): 19, 20.
Di Donato: 25.
Di Stéfano, Alfredo: 74, 191, 273, 281, 282, C- 12.
Díaz, Emiliano: 142.
Díaz, Feo: 23.
Díaz, Hernán: 153, 235.
Díaz, Ramón Angel (el Pelado): 34, 37, 39, 65, 99, 120, 121, 139, 140-142, 146, 163, 281, 291, 306, C-12.
Dirceu Gimarães, José: C-4.
Domenech, Guaso: 122, 281.
Donadoni: 182.
Duchini, Ernesto: 27, 34.
Dundan, Tim: 295.
Duré: 20.
Echevarría, Ricardo (el Profe): 147, 164, 174, 175, 182, 195, 201, 203, 211.
Edmundo: 287.
El Negro: 12, 13.
Elia de Villafañe, Ana María (la Pochi): 29, 164, 257, 277, 278.
Elkjaer-Larsen: 86, 129.
Endika: 81, 233.
Enrique, Héctor Adolfo (el Negrito): 123, 125, 127, 132, 157, 281, 292.
Erbin, Pablo: 223.
Escudero, Osvaldo (el Pichi): 19, 34, 40, 51, 55, 63.
Espartaco, el torero: 235.
Espósito, Carlos: 63.
Espósito, Gabriel (el Morsa): 183, 193, 258.
Espósito, Gennaro: 85.
Esteban: 74.
Eurnekian, Eduardo: 250, 253.
Fabbri, Néstor: 271.
Falção: 69, 86, 287, 293.
Fangio, Juan Manuel: 296.
Felman, Darío: 29.

Fenwick: 131, 132.
Ferlaino, Corrado: 86, 87, 90-95, 98-102, 104-106, 109, 187, 221-223, 226, 228, 231, 292, B-4.
Ferrara, Ciro: 101, 146, 254, 289.
Ferrario: 97, 99.
Ferrer, Ana: 215.
Ferreyra, Bernabé: 225.
Filho, Arppi: 111, 135.
Fillol, Ubaldo Matildo (el Pato): 36, 43, 45, 46, 53-56, 65, 89, 120, 121, 281, 283, 285, 290, B-1.
Fonseca, el uruguayo: 221.
Fortunato, Sergio Elio: 41.
Francescoli, Enzo: 129, 154, 286, 305.
Franchi, Juan Marcos: 108, 186, 187, 193, 199, 205-210, 214, 217, 220, 222, 223, 226-231, 234, 238-241, 247.
Franco de Maradona, Dalma Salvadora (la Tota): 12, 14, 15, 16, 18, 19, 23, 26, 32, 39, 50, 64, 68, 100, 107, 113, 122, 127, 133, 137, 139, 140, 215, 255, 257, 258, 275, 278, 280, 297, A-2, C-14.
Franconieri: 46.
Fren, Carlos: 25, 33, 224, 245, 246.
Funes, Juan Gilberto (Búfalo): 141, 153, 216, 218-220.
Galarza, Guadalupe: 14.
Galíndez, el Negro (el masajista): 50, 80, 128, 135, 178.
Gallardo, Marcelo: 305.
Gallego, Américo Rubén (el Tolo): 28, 29, 32, 46, 122, 281, 293, C-12.
Galli: 97, 126.
Galván, Luis: 25.
Galvão, Mauro: 178.
Gálvez: 296.
Gamboa: 271.
Gandulla: 305.
Ganem, César: 21.
Ganem, Elías: 21.
García, Charly: 197, 225, 257, 259.
García, el Tabita: 281.
García, José María: 78, 79.
García, Sergio: 34.
Gardel, Carlos: 251.
Gareca, Ricardo (el Tigre, el Flaco): 88, 89, 118, 120, 217.
Garella, Claudio: 87, 97, 99, 221.
Garré, Oscar: 54, 120, 126.
Garrincha: 284, 293.
Gasalla, Antonio: 224.
Gascoine, Paul: 287.
Gaspart, Joan: 82.
Gatti, Hugo Orlando (el Loco): 28, 42-45, 55, 58, 59, 258, 278, 290, A-6.

315

Gentile, Claudio: 68, 69, 85, 116, C-4.
Gere, Richard: 197.
Gerson: 284.
Gette: 25.
Ghío, Adrián: 215.
Giacobetti: 25.
Gil Lavedra, Antonio: 222.
Giordano, Bruno: 87, 95, 97, 99, 221.
Giuliano, Carmine: 104.
Giunta, Blas: 254.
Giusti, Ricardo (el Gringo): 126, 127, 129, 164, 168, 182, 186, 223, 240, 241, 281, 294, 301.
Godesal, Edgardo: 185.
Goikoetxea, Andoni: 75, 76, 81, 232-234.
González Adrio: 76, 77.
González, Cacho: 61.
González, Cristian (el Kily): 269, 271.
González, Felipe: 82.
González, Rodolfo: 200.
Goycochea, Sergio Javier (Goyco, el Vasco): 153, 167, 172, 178, 180-182, 185, 186, 192, 204, 205, 288, 301, C-3.
Griffa: 271, 305.
Griguol, Carlos T.: 54, 59.
Grillo, Ernesto: 305.
Grondona, Julio: 152, 156, 184, 186, 189, 196, 207, 210, 217, 218, 222, 224, 227, 241, 245, 250, 262, 301, 302.
Guevara de la Serna, Ernesto (el Che): 36, 299, 300, C-16.
Gullit, Ruud: 287.
Guo Cheng, Liu: 241.
Habbegger, Gustavo: 52.
Hadzibegic: 181.
Handlartz, Carlos: 222.
Havelange, João: 40, 125, 139, 148, 149, 184, 186, 196, 211, 218, 226, 230, 245, 302, 303.
Hearns, Tommy: 296.
Heller, Carlos: 248-250, 264, 266.
Hernández, Ramón: 89.
Heynckes, Jupp: 232.
Higuita, René: 286, 288.
Houseman, René Orlando (el Loco): 27, 28, 119, 285.
Hurovich, Tito: 48.
Insúa, Rubén: 89, 263.
Islas, Luis (el Loco): 143, 204, 242, C-7.
Ivkovic: 180.
Jiménez, el uruguayo: 54.
Johanson: 211.
Johnson, Ben: 16, 273, 295.
Johnson, Earwin (Magic): 295.
Johnson, Michael: 295.
Jordan, Michael: 54, 231, 295.

Juan Carlos I: 82.
Juan José: 72.
Juan Pablo II: 139, 140, C-13.
Juanito: 79.
Juanse (Los Ratones Paranoicos): 260.
Juvenal: 127.
Keegan, Kevin: 290.
Kempes, Mario Alberto (el Matador): 27, 35, 61, 145, 147, 191, 225, 281, 285.
Kent, William: 22.
Kissinger, Henry: 94.
Klinsmann, Jürgen: 101, 185, 273.
Koeman, Ronald: 291.
Krasouski, Ariel: 55.
Krol, Ruud: 35.
Labarre: 269.
Labat, Antonio: 60.
Laburu, Juan Carlos: 64.
Lacarra, Julio: 225.
Lacoste, Carlos A.: 36.
Lakabeg: 234.
Lanao, José L. (el Flaco): 34.
Latorre, Diego: 218.
Lattek, Udo: 71, 72, C-3.
Laudrup, Michael: 86, 129, 288.
Lazzaroni: 176.
Leão, Emerson: 41.
Lemme: 237.
Lentini, Néstor: 200, 203, 210, 249.
Leonard, Ray Charles (Sugar): 296.
Leroyer: 65.
Lewis, Carl: 295.
Liberman, Samuel: 253.
Lineker, Gary:287.
Llop (el Chocho): 243.
Lo Bello: 97.
López, Carlos: 257.
López, Claudio (el Piojo): 271.
López, Daniel (el Dany): A-2.
López, Jorge: 25.
López, Juan José (Jota Jota): 46.
López, Miguel A. (el Zurdo): 51.
Lucero: 20.
Ludueña, Miguel Angel (el Hacha): 25.
Luque, Leopoldo J.: 28, 32.
Mac Allister, Carlos: 254, 266, 271, 281.
Macri, Mauricio: 81, 264-268, 274, 302.
Madero, Raúl Eduardo (el Tordo): 64, 116, 154, 162, 164, 167, 173.
Madurga, Norberto (el Muñeco): 282.
Maldini, Paolo: 287.
Mancera, Pipo: 20, A-2.
Mancuso: 191.
Maradona, Ana: 14, 24, 32, 257, 280.
Maradona, Claudia Nora (Caly): 14, 32, 64, 257, 280.

316

Maradona, Dalma Nerea: 15, 80, 98, 100, 103, 124, 132, 164, 183, 185, 196, 202, 206, 209, 210, 231, 240, 242, 249, 256, 257, 260, 264, 269, 272, 278, 279, 293, 295, 297, 306, 309, C-15.

Maradona, Diego (Chitoro, el Viejo): 12, 14-19, 23, 26, 29, 30, 32, 35, 39, 50, 53, 63, 64, 66, 76, 89, 100, 103, 106, 107, 122, 132, 166, 193, 196, 205, 254, 257, 275, 278, 280, 296, B-1, C-14.

Maradona, Dora de: 14, 23, 24, 59.

Maradona, Elsa Lucía (Lili): 14, 32, 122, 257.

Maradona, Gianinna Dinorah: 15, 80, 124, 132, 164, 183, 196, 202, 206, 210, 231, 240, 242, 249, 256, 257, 260, 264, 269, 272, 278, 279, 293, 295, 297, 306, 309, C-15.

Maradona, Hugo Hernán (Turco): 14, 32, 41, 50, 64, 94, 122, 129, 131, 153, 158, 280.

Maradona, María Rosa (Mary): 14, 32, 257, 280.

Maradona, Raúl Alfredo (Lalo): 14, 32, 50, 64, 94, 122, 129, 183, 246, 280.

Maradona, Rita Mabel (Kity): 14, 24, 32, 257, 280.

Maravilla, Ricki: 260.

Marchesi, Rino: 86.

Márcico, Alberto José: 293.

Marquitos: 74.

Martin, Ricky: 295.

Martino, el Tata: 243.

Marzolini, Silvio: 51-53, 57, 61-63, 248-250, 253, 256, 264, 265.

Massing: 170.

Matarrese, Antonio: 109, 114, 187, 188, 222.

Matthäus, Lothar: 129, 134, 155, 185, 231, 232, 288, 292.

Mauro, Massimo: 292.

Meléndez Calderón, Julio: 282.

Menem, Carlos (Junior): 299.

Menem, Carlos S.: 89, 94, 145, 169, 249, 255, 299, 303, C-13.

Menotti, César Luis (el Flaco): 27, 28, 31-41, 68, 71, 72, 74, 76, 78, 112, 113, 119, 120, 123, 127, 139, 146-148, 154, 243, 255, 285, 293, 294, 303, A-5, A-7, C-3, C-11, C-12.

Merlo, Reinaldo: 46.

Meza, Juan J. (el Tucu): 34, 39, 62, A-6.

Michel: 304.

Miele, Fernando: 262.

Migueli: 72, 75, 81.

Miná, Gianni: 93, 107.

Minutti: 25.

Mónaco, Alberto de: 299.

Mónaco, Carolina de: 299.

Monchu: 232.

Montaña: 16, 20.

Montes, Juan Carlos: 23, 25, A-4.

Montuori, Gennaro: 181.

Monzón, Carlos: 197, 230, 267, 296.

Monzón, Pedro Damián (el Negro): 173, 185.

Moralejo: 63.

Morales, Víctor Hugo: 196.

Moreno Ocampo, Luis: 222.

Moreno, José Manuel: 191.

Morete, Carlos Manuel (el Puma): 55.

Moser, Francesco: 163.

Mouzo, Roberto: 28, 50, 52, 55, 60.

Muller: 178.

Munutti: 25, 52.

Murray: 177.

Nakata: 294.

Nannini, Gianna: 168.

Nannis, Mariana: 258, 259.

Navarro Montoya, Carlos (el Mono): 217, 218, 235, 266, 271.

Navedo, Rubén: 222.

Neeskens, Johan: 35.

Nieto, Enrique (el Negro): 52, 259.

Noel, Martín: 47.

Novello, Nicolás (el Tano): 282.

Núñez, José Luis: 69, 71-74, 77-83, 291, 292, C-2.

O'Neil, Shaquille: 295.

O'Reilly, Rodolfo: 123, 136.

Ocaño: 25.

Ojeda: 20.

Olarticoechea, Julio (el Vasco): 127, 168, 172, 182, 281, 294, 301.

Oliva, Rubén Darío (el Loco): 70, 76-78, 96, 121, 157, 159, 237.

Olmedo, Alberto: 197.

Ortega, Ariel (el Burrito): 201, 202.

Ortiz, Oscar (el Negro): 41.

Ovelar, Luis: 25.

Oviedo, Miguel: 25.

Owen, Michael: 288.

Pachamé, Carlos: 147.

Pacheco, Alberto: 21.

Paenza, Adrián: 208.

Páez, Fito: 197, 225.

Paladino, Roberto (Cacho): 26.

Palermo, Martín: 274, 292.

Palomino: 20.

Pando, Martín: 305.

Pasculli, Pedro Pablo: 43, 44, 118, 120, 123, 127, 129, 136, 143, 281, 292.

Passarella, Daniel Alberto: 27, 46, 61, 65, 86, 103, 113-120, 122, 124, 125, 127, 128, 134, 139, 141-147, 245, 252, 253, 268, 271, 281, 285, 287, 289, 293, C-11, C-12.
Passucci: 55, 63.
Pedernera, Adolfo: 191, 305.
Peidró, Carlos: 206, 212.
Pelé [Edson Arantes do Nascimento]: 18, 62, 153, 224, 248-251, 282, 283, 284, 286, C- 12, C-13.
Pelé, Abedi: 254.
Pellerano, Luis: 25.
Pena, Hugo (Tomatito): 33, 257, A-3.
Penzo: 122.
Pepe, Sonia: 230.
Pérez, Germán: 200, 214, 253.
Pérez, Osvaldo (el Japonés): 28, 65.
Perfumo, Roberto (el Mariscal): 293.
Pernía, Vicente (el Tano): 52, 53, 55, 57.
Perotti, Hugo Osmar (el Loco, el Mono): 50, 55-60, 63, 283.
Pertini, Sandro: 114.
Piaggio, Jorge: 34.
Pianetti, Osvaldo (el Pocho): 283.
Pintado, David: 206.
Pintos, Luis: 50, 52, 221, 222.
Piola, Silvio: 133.
Pizzarotti, Ricardo: 28, 32, 67.
Platini, Michel: 86, 90, 98, 126, 285, 287.
Pompilio, Pedro: 266.
Ponce: 120.
Poncini, Rogelio: 38, 40.
Porta, Hugo: 200.
Preud'Homme, Michael: 254.
Prosinecki: 180.
Pujol, Jordi: 73.
Pumpido, Nery: 111, 170, 172, 173, 175, 179, 301.
Quini [Enrique Castro González]: 74.
Quintero, el Negro: 56.
Quiroz, el Chiquito: 55, 58.
Rai: 254.
Rainieri, Claudio: 221.
Ramoa: 51, 55.
Randazzo, Walter Carlos (Carly): 48, 88.
Rapie, Bernard: 100.
Rattin, Ubaldo (el Rata): 46.
Recassens, Norberto: 195.
Redondo, Fernando Carlos: 195-197, 204, 209, 210, 235, 253, 289, B-5.
Regenhardt, el rubio: 56.
Reid: 131.
Renica, Alessandro: 87.
Rey, dirigente: 24.
Reyna: 117, 154.

Riante: 55.
Ribolzi, Jorge: 57.
Rigante: 60.
Rildo: 64.
Rinaldi, Osvaldo: 34.
Ríos Seoane: 151.
Riquelme, Juan Román (el Nene): 56, 289.
Riva, Gigi: 96.
Rivaldo [Vitor Barbosa Ferreira]: 81, 286, 302.
Rivelinho, Roberto: 18, 284.
Robinson, David: 295.
Rocha, Ricardo: 178.
Rodrigo [Alejandro Bueno]: 225.
Rodríguez, Carlos (la Pantera): 55, 58.
Rodríguez, Claudio (el Mono): 19.
Rodríguez, Perfecto: 19.
Rojas, Ángel Clemente (Rojitas): 284.
Roma: 25.
Romagnoli, Leandro: 294.
Romano: 98.
Romario [Romario da Souza Faria]: 81, 204, 286, 287.
Ronaldo [Ronaldo Luiz Nazario de Lima]: 286.
Rosa, Angel: 200.
Rosas, Juan Manuel de: 299.
Rossi, Paolo: 87, 288.
Rossi, Rubén José: 34.
Rotondi: 48.
Rudman: 196.
Ruggeri, Oscar Alfredo (el Cabezón): 43, 51-55, 63, 88, 89, 127, 168, 170, 175, 185, 186, 190, 191, 195, 196, 204, 217, 218, 261, 281, 288, 293, 301.
Rummenigge, Karl-Heinz: 86, 126, 290.
Russo: 120.
Sá, Francisco (Pancho): 55, 57, 60.
Saccardi, Gerónimo (Cacho): 54.
Sacchi, Federico: 293, 305.
Saguier, Julio: 137.
Salinas, Carlos: 48.
Salvatori, Natalio: 31.
San Martín, José de: 300.
Sánchez, Angel: 248.
Sánchez, Hugo: 79, 288.
Sánchez: 55.
Sanchís: 283.
Sangenis, Patricia: 219.
Santillana: 73, 74.
Santos: 48, 101.
Sarmiento, Domingo F.: 300.
Savicevic, el Vasco: 181.
Saviola, Javier Pedro: 289, 303, 304.
Schillaci, Salvatore (Totó): 181.
Schumacher, Michael: 145.

318

Schuster, Bernd: 70-75, 79, 81, 291, C-2.
Scirea, Gaetano: 126, 291.
Scoponi, Gringo: 244.
Scotto, Darío: 256, 258.
Seeler, Uwe: 48.
Senna, Ayrton: 295.
Sensini, Roberto: 164, 185.
Serena: 182.
Serra Lima, María Martha: 52.
Shilton, Peter Leslie: 131, 132, 294, B-5.
Signorini, Fernando (el Ciego): 85, 105, 112, 122, 161, 166, 167, 175, 177, 200, 203, 208, 209, 211, 235, 236, 238, 297, C-5.
Simeone, Diego Pablo (el Cholo): 190, 191, 204, 210, 230, 232, 289, 295.
Simón, Juan (Juanchi): 34, 40, 281, 294.
Simonián, Marcelo: 248.
Simpson, Orenthal James: 212.
Sinatra, Frank: 115.
Siviski: 153.
Sócrates [Sócrates Sampaio da Souza Oliveira]: 86, 273, 291.
Solari, Jorge Raúl (el Indio): 242, 243.
Sosa, Julio: 224.
Sosa, Mercedes (la Negra): 84.
Spataro: 249.
Sperandío, Daniel (el Gringo): 34, 223.
Starace, Tommasso: 168.
Stielike: 74.
Stoitchkov, Hristo: 81, 273, 285, 302.
Stojkovic, Dragan: 180.
Suárez, José María (el Colorado): 50, 55.
Suker, Davor: 232, 289.
Tabárez, Oscar Washington (el Maestro): 215, 234.
Taffarel: 178.
Tapie, Bernard: 100, 220, 223, 226, 227.
Tarantini, Alberto César (el Conejo): 54, 56, 69, 281, 292, B-1.
Taverna, Juan (Juanchi): 223.
Tchami, Alphonse: 271.
Thern, el sueco: 221.
Tigana: 122.
Tinelli, Marcelo: 221, 224.
Toninho Cerezo: 86, 287.
Toresani, Julio César (el Huevo): 256.
Torres, Alfredo: 34.
Torres, Diego: 255, 260.
Tostao [Eduardo Gonçalves Andrade]: 284.
Trobbiani, Marcelo: 50, 55, 292.
Troglio, Pedro: 172, 177.
Troilo, Aníbal: 282.
Trossero, Enzo: 116.

Trotta, José Emilio (don Yayo): 17-21.
Tyson, Mike: 129.
Ugalde, Ernesto: 206, 211, 212.
Valdano, Jorge Alberto: 120, 125-128, 131-135, 143, 144, 147, 148, 155, 157, 164-168, 174, 235, 281, 288, 289, 291, 292.
Valdecantos, Javier: 221, 222, 224, 231.
Valderrama, Carlos (el Pibe): 290.
Valencia, Daniel: 25, 31.
Van Basten, Marco: 97, 286.
Van Tuyne, José Daniel: 65.
Varallo, Francisco: 293.
Varela, Obdulio: 129, 290.
Varsky, Juan Pablo: 196, 197.
Vázquez, Sergio (el Negro): 207.
Veira, Héctor Rodolfo (el Bambino): 230, 273.
Veloso: 65.
Verón, Juan Sebastián (la Brujita): 269, 271, 289.
Vialli, Gianluca: 254.
Víctor: 70, 74.
Vidal: 44.
Videla, Jorge R.: 36.
Vieri, Christian: 287, 303.
Vilamitjana, Renegado: 249.
Vilas, Guillermo: 197.
Villa, Julio Ricardo: 28, 31, 223.
Villafañe (familia): 29.
Villafañe de Maradona, Claudia: 18, 29, 30, 37, 39, 41, 47, 56, 59, 64, 68, 74, 84, 85, 88, 95, 98, 102, 103, 113, 122, 139, 151, 164, 171, 173, 174, 182, 193, 196, 205, 206-210, 214-216, 228, 230, 238-240, 245, 249, 252, 257, 260, 269, 277-280, 306, 309, C-15.
Villafañe, el Indio: 59.
Villafañe, Roque Nicolás (don Coco): 29, 89, 132, 257, 277, 278.
Viola, Dino: 184.
Virdis: 97.
Vivalda, Alberto: 65.
Völler, Rudi: 129, 185.
Von Quintiero, (el Zorrito): 257.
Weah, George: 254, 273, 294, 302.
Wortman Joffré, Hugo: 222.
Zamorano, Iván: 290.
Zanabria, Mario Nicasio: 48.
Zárate, Alberto (primo Beto): 12, 13, 24.
Zico [Artur Antunes Coimbra]: 86, 126, 286.
Zidane, Zinedine: 273, 287.
Zola, Gianfranco (Zolita): 187, 254, 290.
Zubeldía, Osvaldo: 64, 135.